REINHARD G. LEHMANN

DIE INSCHRIFT(EN) DES AḤĪRŌM-SARKOPHAGS UND DIE SCHACHTINSCHRIFT DES GRABES V IN JBEIL (BYBLOS)

FORSCHUNGEN ZUR PHÖNIZISCH-PUNISCHEN UND ZYPRISCHEN PLASTIK

Sepulkral- und Votivdenkmäler als Zeugnisse kultureller Identitäten und Affinitäten

herausgegeben von
Renate Bol

BAND II.1.2

VERLAG PHILIPP VON ZABERN · MAINZ AM RHEIN

DYNASTENSARKOPHAGE MIT SZENISCHEN RELIEFS AUS BYBLOS UND ZYPERN

Teil 1.2

Die Inschrift(en) des Aḥīrōm-Sarkophags und die Schachtinschrift des Grabes V in Jbeil (Byblos)

von

Reinhard G. Lehmann

2005

VERLAG PHILIPP VON ZABERN · MAINZ AM RHEIN

IX, 80 Seiten mit 328 Schwarzweißabbildungen;
4 Farb- und 12 Schwarzweißtafeln

Gedruckt mit Unterstützung der Deutschen Forschungsgemeinschaft

Umschlag: Aḥīrōminschrift A und B (Montage)

Bibliographische Information der Deutschen Bibliothek

Die Deutsche Bibliothek verzeichnet diese
Publikation in der Deutschen Nationalbibliographie; detaillierte bibliographische Daten sind
im Internet über <*http://dnb.ddb.de*> abrufbar.

ISBN 3-8053-3508-3

Printed in Germany by Philipp von Zabern
Printed on fade resistant and archival quality paper (PH 7 neutral) · tcf

INHALTSVERZEICHNIS

VORWORT DER HERAUSGEBERIN

Als wir im Lauf des Wintersemesters 2002/03 bei Reinhard G. Lehmann (Forschungsstelle für althebräische Sprache und Epigraphik an der Universität Mainz) anfragten, ob er bereit sei, zu den Untersuchungen von Ellen Rehm über den Ahirom-Sarkophag[1] einen Beitrag zur Inschrift zu leisten, konnte niemand ahnen, welch weitreichende neue Erkenntnisse aus den Forschungen zu diesem bereits seit über siebzig Jahren bekannten Dokument früher phönizischer Schrift und Sprache erwachsen würden.

Zwar zeigte sich bereits bei einem an den Abschlußbericht von Ellen Rehm anknüpfenden Vortrag in der Universität Mainz (Februar 2003), dass Herr Lehmann neue Lösungen zu dem seit Entdeckung des Monuments bestehenden Problem der fast durchweg von Archäologen und Epigraphikern unterschiedlich beurteilten Datierung von Sarkophag und Inschrift anbieten und dabei auch die von Rehm erarbeiteten Ergebnisse zum Sarkophag bestätigen konnte. Überdies waren erweiternde Ansätze zu den inhaltlichen Aussagen fassbar. Doch ergab sich gleichzeitig die Schwierigkeit, dass ohne neuerliche Autopsie des Denkmals die eigentliche Beweisführung kaum zu erbringen war.

Auch hierzu war Herr Lehmann – trotz einer Fülle anderweitiger Verpflichtungen – bereit. Seinem hohen Engagement ist es auch zu verdanken, dass die Abhandlungen, in die er auch eine neue Untersuchung der Schachtinschrift des Grabes V in Byblos aufnahm, in dem an die Veröffentlichung von E. Rehm anschließenden Teilband publiziert werden können. Auf diese Weise ist – zum ersten Mal in der langwährenden Forschungsgeschichte – eine zwar geringfügig zeitlich versetzte, aber doch gemeinsam von der Archäologie und Epigraphik getragene Untersuchung zum Ahirom-Sarkophag zustande gekommen. Es besteht die berechtigte Hoffnung, dass viele der bisher noch offenen Fragen nunmehr eine Antwort finden werden.

Ein besonderer Dank gilt der Deutschen Forschungsgemeinschaft, die mit dem seit 1997 bestehenden Sonderforschungsbereich 295 der Universität Mainz (Kulturelle und sprachliche Kontakte: Prozesse des Wandels in historischen Spannungsfeldern Nordostafrikas / Westasiens) die Zusammenarbeit zwischen den einzelnen Wissenschaften gefördert und in diesem Sinn auch die Erforschung eines interdisziplinäre Fachkompetenzen erfordernden Monuments ermöglicht hat. Zum Gelingen haben auch die Unterstützungen des Sprechers, Walter Bisang, wesentlich beigetragen.

Hervorzuheben ist, wie bei den übrigen Bänden der im Rahmen des Teilprojekts B.2 entstandenen Reihe[2] die bewährte Zusammenarbeit mit dem Zabern-Verlag, die kompetente Beratung durch Lothar Bache und Peter Winkelmann sowie die stets zu raschen Lösungen führende Verhandlungsbereitschaft von Annette Nünnerich-Asmus.

Mainz, im Dezember 2004
Renate Bol

[1] Ellen Rehm, Der Ahiram-Sarkophag. Teil 1.1 (2004). – Die Arbeit wurde im Rahmen des SFB 295 der Universität Mainz gefördert und ist als Untersuchung des Teilprojekts B.2 (Leitung R. Bol) entstanden.

[2] Forschungen zur phönizisch-punischen und zyprischen Plastik. Sepulkral- und Votivdenkmäler als Zeugnisse kultureller Identitäten und Affinitäten, hrsg. von Renate Bol. Bd. I: Die phönizischen anthropoiden Sarkophage. Teil 1: Fundgruppen und Bestattungskontexte. Von Simone Frede (2000). Teil 2: Tradition – Rezeption – Wandel. Von Simone Frede mit Beiträgen von H. Dridi, S. Grallert, D. Kreikenbom, N. Meissner, H.-P. Müller, P. Schäfer und A. Thiem sowie mit Exkursen zu anthropoiden Sarkophagen in Palästina und im Alten Orient von B. Mofidi-Nasrabadi und H. Richter (2002). – Bd. II: Dynastensarkophage mit szenischen Reliefs aus Byblos und Zypern. Teil 1.1: Der Ahiram-Sarkophag, von Ellen Rehm (2004); Teil 1.2: der hier vorliegende Band; Teil 2: Der Sarkophag aus Amathous, von Andreas Stylianou. Der Sarkophag aus Golgoi, von Patrick Schollmeyer (in Druckvorbereitung).

Meinem Vater, dem Maler
Lothar Lehmann

VORWORT

Im Juli 2003 hatte ich dank einer Initiative des Sonderforschungsbereichs 295 (Kulturelle und sprachliche Kontakte. Prozesse des Wandels in historischen Spannungsfeldern Nordostafrikas/Westasiens) an der Johannes Gutenberg-Universität Mainz und der Finanzierung durch die Deutsche Forschungsgemeinschaft die Gelegenheit, die Inschrift des Aḥīrōm-Sarkophags (KAI 1) und die Schachtinschrift des Aḥīrōm-Grabes in Byblos (KAI 2) vor Ort in Beirut bzw. Jbeil zu untersuchen. Die sich hieraus ergebenden neuen Aspekte und Probleme konnten neben meiner Lehrtätigkeit nur langsam aufgearbeitet werden, und vieles mußte ungeklärt bleiben. Dennoch soll die Untersuchung nun der Öffentlichkeit übergeben werden in der Hoffnung auf wohlwollend-kritische Aufnahme, die im Sinne des *dies diem docet* neue Forschung und weiterführende Erkenntnis aus sich heraus entlassen mag.

Ich danke dem Directeur Général des Antiquités de la République Libanaise, Monsieur Frederic Husseini, für die großzügige Erteilung von Photographier- und Publikationsgenehmigungen und der Kuratorin des Nationalmuseums Beirut, Frau Suzan Hakimian, für ungehinderte Arbeitsmöglichkeiten im Nationalmuseum Beirut. Daß es sich spontan verwirklichen ließ, am 21. Juli 2003 in den Grabschacht V von Jbeil (Byblos) hinabzusteigen, verdanke ich Frau Tania Zaven, Archaeologist in Charge of Byblos (General Directorate of Antiquities). Ohne ihre Hilfsbereitschaft und technisch-organisatorische Unterstützung vor Ort wäre dies nicht möglich gewesen. Zwei Grabungsarbeiter wachten während des nicht ganz ungefährlichen Unternehmens über meine Sicherheit – auch ihnen sei an dieser Stelle gedankt! Herrn Prof. Manfred Kropp und seinen Mitarbeitern im Orient-Institut der Deutschen Morgenländischen Gesellschaft in Beirut danke ich für Gastfreundschaft, Hilfsbereitschaft und logistische Unterstützung.

Für anregende und kritische, in jedem Falle aber hilfreiche Gespräche, Informationen und Hinweise danke ich Adolf Abi-Aad, Johannes F. Diehl, Sebastian Graetz, Holger Gzella, Ernst Jenni, Guido Kryszat, Peter Kuri, Herbert Niehr, Annick Payne, Wolfgang Röllig, Stefan Timm, Josef Tropper, Andreas Wagner, Anna Zernecke, Wolfgang Zwickel und meinen Studierenden in der Sozietät für Nordsemitische Epigraphik an der Universität Mainz. Mehr als all diesen aber danke ich Katharina Greschat.

Marilyn J. Lundberg und Bruce Zuckerman, West Semitic Research, University of Southern California, danke ich dafür, daß sie mir ergänzende Photographien zur Publikation überließen.

Schließlich gilt mein Dank Frau Prof. Renate Bol (Mainz), die im Wintersemester 2002/03 mit einer kleinen kollegialen Anfrage den Stein überhaupt erst ins Rollen brachte. Sie hat sich danach mit unermüdlichem Interesse für die Verwirklichung des Projekts eingesetzt. Als Herausgeberin der Reihe hat sie darüber hinaus mit großer Geduld der Fertigstellung des Manuskripts entgegengesehen!

Mein Vater hat auf mancherlei Weise früh die erste Liebe zu Schriften in mir geweckt. Als eine späte Frucht dieser Bemühungen sei ihm das Buch daher gewidmet.

Ingelheim, Ostern 2005

EINLEITUNG

Seit ihrer Entdeckung im Herbst des Jahres 1923 behauptet die Inschrift des Aḥīrōm-Sarkophags weitgehend unangefochten den Anspruch, das älteste zusammenhängend lesbare Zeugnis der im Prinzip bis heute verwendeten Alphabetschrift zu sein.[1] Daran vermochte auch ihre kontroverse, um mehrere Jahrhunderte schwankende Datierung substantiell nichts zu ändern. Dieser Nimbus des Prototypischen wird verstärkt durch die Herkunft des Sarkophags aus dem libanesischen Hafenstädtchen Jbeil,[2] dem 7000jährigen Gubla[3], dessen Ruhm als Papyrushafen κατ' ἐξοχήν ihm in der Antike den griechischen Namen Byblos (βύβλος, βίβλος *Papyrusstaude, Papier, Buch*) eintrug[4] und das dadurch direkt mit der auch nicht ganz abwegigen Vorstellung von früher Alphabetentstehung, Schreibkunst und antikem Buchwesen konnotiert war.[5] Allzuleicht jedoch gerät der moderne Forscher in die Gefahr, sich diesem Nimbus des Altehrwürdigen unkritisch hinzugeben, und übersieht dabei eine Reihe mit dem Aḥīrōm-Sarkophag verbundener ungelöster, auch methodischer, Probleme.

Wolfgang Röllig hat 1982 in einer epigraphischen Studie die Inschrift des Aḥīrōm-Sarkophags als einen ‚klassischen Fall' gegenseitiger Abhängigkeit von Archäologie und Epigraphik bezeichnet. Beide Wissenschaften seien aufeinander angewiesen, weil „Textdeutung ohne Realien blutlos bleibt und Denkmälerkunde ohne Textkenntnis leicht ins Phantastische abgleitet".[6] Es ist daher nicht nur ein willkommener Anlaß, sondern methodisch geradezu geboten, den Aḥīrōm-Inschriften im Anschluß an die jüngst publizierte Untersuchung von Ellen Rehm[7] auch eine erneute epigraphisch-philologische Studie zu widmen.

Als Ertrag seiner im Kern immer noch gültigen Untersuchung stellte Röllig fest:

> „Der Schriftvergleich mit allen chronologisch einigermaßen sicher zuzuordnenden Inschriften aus Byblos und mit einigen Vergleichsstücken von außerhalb macht m. E. unabweislich klar, daß die Inschrift am Rande des Deckels des Sarkophags des Königs Aḥīrōm von Byblos in die ersten drei Jahrzehnte des 10. Jahrhunderts v. Chr. zu datieren ist. Eine Datierung um 1300 oder ins 12. Jahrhundert v. Chr. ist danach völlig ausgeschlossen."[8]

1 So oder ähnlich formulierte Aussagen finden sich in vielen, vor allem an ein breiteres Publikum gerichteten Veröffentlichungen, z. B. in *A visit to the Museum. The short guide of the National Museum of Beirut, Lebanon*, Beirut 2001, 31 („It is the oldest text written with the Phoenician alphabet. The Phoenicians spread this alphabetic script all over the Mediterranean which earned them the reputation, among the Greeks, of having invented the alphabet").

2 Ǧebeil, ca. 40 km nördlich von Beirut, ca. 3000 Einwohner.

3 Ägyptisch als *Kpny*, später *Kbny* und akkadisch als *Gubla* gut belegt, vgl. Horn 1963. In den geographisch und vor allem sprachlich nächstliegenden hebräischen Quellen dagegen ist die Bezeugung ausgesprochen dürftig (vgl. Dussaud 1923, 300–315, bes. 313ff.), hebräisch ist der Name der Stadt nur einmal explizit als גְּבַל belegt, Ez 27:9 זִקְנֵי גְבַל וַחֲכָמֶיהָ הָיוּ בָךְ מַחֲזִיקֵי בִּדְקֵךְ *die Ältesten von Byblos und ihre Weisen waren in dir als deine Schiffszimmerleute* (auch in der Septuaginta: οἱ πρεσβύτεροι Βυβλίων, andere Lesarten setzen für Βυβλίων, wohl nur transskribierend, Γεβαλ), dazu noch je einmal deren Einwohner (הַגִּבְלִים) 1 Reg 5:32 (hierzu s. u. Anm. 109) und deren Land als geographische Beschreibung Nordphönikiens von der südlichen Biqāʿ an Jos. 13:5: וְהָאָרֶץ הַגִּבְלִי וְכָל־הַלְּבָנוֹן מִזְרַח הַשֶּׁמֶשׁ מִבַּעַל גָּד תַּחַת הַר־חֶרְמוֹן עַד לְבוֹא חֲמָת *das Land der Gibliter, und zwar der ganze Antilibanon von Baal-Gad unterhalb des Hermon bis zum Abzweig nach Hamath*. Die Septuaginta hat hier הַגִּבְלִי bereits nicht mehr verstanden und erläutert als καὶ πᾶσαν τὴν γῆν Γαβλι Φυλιστιιμ (A) bzw. Γαλιὰθ Φυλιστιεὶμ (B), ersetzt auch בַּעַל גָּד durch das bekanntere Γαλγαλ.

4 Cf. Hjalmar Frisk, *Griechisches Etymologisches Wörterbuch* [2]I, 1973, s.v. (S. 235); P. Chantraine, *Dictionnaire étymologique de la langue greque*, Paris 1968, *s. v.* (S. 200f.); PRE III/1, 1099–1100 (Benzinger) und 1100–1104 (Dziatzko).

5 Vgl. Nina Jidejian, *Byblos Through the Ages,* Beirut 1968; Maurice Dunand, Byblos. *Geschichte, Ruinen, Legenden,* Beirut 1972.

6 Wolfgang Röllig, Die Aḥīrōm-Inschrift. Bemerkungen eines Epigraphikers zu einem kontroversen Thema, in: *Praestant interna.* FS für U. Hausmann, hrsg. von B. von Freytag gen. Löringhoff et al., Tübingen 1982, 367–373, hier: 367.

7 Ellen Rehm, *Der Ahiram-Sarkophag,* Mainz 2004.

8 Röllig 1982, 372.

Dies scheint in zunächst unauflösbarem Widerspruch zu den Ergebnissen REHMS zu stehen, die eben erneut eine kunsthistorisch-archäologisch begründete Frühdatierung des Sarkophags vertritt.[9] Abseits der konventionellen, vor allem paläographisch begründeten Datierung der Inschrift (und damit des Sarkophags) um 1000 v. Chr. sind zwar in der Vergangenheit auch philologische Argumente für eine deutliche Frühdatierung der Inschrift bis hinauf in das 13. Jh. v. Chr. geltend gemacht worden. Sie sollten ihrerseits auf die Paläographie zurückwirken. Den Anstoß dazu hatte 1977 Giovanni GARBINI gegeben, der sieben linguistische Gesichtspunkte für eine Früdatierung benannte, die aber jüngst von Edward COOK in Auseinandersetzung mit Martin BERNAL zurückgewiesen wurden und inzwischen sämtlich als widerlegt oder nicht relevant gelten können.[10]

Wolfgang RÖLLIG selbst – in der weisen Bescheidung des Epigraphikers – fügte seinem paläographischen Resumé allerdings schon vor mehr als 20 Jahren vorsichtig hinzu:

> „Damit ist über die Entstehungszeit des Sarkophags und sein Niedersetzen in der Königsnekropole noch nichts Entscheidendes gesagt, doch gibt es m.W. keine Anhaltspunkte dafür, daß der Sarkophag wiederverwendet worden wäre. Der Wortlaut der Inschrift widerspricht dem ausdrücklich."[11]

Damit ist nun allerdings auch der entscheidende Punkt angesprochen, an dem aufgrund neuerer Erkenntnisse zugleich ein zu einer besseren Lösung weiterführender Widerspruch gegen RÖLLIG eingelegt werden muß: Im Gegenteil gibt es meines Erachtens nichts in der Inschrift, weder philologisch noch paläographisch, was der Annahme einer Wiederverwendung widerspräche. Es scheint sogar eine Reihe von Beobachtungen gerade auf diesen besonderen Umstand hinzuweisen, während wieder andere dadurch immerhin einfacher zu erklären sind.[12]

Mit vorliegender Untersuchung soll zunächst der epigraphische Befund aufgrund erneuter Autopsie des Aḥīrōm-Sarkophags, insbesondere seiner Inschrift, gründlich beschrieben[13] und eine – teilweise neue – philologische Deutung vorgelegt werden. In einem zweiten Teil wird auch die aus begreiflichen Gründen bisher vernachlässigte Schachtinschrift des Grabes V aus Byblos (Jbeil) auf der Basis neuer Untersuchungen vor Ort neu herausgegeben und in den Versuch einer Gesamtdeutung des Grabes V der Königsnekropole von Byblos einbezogen.

9 Zur Geschichte divergierender Datierungsversuche vgl. REHM 2004, 15–19.

10 GARBINI, Sulla datazione dell'iscrizione di Aḥiram: *AION* 37 (1977) 81–89 = GARBINI 1980, 31–40; Edward M. COOK, On the Linguistic Dating of the Phoenician Ahiram Inscription (KAI 1): *JNES* 53 (1994) 33–36; Martin BERNAL, *Cadmean Letters. The Transmission of the Alphabet to the Aegean and Further West before 1400 B.C.*, Winona Lake 1990, 15ff; vgl. FIRMAGE 2002, SWIGGERS 1991, GARR 1985, zur Kritik an GARBINI auch schon TEIXIDOR, *Bulletin* 1977, 387.

11 RÖLLIG 1982, 372.

12 Vorläufige Überlegungen hierzu schon bei R. G. LEHMANN, Studien zur Formgeschichte der ᶜEqron-Inschrift des ᵓKYŠ und den phönizischen Dedikationstexten aus Byblos: *Ugarit-Forschungen* 31 (1999 [2000]) 255–396.286–88. Unter der Perspektive des Konservators und Restaurators kommt zu ganz ähnlichen Auffassungen auch Jean DÉLIVRÉ, Le sarcophage d'Ahirom: un cas de réemploi?, in: *Liban. L'autre rive. Exposition présentée à l'Institut du monde arabe,* Paris 1998, 75.

13 Die paläographische Auswertung und sämtliche Zeichnungen dieser Untersuchung basieren auf Autopsie und ca. 200 Farb- und SW-Photographien der Sarkophaginschrift, die vom 22.–25. Juli 2003 im Nationalmuseum Beirut unter der vorhandenen Kunstlichtausleuchtung der Halle ohne zusätzliche Lichtquellen mit einer Nikon F 80S ausgeführt wurden. Für die Farbdarstellung des Deckels (Tafel 6 und 7) wurde eine unterbelichtete Langzeitaufnahme durch Filterung verstärkt. Sie gibt daher nicht exakt die originale Farbtemperatur wieder.

14 Vgl. zu den Einzelheiten des Fundhergangs die atmosphärisch aufschlussreichen Briefe von Pierre MONTET an den ‚secrétaire perpétuel' der Académie des Inscriptions, René Cagnat, in *Syria* 4 (1923) 334–344, auch MONTET, Les fouilles de Byblos en 1923: *L'Illustration,* 3. Mai 1924, 402–405.

15 Der mittlere von insgesamt drei Särgen, die in der Gruft V der Nekropole standen *(vgl. Abb. 13)*. Alle drei Sarkophage waren beraubt (VINCENT 1925, 181f; MONTET 1928, 217; vgl. u. S. 40f.) und enthielten nur noch Gebeine. MONTET 1928 gibt nur die Abmessungen der Sarkophage V_1 und V_3 an, Maße für den

TEIL I
DIE INSCHRIFT(EN) DES AḤĪRŌM-SARKOPHAGS

I.1. Der epigraphische Befund

Die Inschrift des von Pierre MONTET[14] im Dezember 1923 als Sarkophag V_2 der Königsnekropole von Byblos entdeckten Aḥīrōm-Sarkophags[15] besteht aus zwei räumlich unabhängig voneinander wahrnehmbaren Abschnitten. Ungeachtet der Frage, ob es sich dabei tatsächlich um zwei verschiedene oder um insgesamt doch nur eine Inschrift handelt, werden diese hier um der argumentativen Handhabbarkeit willen als ‚Inschrift A' und ‚Inschrift B' bezeichnet.[16] Inschrift A ist demnach die kürzere, auf der rechten, südlichen Schmalseite der Wanne, Inschrift B die längere, auf der vorderen, westlichen Breitseite des Deckels befindliche.[17] Aus rein praktischen Gründen werden die Inschriften hier zudem in kleinere, numerierte Segmente aufgeteilt.[18]

I.1.1 Die Wanneninschrift A

Die südliche Inschrift A beginnt erst ca. 20 cm von der rechten Ecke entfernt und verläuft auf dem abschließenden oberen, 5,5 cm breiten Band der Sargwanne mittig, aber in schlechter Zeilenhaltigkeit bis etwa 6 cm vor die vordere, jetzt teilweise abgebrochene Ecke.[19] Der Text ist 86 cm lang, die durchschnittliche Zeilenhöhe beträgt ca. 26 mm.[20]

Besonders in der rechten Hälfte des Textes sind Spuren einer roten Einfärbung sowohl auf dem Hintergrund als auch in den Buchstaben selbst erkennbar (Tafel 5b.c/8a). In der linken Hälfte dagegen konnten eindeutige Farbreste nicht identifiziert werden. Ohne weitergehende mikroskopische Untersuchungen ist eine Beurteilung jedoch schwierig. Da der gesamte Text

Aḥīrōm-Sarkophag V_2 fehlen in den frühen Berichten und Publikationen. In verschiedenen modernen Katalogen (*Visit to the Museum* 2001, 30; *Liban. L'autre rive* 1998, 126.298, u. ö.) sind die Maße für die Wanne mit 297 x 111,5 x 140 cm (L/B/H), für den Deckel mit 284 x 114 x 33 cm angegeben, was in der Länge jeweils die Löwenprotome mit einschliesst. Die exakten Maße der Wanne des Aḥīrōm-Sarkophags *ohne* Protome sind in cm: Am ersten (oberen) Band 235 (west) / 235,5 (ost) x 112 (süd) / 105 (nord), im Lotusfries 234 / 235,5 x 111,5 / 104; auf dem zweiten Band 235,5 / 236 x 113 / 116. Der Sarkophag ist also durch die um bis zu 7 cm differierenden Schmalseiten leicht konoid. Wie auch bei Sarkophag V_3 sind die Abweichungen im Sockelbereich erheblich größer und besonders auf der Nordseite mit bloßem Auge zu erkennen. Der Deckel ist trapezoid verzogen: wiederum *ohne* Löwenprotome beträgt die vordere Breite (west) ~238 cm mit starkem Überstand rechts, die hintere Breite (ost) dagegen nur 234 cm und ist so etwas kürzer als die Wanne. Seine südliche Schmalseite beträgt 113 cm, die Südwestecke ist mit ca. 80–85° leicht spitzwinkelig, die Nordseite ist nur etwa 104 cm breit.

16 Ähnlich auch schon Noël AIMÉ-GIRON, Note sur les inscriptions de Aḥiram: *BIFAO* 26 (1926) 1–13.

17 Die Richtungsangaben ‚rechts', ‚vorne' etc. beziehen sich hier und im folgenden immer auf die ursprüngliche Ansicht und Fundposition des Sarkophags beim Betreten der Gruft, die Himmelsrichtungen sind ebenfalls unter Bezug auf die ursprüngliche Lage *in situ* gegeben, vgl. *Abb. 13* und Anm. 235.

18 Die Gliederung dieser Segmente ist zufällig und ursprünglich durch die photographische Arbeit am Aḥīrōm-Sarkophag vor Ort gegeben. Sie wird hier beibehalten, um in der paläographischen Diskussion eindeutig auf einzelne Teile und Buchstaben zugreifen zu können. Auf sie wird mit vorangestelltem # Bezug genommen, so meint z. B. #A5 das fünfte Segment von Inschrift A mit der Graphemfolge ‹*MLKGBL*•›. Zur Wiedergabe in der graphischen Transliteration sind neben der Verwendung von *GROSSBUCHSTABEN* auch die sogenannten ‚Worttrenner' zur besseren Wahrnehmung durch • wiedergegeben. Für die in grammatischen Zusammenhängen und bei Textzitaten verwendete Transkription hingegen gilt das konventionelle Verfahren der Wiedergabe in Kleinschreibung und – sofern erforderlich – mit einfachem Punkt als ‚Worttrenner'.

19 Die Sarkophagwanne ist hier am oberen Rand 112 cm breit (interpoliertes Gesamtmaß einschließlich abgebrochener Ecke).

20 Orientiert an ‹B›, ‹Z› oder ‹N› – deutlich größer sind ‹M› und ‹R› mit mehr als 30 mm, merklich kleiner ist ‹ᶜ› mit 15 mm Ø. Es läßt sich eine leichte Tendenz zum Größerwerden der Buchstaben gegen das Ende von Inschrift A hin beobachten, vgl. Teil III und S. 69.

Abb. 1 Südseite mit Lage der Inschrift A

B auf dem Deckel eindeutig an keiner Stelle irgendwelche Farbspuren enthält, aber auf dem Deckelrand besonders der Ostseite und an den Löwen des Deckels stellenweise Reste von verlaufenen roten ‚Farbnasen' erkennbar sind,[21] dürfte wahrscheinlich auch den Farbspuren in der rechten Hälfte von Inschrift A kaum allzu viel Bedeutung beizumessen sein. Sie werden durch verschüttete oder verlaufene rote Farbe verursacht sein. Eine Gleichzeitigkeit von Sarkophag und Inschrift ist daraus keineswegs ableitbar, denn gezielte, auch die Inschrift mit einbeziehende Bemalung in diesem Bereich hätte eher unterschiedliche Farbigkeit in Untergrund und Buchstaben erwarten lassen.[22]

Angesichts seiner ungewöhnlichen Lage und seines nach links verschobenen Anfangs verdient es auch hervorgehoben zu werden, daß Text A bei aufgesetztem Deckel nur schwer durchgehend lesbar ist, da der Mittelteil von der Löwenbosse des Deckels teilweise überschattet ist. Steinmetztechnisch kann Text A keinesfalls bei korrekt aufgesetztem Deckel ausgeführt worden sein. Spuren eines hieroglyphischen Subtextes sind entgegen einer von Martin 1961 publizierten Studie weder auf dem rechten, freien Stück vor dem Anfang der Inschrift noch sonst irgendwo auf dem Sarkophag erkennbar.[23]

Bis auf einen restlos zerstörten, aber philologisch einigermaßen plausibel ergänzbaren Buchstaben ist Inschrift A ohne große Probleme lesbar:

Inschrift A

	ʾRN•	*ZPʿL[•*	*…]T̊Bʿ L•*	*BNʾḤRM•*	*MLKGBL•*	*LʾḤRM•*	*ʾBH•*	*KŠTH[•]*	*BʿLM•*
0	1	2	3	4	5	6	7	8	9

21 Vgl. auch Rehm 2004, 53; Maurice Chéhab, Observations au sujet du sarcophage d'Ahiram: *MUSJ* 46 (1970/71) 107–117.116f mit farbigen Detailphotos Pl. i–ii. – Die Reliefs der Sarkophagwanne dagegen enthalten, trotzdem sich auch hier – allerdings deutlich schwächer als auf dem Deckel – zahlreiche Bemalungsreste finden, keine Spuren von *verlaufener* Farbe. Dies ist umso auffälliger, als gerade eine vertikale Fläche dafür normalerweise anfälliger ist als eine horizontale wie der Deckel.

22 Rehm 2004, 53 interpretiert den Befund als Nachweis der „Gleichzeitigkeit von Relief inklusive Bemalung und Inschrift"; dies ist m. E. eher auszuschließen. Vielmehr muß, da der Konservator Délivré 1978 feststellte, daß Farbe auch „sur des zones éclatées" zu finden sei, mit einer sehr späten oder wiederholten Bemalung (zu welchem Zweck?) gerechnet werden.

23 Gegen Martin 1961, 70ff. Der spätere katholische Traditionalist Malachi Martin (1921–1999) hatte in einem ausführlichen „Preliminary Report after Re-Examination of the Byblian Inscriptions": *OrNS* 30 (1961) 46–78 bei einigen prominenten byblisch-phönizischen Texten Reste von pseudohieroglyphischen Subtexten zu erkennen geglaubt. Die von Martin dazu angekündigte ausführliche Studie ist nie erschienen. – Ich selbst habe noch vor wenigen Jahren wie viele andere und ohne eigenen Augenschein die Sicht Martins übernommen (Lehmann 2000, 287, vgl. auch Bordreuil / Briquel-Chatonnet 1998, 29 und Sader 1998), muß sie nun allerdings nach eigener gründlicher Autopsie des Sarges in Beirut ausdrücklich widerrufen (vgl. auch schon den Widerspruch gegen Martin von Hachmann 1967, 108; und Rehm 2004, 16 mit Anm. 122 u. Anm. 483). Martin hat zwar, wie ich mich ebenfalls am Original überzeugen konnte, auf dem Stein der Yaḥūmilk-Inschrift (KAI 4) tatsächlich Spuren einer älteren Beschriftung identifiziert, für den Aḥīrōm-Sarkophag allerdings muß die Erkennbarkeit ernstzunehmender Spuren eines hieroglyphischen Subtextes nun entschieden verneint werden.

Ein Problem stellt die ausgesplitterte Stelle #A3 dar. Zwar dürfte nach ‹*ZP*^{c}*L*› (#A2) mit hoher Wahrscheinlichkeit ein ‚Worttrenner' gestanden haben, anders als in der Abklatschzeichnung bei VINCENT und den ihr folgenden Standardausgaben ist er jedoch im Original *nicht* mehr zu erkennen.[24] Ebenso ist der darauffolgende Buchstabe völlig zerstört. Seine Ergänzung ist wesentlich von der Lesung des nächsten Buchstabens abhängig. Obwohl MONTET schon von Anfang an hier ein ‹T› gesehen hatte, lasen DUSSAUD und LIDZBARSKI auf der Basis des Montet'schen Abklatsches zunächst ‹S›.[25] Die heute allgemein vertretene Lesung ist nach wie vor ‹T›, mit einem vorangehenden ‹ʾ› ergänzt zu ‹[ʾ]*T̊B*^{c}*L*›, *'Ittōbaʿal*. Doch ein zweiter horizontaler Querstrich scheint tatsächlich noch an der Bruchkante der *lacuna* erkennbar zu sein (Tafel 11b). Fraglich ist nur, ob er genuin zu dem hier intendierten Buchstaben hinzugehörte – was dann ‹S› ergäbe – oder sich, was an der Stelle tatsächlich ebenso möglich scheint, erst durch die Beschädigung eines ursprünglichen ‹T› ergeben hat. Bemerkenswert ist zwar, daß ein ‹T› an dieser Stelle tendenziell etwas zu tief säße und nach unten aus der Zeile fiele (vgl. die andere Position in der Graphie ‹TB ...› in #B18), wohingegen die Position des Zeichenrestes als ‹S› vollkommen unauffällig wäre. Fraglich ist aber, wieviel Gewicht dem bei der schlechten Zeilenhaltigkeit von A beizumessen ist.

Dagegen hatten schon L. H. VINCENT, Sébastien RONZEVALLE und Pierre MONTET zugunsten einer Lesung als ‹T› mit Recht darauf hingewiesen, daß ‹S› auf dem Aḥīrōmsarkophag allenfalls leicht in Schreibrichtung, nie aber nach rechts geneigt sei, und daß die Horizontalstriche eines echten ‹S› deutlich näher beieinander liegen müssten.[26] Allerdings wäre hier der generell etwas stärkere Neigungswinkel der Buchstaben in A zu bedenken. Richtig ist auch das immer wieder geäußerte Argument gegen eine Lesung als ‹S›, daß in der Lücke davor, jedenfalls wenn nach ‹*ZP*^{c}*L*[...› (#A2) ursprünglich noch ein ‚Worttrenner' gestanden haben sollte, keinesfalls genug Raum für die Ergänzung zweier Buchstaben wie ‹ʾP› sei. Die von René DUSSAUD u. a. zunächst erwogene Ergänzung zu ‹[ʾ*P*]*SB*^{c}*L*› muß also schon aus diesem Grunde ausgeschlossen bleiben. Paläographisch eher möglich ist die von Mark LIDZBARSKI vorgeschlagene Ergänzung zum Namen ‹[*PL*]*SB*^{c}*L*›[27], da die Graphie ‹PL ...› weit weniger Raum beansprucht hätte als das breite ‹ʾP ...›, zumal wenn, wie das Ende von Inschrift B zeigt, ‹P› deutlich unterschneidungsfähig ist. Eine solche Unterschneidung wäre in einer Graphie ‹ʾ*PS*...› unmöglich gewesen, hätte sich in der Graphie ‹*PLS*...› jedoch leicht realisieren lassen, zumal auch ‹L› zu derartigen Unterschneidungen neigt (s. u. S. 16). Zwar ist auch ‹T› sonst nur noch in #B18 (vielleicht auch #B11-1) mit einer derartigen Stammneigung von bis zu ca. 25° geschrieben, so daß der Buchstabe in #B18 (‹TBRḤ›) fast ×-förmig ist, jedoch liegt dies vollkommen im Trend der historischen Entwicklungslinie des Buchstabens.[28] Das seltenere und zunächst konservativere ‹S› dagegen tendiert in seiner späteren Entwicklung zu einer deutlichen Linksneigung.[29]

Insgesamt könnten somit die paläographischen Argumente für ‹T› in #A3 vielleicht etwas schwerer wiegen. Da hier ohnehin der Name eines sonst nicht bekannten Königs von Byblos ergänzt werden muss, sollte trotz aller Unsicherheiten bis zum Erweis eines Besseren daran festgehalten werden.

Ein strittiger Punkt war auch die Lesung des vorletzten Wortes (#A8). Während die *editio princeps* von René DUSSAUD hier bereits ‹*KŠTH*› las,[30] eine Lesung, der wegen ihrer leichten Deutbarkeit als suffigierter Form des Verbums *šyt* auch alle Späteren folgten, meinte RONZEVALLE an der beschädigten Stelle „sans

[24] L. H. VINCENT, Les fouilles de Byblos: *RB* 34 (1925) 161–193; auch noch ⁵*KAI*.

[25] René DUSSAUD, Les inscriptions phéniciennes du tombeau d'Aḥiram, roi de Byblos: *Syria* 5 (1924) 135–157.138 mit der Ergänzung ‹[ʾ*P*]*SB*^{c}*L*›, „Aphasbaʿal" oder „Ipphesbaʿal" (dagegen DUSSAUD: *CRAIBL* 1924, 99–101 noch „Itobaʿal"), ebenso Hugo GRESSMANN 1924, 350; Hans BAUER 1925, 131; mit der Ergänzung ‹[*PL*]*SB*^{c}*L*› Mark LIDZBARSKI 1924, 44 und Charles C. TORREY 1925, 270f.

[26] VINCENT 1925, 184; RONZEVALLE 1927, 18 (auch DUSSAUD 1925, 105, der damit seine frühere Auffassung wieder aufgab); MONTET 1928, 236f.

[27] LIDZBARSKI 1924, 44, ‚Pillesbaʿal'; der Name Baʿalpilles ist auf einer Amphore des 7. Jh. v. Chr. aus Kition belegt, LIPIŃSKI, Notes d'épigraphie phénicienne et punique: *OLP* 14 (1983) 141f.; BENZ *PPN* 176/391 zählt weitere, allerdings erst punische, Namen mit dem verbalen Element *pls* auf.

[28] Auch die Nachbarschaft eines ‹B› in #A3 wie in #B18 kann die erst später generelle Neigung des ‹T› schon hier mitverursacht haben. Über derartige gegenseitige kalligraphische Beeinflussung benachbarter Buchstaben und ‚Pseudo-Ligaturen' ist zwar bisher noch zu wenig bekannt, um hier zuverlässige Aussagen machen zu können, vgl. aber jetzt die berechtigte methodische Forderung von ZUCKERMAN, in der Paläographie statt nur auf „individual letters [...] in isolation" mehr auf das „letter environment" zu achten: ZUCKERMAN/DODD, Pots and Alphabets. Refractions of Reflections on Typological Method: *Maarav* 10 (2003) 89–133.111f.

[29] Vgl. John Brian PECKHAM, *The Development of the Late Phoenician Scripts*, Cambridge/Mass. 1968, pl. VII; ³*PPG* Taf. I–V, nur vereinzelte Ausnahmen von ‹S› mit leichter Rechtsneigung z. B. Limassol (*CIS* I,5E).

[30] DUSSAUD 1924-b, 136.

aucun doute“ ein ‹R› zu erkennen und las ‹*KŠTR*›, was er mit hebr. סֵתֶר im Sinne von *Bedeckung, Obdach* zusammenstellte.[31] Eine rein paläographisch basierte Entscheidung fällt hier tatsächlich schwer, da, wie auch Albright widerstrebend zugeben mußte,[32] der beschädigte Buchstabe sich ebenso leicht zum ‹R› ergänzen läßt wie zum ‹H›. Dennoch sollte auch hier angesichts einer immer noch rudimentären Kenntnis des Phönizischen der Versuchung widerstanden werden, sich vorschnell für eine Lesung zu entscheiden, die sich besser verstehen läßt. Eine Lesung mit ‹R› als ‹*KŠTR*› scheint auf den ersten Blick zumindest nachvollziehbar und verdient also eine ernsthafte Überprüfung. Von den drei ‚Zinken‘ eines ‹H› ist nur noch der untere erkennbar, der Rest wäre einer Beschädigung des Steins zum Opfer gefallen, die sich bis oberhalb des Endes von ‹*ᶜLM*› erstreckt und am Ende von ‹*KŠTH*› so ausgefallen ist, daß der Eindruck des geschlossenen Kopfes eines ‹R› entstehen kann. Der scheinbar leicht nach links unten gebogene Stamm – was ebenfalls für ‹R› spräche – geht aber offenbar auf eine Beschädigung des Steins zurück (vgl. Tafel 8a/11a), und auch der ‚Kopf‘ wäre letztlich zu eckig und von dem anderer in Text A und B belegter ‹R› deutlich verschieden. Gegen ‹R› spricht weiterhin, daß die ‚Kopfbasis‘ untypisch nahezu horizontal und insgesamt zu tief läge, so daß der ganze Text an dieser Stelle als etwas ‚durchhängend‘ angesehen werden müßte. Dies ließe sich nur unter der Annahme billigen, daß der Text hier *nach* der Beschädigung der oberen Kante – und dieser Beschädigung etwas ausweichend – geschrieben wurde, wofür es keinerlei Anhaltspunkte gibt. Insgesamt empfiehlt es sich daher doch dringend, an der inzwischen auch allgemein akzeptierten Lesung als ‹H› festzuhalten.[33] Vom verbleibenden Raum her sind in der *lacuna* danach mit Sicherheit die Reste eines zerstörten ‚Worttrenners‘ zu erkennen.

Das Segment #A9 beginnt mit einem stark ausgeschlagenen, nur noch schwach erkennbaren ‹B›. Die aus inhaltlichen und philologischen Gründen[34] immer wieder gerne gesuchte Alternative ‹L› ist jedoch paläographisch ausgeschlossen.

Am Ende von Text A ist ein Worttrenner als auffällig langer und breiter, flach eingravierter vertikaler Strich nur noch schwach erkennbar.

I.2 Die Deckelinschrift B

I.2.1 Der Deckel

Inschrift B befindet sich auf der Westseite des Sarkophag*deckels*, der durch seine schlechte Maßhaltigkeit auffällt: Gegenüber dem oberen Rahmen der Sarkophagwanne ist der Deckel trapezoid verzogen, d. h. die vordere Breite (west) beträgt ~238 cm mit starkem Überstand rechts, die hintere Breite (ost) dagegen nur 234 cm und ist damit geringfügig kürzer als die Wanne. Die vordere rechte Ecke (südwest) verläuft über einer Länge von 113 cm in einem etwas spitzen Winkel von ca. 80–85° nach hinten.[35] Angesichts der sonst bekannten Qualität phönizischer Bau- und Handwerkskunst und auch der sonst paßgenauer ausgeführten Deckel der frühen Steinsarkophage aus Byblos[36] muß das verwundern. Auffällig sind auch die Beschädigungen, die nicht allesamt nur mit der antiken Beraubung erklärlich sind: An der Südwestecke fehlt ein großes, regelmässig tetraederförmiges Stück, und die Südostecke ist großflächig ausgebrochen. Die diagonal gegenüberliegende Nordwestecke ist eigentlich gar nicht mehr vorhanden, hier gehen Abbruch- und Splitterschäden bis weit in das Textfeld der Inschrift B (#B22–23) hinein, *ohne diese dabei jedoch irgendwie zu*

[31] Ronzevalle 1927, 22. Ihm folgte einzig Nahoum Slouschz 1942. Dagegen beanspruchte in einer Kurznotiz Perles: *OLZ* 29 (1926) 456 diese Lesung als, akkadisch hergeleitet, „Zelt spez. ‚Königszelt‘“.

[32] Albright 1947, 154 A. 19. Dagegen schlägt Albright 1947 dann freilich eine Konjektur *ka-š‹ib›tih(u)*, also ‹*KŠBTH*›, vor, der zwar auch Kurt Galling 1950 und *ANET*[3] 1969 und Hayim Tawil 1971 folgten, die sich aber mit Recht nicht durchgesetzt hat. 1926 dachte Albright dagegen bei ‹*KŠTH*› noch an einen suffigierten Infinitiv von *yšn* ‚schlafen‘ in Anlehnung an den Ausdruck ישן שנת עולם Jer 51:39.57.

[33] So auch in *TSSI*, *IFO* und *KAI*.

[34] S. u. I.5

[35] Zu den Maßen insgesamt s. o. Anm. 15.

[36] Das trifft auch für den Sarkophag V_1 (bzw. A) aus dem Aḥīrōm-Grab zu, jedoch nicht für Sarkophag V_3, s. u. Anm. 40.

[37] Derart massive Beschädigungen der Ecken können m. E. nur durch Sturz des Deckels, nicht aber durch Aufhebeln verursacht sein. Die antiken Grabräuber haben aber den Deckel offenbar nicht heruntergenommen, sondern nur verschoben (s. *in situ*-Photographien Montet 1928, pl. xvi = Jidejian 1968, pl. 92; [3]2000, S. 39) – es ist ja wohl kaum anzunehmen, daß Grabräuber sich nach vollendetem Frevel die Mühe gemacht hätten, den Deckel wieder (schief!) aufzusetzen, während die anderen beiden Sarkophage der Grabes V durch Zerschlagen bzw. Perforation des Deckels beraubt wurden. Schliesslich können die Beschädigungen auch nicht durch den Versuch verursacht sein, den Deckel zu zertrümmern, was zu Schäden nicht an den Ecken, sondern, wie bei den Särgen V_1 und V_3, in der Mitte geführt hätte. Freilich scheint mir das Beraubungsszenario des Grabes ohnehin noch mancherlei Rätsel zu bergen, s. auch Anm. 40.

beeinträchtigen oder zu beschädigen (s. u.).[37] Am Winkel der Nordkante ist aber noch erkennbar, daß diese Ecke auch ursprünglich nicht in Deckung mit der entsprechenden Ecke der Sarkophagwanne zu bringen war (Tafel 4 und 6)! Hinzu kommt, daß beide Löwenprotome des Deckels nachlässiger gefertigt sind als diejenigen der Wannenfüße,[38] und daß auch die Bemalung des Deckels möglicherweise weniger sorgfältig ausgeführt war.[39]

Alles zusammengenommen, könnte *dieser* Deckel daher trotz z.T. gleicher und stilistisch gleichzeitig anmutender Gestaltungselemente *nicht* ursprünglich zum Sarkophag dazugehört haben. Er wäre dann gegenüber der Sarkophagwanne sekundär und mit seinen Löwenprotomen dem Gesamtbild des Sarkophags ‚nachgearbeitet' worden – möglicherweise infolge vorheriger Zerstörung eines ‚primären' Deckels.[40] Dabei erklärte sich die schlechte Maßhaltigkeit am besten dadurch, daß der Deckel separat von der Wanne, nämlich außerhalb des Grabes, gefertigt wurde, während der Sarkophag schon (länger) in der Gruft stand. Dabei ist vielleicht nicht so sehr an eine Neufertigung aus unbehauenem Stein[41] als vielmehr an die Umarbeitung und Reliefierung eines älteren, ursprünglich etwas größeren und relieflosen Deckels mit vollendeter Wölbung zu denken, was neben den vorgenannten Auffälligkeiten auch das ungewöhnliche, die Wölbung des Deckels unproportional störenden ‚Fries' erklären würde, das auf der Westseite die Inschrift B trägt und in noch sichtbarer Meißeltechnik offensichtlich nur grob geglättet ist.[42]

Schließlich ist dem irritierenden Gesamtbefund des Deckels noch hinzuzufügen, daß dieser bei der ursprünglich relativ genau genordeten Aufstellung (s. hierzu Teil II.1) ‚verkehrtherum' aufgesetzt ist[43], d.h. die beiden Figuren des Deckeldekors liegen kopfwärts nach Süden, wohingegen die Szenen auf der Sargwanne deutlich nach Norden hin ausgerichtet sind.

[38] Vgl. – trotz anderer Deutung – diesen Befund auch bei REHM 2004, 26. – Ergänzend zu den Ausführungen bei REHM verweise ich auf weitere in Byblos gefundene Löwen: Mindestens die in *CIS* 1, 1881, S. 2 abgebildeten Löwen in kauernder Stellung dürften auch tragende Funktion gehabt haben. Sie wurden zusammen mit der der *Ba'alat Gubla* geweihten Yaḥawmilk-Stele gefunden und dienten möglicherweise für diese als Sockel, vgl. die rekonstruierende Montage bei Philippe BERGER, *Histoire de l'écriture dans l'antiquité,* Paris [2]1892 (Tafel nach S. 162, und Frontispiz). – Die Zuordnung des Löwen zur Tradition der Fruchtbarkeitsgöttin vertritt, freilich ohne die Löwen von Byblos zu thematisieren, HÖRIG 1979, 39f.51–128. Denen des Aḥīrōmsarkophags sehr ähnlich ist auch ein Löwe in der Ecke des ‚Podiums' von Byblos, *Abb.* bei GUBEL 1999, 77 oben. Zu weiteren Löwenfragmenten aus Byblos auch Ernest RENAN, *Mission de Phénicie,* Paris 1864–1874 (Repr. 1998), 175f, 181, 397, 702, vgl. Éric GUBEL, *Art Phénicien. La sculpture de tradition phénicienne,* Paris 2002, 67f, und generell die materialreiche Studie von Heike LAXANDER, Eine neue Löwenprotome vom *Ba'alšamīn*-Tempel in *Sī'*: *ZDPV* 119 (2003) 119–139.

[39] S. o. I.1.1 (S. 3–4)

[40] Auch für den kleineren schlichten „schwarzen" Sarkophag V_3 aus dem Aḥīrōm-Grab (jetzt: Jbeil-Byblos, westlich vor Grab V) kann dies angenommen werden, dessen seitlich überkragender, durch Beraubung (?) mit einem runden Loch perforierter Deckel aus einem deutlich helleren Stein als die dunkelgraue Wanne gefertigt ist (s. *Abb. 19* und Foto bei WEIN / OPIFICIUS 1963, Taf. 28). Ob steinerne Deckel ursprünglich überhaupt generell verwendet wurden, kann insofern in Frage gestellt werden, als sich in Grab IV der Königsnekropole von Byblos ein Sarkophag ohne Deckel und ohne steinerne Deckeltrümmer, aber mit Holzresten fand, vgl. REHM 2004, 8; MONTET 1928, 154 und schon MONTET 1923b, 339 (Brief an Cagnat vom 17. Nov. 1923). Auch im Hypogäum von Qaṭna befindet sich ein deckelloser Sarkophag; ein ursprünglicher Holzdeckel ist hier ausgeschlossen (mündl. Mitteilung Peter Pfälzner). – Die in diesem Zusammenhang in einem Brief MONTETS vom 2. Dez. 1923 (ebd. 341, vgl. auch MONTET 1924a, 404c) ausgesprochene Behauptung, daß das Grab IV erst nach 1851 von Engländern beraubt worden sei, wird zwar bis heute kolportiert (DUNAND 1972, 78, u. ö.), findet sich aber schon in MONTET 1928 (*Byblos et l'Égypte*) nicht mehr, ist bislang unbewiesen und beruht nur auf einem Indizienfund zweifelhafter Provenienz. Sie scheint mir eher dazu geeignet zu sein, von der enttäuschenden und völlig unklaren Fundsituation in Grab IV abzulenken. Daß Ernest RENAN 1864 in seiner *Mission de Phénicie* nichts davon bemerkt haben sollte, wenn nur wenige Jahre zuvor eine Beraubung der *Schacht*gräber von Byblos in großem Stil stattgefunden hätte, scheint mir zweifelhaft. Andrerseits bestünde sonst aber auch wenig Veranlassung, die Beraubung der übrigen Gräber, insbesondere auch des Grabes V, schon in der Antike anzunehmen.

[41] So z.B. AIMÉ-GIRON 1943, 291, der die schlechte Maßhaltigkeit entweder auf die Unfähigkeit („inhabileté") der Steinmetzen oder auf einen ungünstig geformeten Rohblock zurückführt. Letztere Annahme scheint mir schon deshalb hinfällig zu sein, weil aus dem Rohblock ja auch noch die deutlich hervorstehenden Löwenprotome herausgearbeitet werden konnten. Unfähigkeit wiederum würde ich den Steinmetzen nur unter widrigsten Umständen bescheinigen wollen, welche anzunehmen keine Veranlassung besteht: eher wäre dann mit DÉLIVRÉ 1978 eine Umarbeitung eines älteren Sarkophags *in situ* anzunehmen. – Die monumentale Ästhetik gekonnter Proportionen zeigt der Sarkophag übrigens erstaunlicherweise erst *ohne Deckel* (vgl. die Abbildungen bei BORDREUIL / BRIQUEL-CHATONNET 1998, 31 und in *Liban. L'autre rive. Exposition présentée à l'Institut du monde arabe,* Paris 1998, 74), wogegen sich der Sarg mit Deckel eher unförmig gibt.

[42] Nicht nur die sekundäre Verbauung von behauenem, dekoriertem oder beschriftetem Stein, sondern auch derartiges ‚veredelndes Recycling' war durchaus nicht ungewöhnlich, vgl. speziell in Byblos: LEHMANN 2000; auch bei Siegeln LEHMANN 2002.

[43] Dies war eindeutig auch die Fundsituation, wie das Photo MONTET 1929, Pl. CXXVII unten beweist.

Abb. 2 Westseite mit Lage der Inschrift B

I.2.2 Der Text

Die Inschrift B beginnt auf dem Deckel ca. 10 cm von der ursprünglichen, jetzt teilweise abgebrochenen rechten vorderen Ecke (südwest) und verläuft in einer Höhe von zunächst 8 cm leicht bis auf 7 cm fallend über den durchschnittlich 18 cm hohen, nur grob geglätteten friesartigen Rand des Deckels. Der Text ist 196 cm lang und endet ca. 31–32 cm vor der ausgeschlagenen, für die Messung nachberechneten ursprünglichen linken Ecke. Sein Ende geht mit dem ‹M› von ‹*YMḤ*› (#B21) nahtlos und ohne Verwerfungen in eine ovale, unten unregelmäßige, 1,5–2,5 cm tiefe Aussplitterung des Materials von ca. 19 x 12 cm hinein und endet dort nach zwei weiteren Wörtern (Tafel 10). Erst das letzte Wort (‹*ŠRL*› in #B23) ist nur leicht nach oben hin verzogen, offenbar, um der darunter verlaufenden Bruchkante einer weiteren Absplitterung auszuweichen. Links folgt noch eine andere, in die abgebrochene linke Ecke des Deckels übergehende Absplitterungsmulde, die keine Zeichen mehr enthält.

Der Befund einer über eine massive Beschädigung des Deckels bruchlos hinauslaufenden und dort regulär endenden Textpartie macht es m. E. unabweisbar, daß Text B mindestens dem Deckel gegenüber sekundär ist. Der gänzlich nahtlose Übergang schließt dabei aus, daß nur die letzten Wörter der Inschrift schon im Altertum nach einer Beschädigung ‚nachgebessert' worden sein könnten.

Bis auf die letzten, in die Beschädigung hineinlaufenden Wörter ist die Lesung von Inschrift B unproblematisch:

Inschrift B

Wʾ L•	*MLK•*	*BMLKM•*	*WSKN•*	*BSNM•*	*WTMʾ•*	*MḤNT•*	*ʿLY•GBL•*	*WYGL•*	*ʾRN•ZN•*	*TḤTSP•*	*ḤṬR•*
1	2	3	4	5	6	7	8	9	10	11	12

MŠPṬH•	*THTPK•*	*KSʾ•*	*MLKH•*	*WNḤT•*	*TBRḤ•*	*ʿL•GBL*	*WHʾ•*	*YMḤ*	*SPRH•*	*LPP•ŠRL*	
13	14	15	16	17	18	19	20	21	22	23	24

Trotz ihrer größeren Länge bietet Inschrift B kaum paläographische Unklarheiten.

Einzig das Ende von Text B, nämlich die Graphemsequenz von #B23, ist in der Forschung schon seit der Entdeckung des Aḫīrōm-Sarkophages im Dezember 1923 eine besonders umstrittene *crux* gewesen. Zwar hatte René DUSSAUD 1924 in der *editio princeps* die Lesung ‹*WHʾ•YMḤSPRZ•LPP•ŠRL*› mit Entschiedenheit als *materialiter* eindeutig vertreten, jedoch gleichzeitig schon zugeben müssen, daß sie keinen befriedigenden Sinn ergebe.[44] Sie wurde daher immer wieder durch verschiedene Einsprüche und mit Emphase vorgetragene Emendationen oder abweichenden Lesungen zu revidieren oder zu verdrängen versucht,[45] bis sich schließlich mit dem Erscheinen von *KAI* 1961 die von Sébastien RONZEVALLE schon 1927 in einer ausführlichen Studie vorgelegte modifizierte Lesung ‹*WHʾ•YMḤSPRH•LPP•ŠBL*› (#B21–23) zunächst durchsetzte.[46] Als Standard auch in den gängigen Anthologien phönizischer Texte konnte sie sich immerhin lange Zeit unangefochten behaupten.[47]

RONZEVALLES Studie konnte zwar durch Selbstbewußtsein, methodischen Anspruch, scharfe Kritik und nicht zuletzt durch für die Zeitumstände bemerkenswert gute Photographien bestechen,[48] krankt aber wie viele spätere auch an den Umständen, unter denen eine

44 René DUSSAUD, Les inscriptions phéniciennes du tombeau d'Aḥiram, roi de Byblos: *Syria* 5 (1924) 135–157.141: „לפף שרל est de lecture matérielle certaine; mais nous ne trouvons pas de sens satisfaisant." Die versuchsweise Übersetzung bei DUSSAUD 136 lautete „*tandis que lui* (le profanateur) *effacera cette inscription à l'entrée (?) de l'Hadès (?)*". Die Lesung DUSSAUDS wurde zunächst auch – mit z.T. abweichenden Interpretationsversuchen, s.u. – von GRESSMANN 1924, LIDZBARSKI 1924, BAUER 1925 und (emendiert) VINCENT 1925 übernommen. Auch VINCENT 1925, 188 mußte jedoch seine philologische Hilflosigkeit angesichts einer sicheren graphischen Lesung eingestehen („S'il n'y a guère d'hésitation possible sur la lecture matérielle des derniers mots, לפף שרל, leur interprétation paraît déconcertante") und griff schließlich zur *ultima ratio* einer gewagten Emendation des Textes (s.u.).

45 Dies waren, in der Reihenfolge ihres erstmaligen Auftretens:
DUSSAUD 1924-b: ‹*WHʾ•YMḤ SPR Z•LPP•ŠRL•*› „tandis que lui (le profanateur) effacera cette inscription à l'entrée (?) de l'Hadès (?)."
Georg HOFFMANN (bei GRESSMANN 1924): ‹*WHʾ•YMḤ SPRZ•LGP•ŠLL•*› „... und selbiger wird, sobald er diese Schrift auswischt, als Kriegsbeute gesammelt werden."
BAUER 1925: ‹*WHʾ•YMḤ SPR Z•LPP•ŠRL•*› „... er aber soll ausgetilgt werden! – Diese Inschrift ist von ...."
TORREY 1925: ‹*WHʾ•YMḤ SPRZ•LPP•ŠBL•*› „if he shall destroy this inscription, cover it over or deface it."
VINCENT 1925: ‹*WHʾ•YMḤ SPRZ•LPP•ŠR[Š]L[H]•*› „Quant à celui qui effacerait cette inscription, que soit anéanti pour lui tout rejeton!"
AIMÉ-GIRON 1926: ‹*WHʾ•YMḤ SPRH•LPP•ŠRL*› „Quand à celui qui effacera son inscription ..." [erstmals *SPRH* und kein Worttrenner am Ende] = MONTET 1928; vgl. AIMÉ-GIRON 1943.
DUSSAUD 1925 [erschienen 1926]: ‹*WHʾ•YMḤS PRH•LPP•ŠRL•*› [andere Worttrennung] „Quant à lui, sa postérité sera anéantie par l'épée."
ALBRIGHT 1926: ‹*WHʾ•YMḤSPRH•LPP•MTBL*› „as for him, may his writing be entirely effaced from the earth", und ALBRIGHT 1927 „... let his writing be entirely effaced from the earth[?]"
RONZEVALLE 1927: ‹*WHʾ•YMḤ SPRH•LPP•ŠBL*› „et, pour lui, que soit effacé son nom, qu'on le voile, qu'on le souille."
AIMÉ-GIRON 1943: ‹*WHʾ•YMḤ SPRH•LPN•ŠRL*› „... et quant à lui que son nom soit effacé (du livre de l'existence) devant (?) Šor-El."
MENTZ 1944: ‹*WHʾ•YMḤ SPRH•LPP•ŠQL*› „... und dieser wird seine Schrift auswischen entsprechend der Aussage des Wägers (d.h. Anubis)" [dazu BROCKELMANN: „ganz phantastisch"].
ALBRIGHT 1947: ‹*WHʾ•YMḤ SPRH•LPP•ŠBL*› „and as for him, let a vagabond efface his inscription(s)!" – Wohl daran anknüpfend auch die Übersetzung bei HERM, *Die Phönizier. Das Purpurreich der Antike,* 1973, 27: „Mögen Landstreicher seine Inschriften betrachten."
GALLING 1950 *WdO*: ‹*WHʾ•YMḤ SPRZ•LPPTBL*› „Und was ihn angeht, so [soll er ausgetilgt werden] vom Angesicht der [Er]de" – in vermeintlichem Anschluß an GASTER, der aber nur ALBRIGHT 1927 reproduziert, und mit erheblichen Textumstellungen. Daneben gleichzeitig noch eine andere Deutung auf der Basis von ‹*LPPŠKL*›: „(verfällt) dem Papsukkal", so auch GALLING 1950 *TGI*, 44.

46 Sébastien RONZEVALLE, L'alphabet du sarcophage d'Aḫīrām: *MUSJ* 12,1 (1927) 1–40. 26, der seine Vorläufer allerdings ignoriert: Das letzte Wort als ‹*ŠBL*› erstmals so schon bei TORREY 1925 unter Berufung auf MONTETS Zeichnung bei DUSSAUD 1924, 137, daran hielt MONTET auch 1928 noch fest. ‹*SPRH*› (statt bis dahin ‹*SPRZ*›) erstmals schon auf der Grundlage eines Abklatsches bei AIMÉ-GIRON *BIFAO* 26 (1926) 1–13, hier 12f. [verfaßt im Februar 1925], der – mit einigen philologisch begründeten Zweifeln noch an ‹*ŠRL*› statt ‹*ŠBL*› festhaltend – auch erstmals konstatierte, daß nach ‹*ŠRL*› *kein* Trennzeichen steht. Auch Charles C. TORREY, The Aḫīrām Inscription of Byblos: *JAOS* 45 (1925) 269–279, hatte sich, freilich nur zögernd, schon für ‹*SPRH*› entschieden, AIMÉ-GIRON allerdings konnte immerhin für sich beanspruchen, nach einem „excellent estampage" gearbeitet zu haben.

47 SLOUSCHZ 1942, 1 גבל; DONNER / RÖLLIG 1961 *KAI* Nr. 1; 1968 *KAI*^{2} Nr. 1; MAGNANINI 1973 *IFO*, 5,3 (S. 29); GIBSON 1982 *TSSI* III, S. 14; auch in CUNCHILLOS / ZAMORA *GFE* 1997, 109 (Übersetzung S. 114: „¡Que la paz huya de Biblos y que él mismo sea barrido! ...").

48 Es muß in diesem Zusammenhang hervorgehoben werden, daß in der photographischen *Reproduktions*technik jener Zeit gegenüber der *Photo*technik selbst eine Stagnation oder sogar ein Rückschritt zu beobachten ist – das hohe Reproduktionsniveau der Heliogravuren des *Corpus Inscriptionum Semiticarum* wird erst erheblich später wieder erreicht. Viele epigraphische Publikationen der ersten zwei Drittel des 20. Jh. leiden daher unter einer bedauerlich (und unnötig!) schlechten photographischen Reproduktion.

Autopsie der Sarkophaginschrift und eine Lesung der kritischen Stelle damals überhaupt vorgenommen werden konnten: Aufstellung und Beleuchtung in Beirut mußten immer wieder zu Mißdeutungen führen, da entweder nach Abklatschen gearbeitet oder aber – bei Verwendung photographischer Techniken – (gerichtete) künstliche Beleuchtung benutzt werden mußte. Auch der Umstand, daß die inkriminierte Stelle in eine ausgebrochene Mulde des Steins hineinläuft, mußte beide Wiedergabemedien auf lange Zeit irritieren und hat mancherlei Mißdeutungen und Fehllesungen überhaupt erst verursacht.[49] Und für welche Lesung auch immer man sich entscheiden wollte: Das Ende von Text B blieb weiterhin, wie ALBRIGHT noch über zwanzig Jahre später und nach zwei eigenen erfolglosen Deutungsversuchen für die letzten beiden Wörter vermerkte, „a stumbling block".[50] ‹*ŠRL*› liess sich überhaupt nicht deuten und eine Bedeutung konnte nur erraten werden, ‹*ŠBL*› ergab, etwa als ‚Vagabund' in der Deutung von ALBRIGHT 1947, auch nur dunklen Sinn, noch andere Lesungen schienen aussichtslos oder waren paläographisch abwegig.

Einen befriedigenden Sinn versprach erst die 1987 publizierte neue Lesung von Javier TEIXIDOR zu bieten. Sie ist – immerhin mit Circelli – auch in die 5., neubearbeitete Auflage von *KAI* übernommen worden.[51] Frühere Lesungen, so TEIXIDOR, seien durch die Abklatsche bei MONTET und DUSSAUD fehlgeleitet worden, und mit einer neuen, unpublizierten Photographie könne er nun eine schon von AIMÉ-GIRON 1943 zögerlich erwogene und zum Teil auch durchgeführte Konjektur paläographisch bestätigen.[52] Danach sei die Lesung des Schlusses (mit regelmäßiger Spatiensetzung statt Wiedergabe der Trennzeichen): ‹*WH' YMḤ SPRH LPN GBL*›, und TEIXIDOR übersetzte: „et (quant) à lui, que son inscription soit effacée à la face de Byblos".[53]

Allerdings ist TEIXIDOR selbst Opfer einer Fehlleitung durch falsche Ausleuchtung der Photographie geworden. Es sei hier nicht in Abrede gestellt, daß das Ende des Aḥīrōm-Textes B gewisse paläographische Auffälligkeiten hat. Schon RONZEVALLE hatte 1927 beiläufig festgestellt, daß die Nähe der Beschädigung den Schreiber dazu veranlasst habe, nahezu alle Buchstaben des Schlusses der Inschrift zu deformieren.[54] Diese Deformationen sind jedoch nicht so gravierend, daß sie eine derartige Bandbreite an Lesungen rechtfertigen würden. Zu ihrer Klärung ist nur ein erneuter Zugriff auf das Original unter günstigeren Umständen nötig, als sie bei den Untersuchungen von RONZEVALLE, ALBRIGHT und anderen gegeben waren *(Abb. 3)*. Auch TEIXIDORS Lesung erweist sich dabei ebenso wie alle anderen, die von der *editio princeps* abwichen, als schlechterdings unmöglich.

Vollkommen zweifelsfrei lesbar ist als letztes Zeichen ‹L›. Daß es sich hierbei um das Ende des Textes handelt, steht außer Frage – nach ‹L› sind keinerlei Spuren oder Reste von Buchstaben mehr erkennbar. Auch ein abschließender ‚Worttrenner' am Ende des Textes, wie er nach der Entdeckung des Aḥīrōm-Sarkophags zunächst gelesen, aber dann von RONZEVALLE 1927 ausdrücklich verworfen wurde, konnte mit Sicherheit *nicht* verifiziert werden.[55] Mit einer Gesamthöhe von nur 16 mm ist ‹L› hier auffällig kleiner als in allen anderen Vorkommen des Buchstabens, die stets zwischen 19 (#B23:1) und 30 (#A6) mm liegen. Dies dürfte seine Ursache darin haben, daß das Ende des Textes ab ‹R›, vielleicht auch schon ab ‹Š›, was schwer zu beurteilen ist, über einer knapp darunter liegenden zusätzlichen Bruchkante der ausgebrochene Mulde um ca 12° nach oben ausweicht (Tafel 10). In der Form gleicht ‹L› hier den anderen Vorkommen des Buchstabens in Text B, die allgemein etwas weniger geneigt sind als diejenigen von Inschrift A.

49 ALBRIGHT 1926, 76 klagte über ungünstige Aufstellung und benutze bei der Arbeit einen Spiegel zur Ausnutzung des Restlichtes („With a mirror, and taking advantage of varying light from outside, there seemed to be only one possible reading …"), letztlich nicht anders RONZEVALLE 1927, 11: „… je me suis servi d'une lampe électrique de poche à large projecteur. C'est l'unique moyen actuel de travailler directement sur le monument, surtout sur le grand texte, qui est totalement plongé dans l'ombre, tandis que le petit reçoit de biais quelque lumière, d'ailleurs insuffisante, de la fenêtre la plus proche."

50 ALBRIGHT (1947), 155.

51 DONNER / RÖLLIG, ^{5}*KAI* 2000, Nr. 1; auch CUNCHILLOS / ZAMORA *GFE* 1997, 114 erwähnen in ihrem Lehrbuch diese Version, überlassen das Urteil jedoch dem Leser.

52 AIMÉ-GIRON (1943), S. 316 hatte vorgeschlagen, ‹*LPN*› statt ‹*LPP*› zu lesen und für das letzte Wort die Konjektur ‹*GBL*› erwogen, sie dann aber angesichts der Eindeutigkeit der Lesung ‹*ŠRL*› als zu weit gehend verworfen: „Il faut donc, semble-t-il, s'en tenir à la lecture שרל et ne maintenir que la correction portant sur לפף."

53 Javier TEIXIDOR, L'inscription d'Aḥīram à nouveau: *Syria* 64 (1987) 137–140.

54 RONZEVALLE 1927, 18.

55 Schraffur oder Circelli bei ‹L› in verschiedenen Ausgaben sind also unnötig. Die Annahme eines Trennzeichens nach ‹*ŠRL*› bei DUSSAUD 1924 und 1925, LIDZBARSKI 1924, TORREY 1925 und VINCENT 1925 dürfte im Verein mit schlechter Beleuchtung und Schwächen der Wiedergabemedien durch anfängliche Spekulationen darüber induziert sein, ob ‹*ŠRL*› wirklich das Textende sei.

56 Der schon direkt unterhalb des Kopfes und in nur ca. 45° nach links abknickende Stamm eines ‹B› in der paläographisch nahe-

Abb. 3 Das Segment #B23 ‹•LPP•ŠRL›

Das vorletzte, 22 mm hohe Zeichen, seit TORREY 1925 und RONZEVALLE 1927 in den Standardausgaben und auch noch nach TEIXIDOR 1987 als ein ‹B› gedeutet, ist als solches praktisch nicht identifizierbar. Ihm fehlt definitiv der untere Bogen. Zwar ist auch das fragliche Zeichen in #B23 am alleruntersten Ende leicht nach links weggebogen, eine reduzierte Nachzeichnung der Inzisionslinie zeigt jedoch, daß dies keinesfalls mit dem abgeknickten Basisstrich in Verbindung gebracht werden kann, wie er typisch das ‹B› kennzeichnet.[56] Auch die Stammneigung[57] des Zeichens liegt mit + 10° noch im Mittel der schon von DUSSAUD und RONZEVALLE[58] konstatierten generellen Rechtsneigung des Buchstabens ‹R› auf dem Aḥīrōm-Sarkophag (vgl. Katalog ‹R›) und unterscheidet sich damit signifikant von der eher aufrechteren, manchmal gar linksgeneigten Form des ‹B›.[59] Auch eine leichte Linksbiegung des unteren Stammendes ist bei ‹R› als Alternative zu einer leichten Stamm*rundung* wie besonders in #A1 und #A4 nicht derart ungewöhnlich, daß es zu Zwei-

stehenden Inschrift der Schüssel von Tekke (vgl. Photographie bei LIPIŃSKI 2004, 183 und LIPIŃSKI 1983, 129–133 [„La coupe de Tekke"]; SASS 1988 Nr. 226–229) kann ebensowenig dagegen geltend gemacht werden wie die gelegentlich ähnlich scheinende Form eines ‹B› in den kanaanäischen ‚arrowheads'. In allen diesen Fällen ist der Buchstabe in die Metalloberfläche eingepunzt und die Länge eines Einzelstrichs durch die Klingenbreite des verwendeten Werkzeugs definiert. Dadurch ergibt sich bei einem in vier ‚Strichen' durchgeführten Buchstaben – und davon scheint nie abgewichen zu werden – insbesondere bei größerem Kopfwinkel die Notwendigkeit, direkt unterhalb des rechten Kopfbegrenzungsstrichs anzusetzen, was zur Form auf der Schüssel von Tekke führt (vgl. die ‚arrowheads' El-Khadr I-IV [SASS 1988 Nr. 185ff], SASS 1988 Nr. 204f. 206f. 208f. und D./H. 1994, Nr. 2 und 5, 1995 Nr. 42–44. 48, 1997 Nr. 81–83). Nur bei engerem Kopfwinkel oder breiterem Werkzeug sitzt der Ansatz des ‚Basisstrichs' tiefer, so daß ein vom Kopf nach unten ausgehender ‚Stamm' entsteht und der ‚Basisstrich' mehr in die Horizontale gesetzt werden kann (ʿAzarbaʿal-Spatel KAI 3 = SASS 1988 Nr. 220f.; ‚arrowheads' El-Khadr V; SASS 1988 Nr. 102f. 210f. 212f und DEUTSCH/HELTZER 1994, Nr. 1. 3. 4. 1995 Nr. 40 und 43–47). Daß diese unterschiedliche Ausführung eines ‹B› tatsächlich nur von der Handhabung der relativ schwerfälligen Technik des Punzens abhängt, zeigt sich besonders deutlich bei der Pfeilspitze D. / H. 1995 Nr. 43, die unterschiedliche Ausführungen auf der Vorder- und Rückseite aufweist.

57 Zur Klassifikation und Messung der typographischen Winkel vgl. meine Untersuchungen in LEHMANN, Typologie und Signatur. Studien zu einem Listenostrakon aus der Sammlung Moussaieff, in: *Ugarit-Forschungen* 30, 1998, 397–459. Danach gibt hier – unter Verzicht auf die bei Lapidarinschriften nicht durchführbare Messung des Ansatzwinkels – der Neigungswinkel die Neigung der dominierenden Vertikalen des Buchstabens (‚Stamm' bzw. Abstrich) in Bezug auf den rechten Winkel zur Schreibebene. Dabei ist im Sinne der Schreibrichtung von rechts nach links und einer Strichrichtung von oben nach unten „/" als positiver, „\" als negativer Winkelwert angegeben. Basisneigung: Winkel der dominierenden Horizontalen wie bei ‹T›, bei ‹S›, ‹H› und ‹Ḥ› der Horizontalen in aufsteigender Folge, bzw. (bei ‹ʾ›, ‹B›, ‹D›, ‹R›) der Basis des Kopfes in Bezug auf die Schreibebene. Kopfinnenwinkel: der Winkel zwischen unterer und oberer Kopfhorizontale.

58 DUSSAUD 1924, 152; RONZEVALLE 1927, 20: „généralement penché vers la droite".

59 ‹B› überschreitet (mit Ausnahme der beiden schwer darstellbaren Belege #A7 und #A9) nie einen Neigungswinkel von +7° (#B3) und liegt gelegentlich sogar im negativen Bereich, etwa (#B8), vgl. den Graphenkatalog.

feln an der Lesung Anlass gäbe, vgl. #B12 und wohl auch #B22. Sie geht aber nirgends über 47° (#B22) hinaus und unterscheidet sich auch darin signifikant von einem ‹B›, dessen Basiswinkel wiederum nie über 11° (#B8) hinausgeht (das wären am Stamm komplementär +79°!), häufiger sogar horizontal (gewölbt) und gelegentlich aufwärtslaufend (negativ, bis –16°, #A3.7.9, vgl. #B18), also auch mit dem fraglichen Zeichen in #B23 unvereinbar ist.

Zwar ist auch der Kopf dieses vorletzten Graphems offenbar außergewöhnlich schmal und spitz und unterscheidet sich darin nicht nur von allen ‹B›-Belegen, sondern ist auch für ‹R› einzigartig. Jedoch kann diese Eigenheit hier ebenso wie das leichte Wegbiegen des unteren Stammendes ungezwungen durch die veränderte Arbeits- bzw. Handhaltung des Steinmetzen / Schreibers in der vertieften Mulde erklärt werden. Auch das in der Mulde stehende ‹R› von ‹*SPRZ*› (#B22) hat einen ähnlich linksdriftenden Stamm und einen (freilich anders) deformierten Kopf!

Nimmt man alle Beobachtungen zusammen, so ist deutlich, daß die typologische Differenz des in Frage stehenden Graphems zu einem ‹B› so groß ist, daß die seit TORREY 1925 und RONZEVALLE 1927 fast ausnahmslos vertretene Deutung ohne explizite Emendationsgründe fürderhin nicht mehr aufrechterhalten werden kann. Der Auffassung RONZEVALLES muß hiermit ausdrücklich widersprochen werden.[60] Hingegen muß eine Lesung als ‹R›, wie sie schon von DUSSAUD 1924 in der *editio princeps* mit Nachdruck vertreten und noch von AIMÉ-GIRON 1943 aufrechterhalten worden war, wieder die paläographische Prärogative haben, und die Forschung wird sich zuvorderst wieder mit den Möglichkeiten einer *philologischen* Erklärung des rätselhaften letzten Wortes auseinanderzusetzen haben.

Denn auch für das drittletzte, seit TEIXIDOR 1987 als ‹G› gelesene Zeichen bewährt sich das sichere Auge René DUSSAUDS, der in der *editio princeps* von 1924 bereits ‹Š› las. Nach TEIXIDORS Zeichnung (und Photographie, s.u.) wäre dieses Zeichen als ‹G› von allen übrigen Belegen dieses Graphems in der Aḥīrōm-Inschrift derart deutlich unterschieden, daß es schon allein deshalb als solches eigentlich gar nicht in Frage kommt: es erschiene als eine viel zu kurzstämmige und viel zu kleine Varietät des Buchstabens mit in nahezu gleichem und zu großem Winkel schrägstehenden Schenkeln, eine Form, wie sie selbst in späteren Inschriften, die das ∧-gestaltige ‹G› kennen, selten ist.[61] Doch TEIXIDOR, der die traditionelle Lesung als Irreleitung durch die Abklatsche von DUSSAUD und MONTET verwift,[62] ist hier selbst Opfer einer – nachvollziehbaren – kompletten photo-optischen Täuschung geworden. Ungünstige Ausleuchtung der ihm vorliegenden Photographie bewirkte, daß die beiden äußeren, weniger tief inzisierten und wenig konturscharfen Schenkel eines ‹Š› an dieser Stelle der Photographie nicht mehr sichtbar waren und die verbleibenden Reste des Zeichens als ‹G› erscheinen konnten.[63] Tatsächlich aber weist der Autopsie-Befund ein vollständiges und auch in seiner ganz leichten Schräglage für Aḥīrōm typisches ‹Š› auf, wie es sich mit anders beleuchteten Aufnahmen auch photographisch dokumentieren läßt *(Abb. 4)*.

Dabei weist der Buchstabe hier einen weiteren bemerkenswerten Befund auf. In der rechten unteren Ecke liegt eine leichte Überkreuzung der Linien vor, wie sie sonst gelegentlich bei mit Tinte oder in weichen Ton geschriebenen Texten vorkommt und zunächst

Abb. 4 ‹Š› in #B23

[60] RONZEVALLE 1927, 22: „M. Dunand et moi, nous n'avons pu lire qu'un ב, un peu différent, il est vrai, des autres ב du texte, mais encore plus différent de tous les ר."

[61] Vgl. etwa die Schrifttafeln in ³*PPG*. Ein derart aussergewöhnliches ‹G› vielleicht in der Eqron-Inschrift, s. LEHMANN 2000, 258f.

[62] Die Behauptung TEIXIDORS, daß die Tafel CXL in MONTET, *Byblos et l'Egypte* die Unmöglichkeit eines ‹Š› erweise, ist unhaltbar. Im Gegenteil ist wie auf dem Abklatsch Tafel CXLI auch auf der Photographie MONTETS alternativlos nur ‹Š› erkennbar.

[63] Dieser optische Täuschungseffekt ließ sich bei meinen Arbeiten vor Ort mit Zusatzbeleuchtung bzw. Abschattung leicht rekonstruieren. Bei Ausleuchtung direkt von oben waren die beiden äußeren Schenkel des ‹Š› praktisch nicht mehr zu erkennen.

[64] G. VAN DER KOOIJ, *Early North-West Semitic Script Traditions*, 1986, 296. 314 u.ö., aber auch im ‚Bauernkalender' von Gezer, Z. 3 und Kuntillet ᶜAǧrud (*HAE* II/1, 202ff).

[65] S. hierzu weiter in I.1.3. – Zu der äußerst diffizilen Frage nach paläographisch bzw. kalligraphisch differenzierbaren arealen

eigentlich auch nur dort als durch flottes Schreiben verursacht erwartet werden kann.[64] Ähnlich ist das auch bei dem Vorkommen #A8 zu beobachten. Wenn aber eine derartige, aus professionellem Schreiberduktus geborene Eigenheit auf Stein übertragen erscheint, spricht dies nicht nur für einen relativ hohen Formalisierungsgrad eines handschriftlichen Duktus, sondern ist eben auch ein deutlicher Hinweis auf eine schon im kulturellen Hintergrund der Aḥīrōminschrift existierende ausgeprägte, kalligraphisch trainierte Schreibertradition.[65]

Ein eindeutiger Worttrenner in Form eines kurzen vertikalen Strichs trennt diese Graphemsequenz von der vorangehenden, die von Anfang an ‹*LPP*› gelesen wurde. Nach einem unzweifelhaften ‹L› zeigt der Stein hier das singuläre Phänomen zweier fast perfekt gerundeter, nach links offener Bogen, die nur als *ineinander* geschriebene ‹PP› in Frage kommen. Hingegen wurde unter Hinweis auf die formale Nachbarschaft des ersten ‹P› und vermeintlichen Druck des nahenden Zeilenendes der zweite Bogen schon von Aimé-Giron als ‹N› gelesen,[66] was wiederum Teixidor 1987 übernahm und in seine Neulesung des ganzen Schlusses von Inschrift B als ‹*LPN•GBL*› einbaute.

Lapidarschriftliches Vergleichsmaterial für eine Graphemsequenz ‹PP› ist mir zwar nicht bekannt, doch ist die Ineinanderschreibung zweier ‹PP› hier kalligraphisch plausibel und nachvollziehbar. Das zweite ‹P› zum ‹N› umzumünzen mag semantisch verlockend sein, ist paläographisch aber abwegig. Zwar rechtfertigt Teixidor seine Lesung damit, daß das zweite ‹P› von dem vorangehenden unterschieden und hier noch ein Teil vom Kopf eines ‹N› erkennbar sei, doch schon ein Vergleich mit der achtmal belegten Normalform des ‹N› in der Aḥīrōminschrift reicht für einen energischen Einspruch gegen Teixidor aus. Auch hier hatte schliesslich das Medium Photographie irregeleitet – der Eindruck eines rudimentären (und dazu völlig untypischen!) ‹N›-Kopfes entsteht durch zwei kleine, etwas gegeneinander versetzt rechts bzw. links am Inzisionskanal des Buchstabens befindliche Beschädigungen, die bei Schlaglicht von rechts den Eindruck eines leicht gezackten ‚Kopfes' entstehen lassen. Mit einer etwas anderen Ausleuchtung hingegen ist die bruchlos runde Inzisionslinie eines ‹P› klar und eindeutig erkennbar *(Abb. 5)*.

Alles in allem sollte also für die letzten beiden Wörter der Aḥīrōminschrift an der schon 1924 von René Dussaud in der *editio princeps* vertretenen und von Aimé-Giron 1926 noch ausdrücklich bestätigten Lesung ‹*LPP•ŠRL*› festgehalten werden. Das der rätselhaften Wendung vorangehende Wort muß allerdings nach Aimé-Giron 1926 ‹*SPRH•*› gelesen werden.[67] ‹H› ist hier ohne Alternative. Die ältere Lesung des letzten Buchstabens als ‹Z› ist gänzlich ausgeschlossen, beruht auf Missdeutung eines Abklatsches und wurde seitdem mit Recht nicht mehr vertreten.[68] Für das Ende der Aḥīrōminschrift B kann somit die Lesung ‹*WHʾ•YMḤSPRH• LPP•ŠRL*› als *materialiter* gesichert gelten.

Abb. 5 ‹PP› in #B23

Schreibertraditionen vgl. vor allem Gerrit van der Kooij, *Early North-West Semitic Script Traditions. An Archaeological Study of the Linear Alphabetic Scripts upto c. 500 B.C.; Ink and Argillary.* Diss. Leiden: Rijksuniversiteit Leiden 1986; auch van der Kooij 1987, für das Hebräische Johannes Renz, *Schrift und Schreibertradition. Eine paläographische Studie zum kulturgeschichtlichen Verhältnis von israelitischem Nordreich und Südreich.* Wiesbaden 1997 (ADPV 23), kritisch dazu R. G. Lehmann: *OLZ* 96 (2001) 715–719. Vergleichbare Ansätze für den phönizischen Schriftraum scheinen bisher gänzlich zu fehlen, sind aber ein dringendes Desiderat. Vorläufig vgl. die Bemerkungen in van der Kooij 1986.

66 Aimé-Giron 1943, 316. Eine paläographische Parallele für ein vermeintlich ähnlich angeglichenes ‹N› nach ‹P› aus der Yaḥūmilk-Inschrift (*KAI* 4), die Aimé-Giron hier meint beibringen zu können, hält allerdings einer Überprüfung am Original (jetzt Jbeil, Site-Museum) nicht stand. Auch die Notwendigkeit des Steinmetzen „de serrer ses lettres vers la fin de la ligne" bestand, wie der verbleibende freie Raum zeigt, nicht!

67 Noël Aimé-Giron, Note sur les inscriptions de Aḥiram: *BIFAO* 26 (1926) 1–13, „note additionnelle" vom 28. Februar 1925 – und damit noch vor René Dussaud, Dédicace d'une statue d'Osorkon I par Eliba'al, roi de Byblos: *Syria* 6 (1925) 101–117, der die gleiche Lesung mit freilich völlig anderer Deutung vertrat.

68 Einzig v. d. Branden 1960 ging noch – ohne weitere Begründung – von der Lesung ‹Z› aus.

I.3 Paläographische Beobachtungen und Erwägungen

I.3.1 Technische Beobachtungen[69]

Durch den Verlauf der Beschriftung auf dem oberen Band der Sarkophagwanne bleibt die Buchstabenhöhe in Inschrift A hinlänglich konstant. Im Deckeltext B hingegen werden die Buchstaben gegen Ende zunehmend kleiner und gedrängter, zugleich oft dicker oder unförmiger. Häufig sind sie unschärfer oder in den Kanten ausgebrochen, was auf die Abnutzung eines offenbar nicht mehr nachgeschärften Werkzeugs zurückzuführen ist. Gelegentliche Abweichungen von der erwarteten Form – besonders auch in den in die Aussplitterung hineingeschriebenen Segmenten #B21-23 – sind hierdurch hinreichend erklärt und stehen nicht außerhalb des durch die Typologie gewährten Spielraums.

Die generelle, jedoch nur leichte typologische Formvarianz zwischen der Wanneninschrift (A) einerseits und der Deckelinschrift (B) andererseits (vgl. Katalog Teil III, S. 55ff.) und der generell etwas größere Neigungswinkel der Buchstaben im Bereich der Wanneninschrift A, den auch Lundberg beobachtet, könnte leicht daraufhin gedeutet werden, daß es sich um zwei nicht nur formgeschichtlich, sondern auch zeitlich und in ihrem Herstellungsprozess voneinander abzusetzende Inschriften handelt.[70] Der Unterschied scheint mir jedoch kein hinreichend distinktives Merkmal zu sein, um zwei unterschiedliche Schreiber oder gar einen zeitlichen Abstand zwischen A und B zu postulieren. Vielmehr sind diese Auffälligkeiten durch ihre Ausführung der Inschriften *in situ*, also in der Gruft und, was besonders den Text A der Südseite betrifft, unter schlechtesten Platz- und Lichtverhältnissen,[71] hinreichend erklärlich. Die tendenziell etwas schlechtere Qualität in der Ausführung und die größere Unregelmäßigkeit in Inschrift B dagegen ist vermutlich auf den hier erheblich schlechter – nämlich nur in groben, noch erkennbaren Meißelschlägen – präparierten Untergrund zurückzuführen.

In einzelnen Fällen – besonders in Inschrift B – scheint noch erkennbar zu sein, daß die Buchstaben wohl nicht mit Tinte oder Kreide vorgemalt, sondern zunächst geritzt oder ‚angerissen' worden sind. Jedenfalls setzt sich das obere ‚Horn' des ‹ʾ› von #B1 oben rechts noch in einer dünn auslaufenden, offenbar nicht ausgeschlagenen Linie einige mm weit fort. Gleiches gilt für das folgende ‹L›, und auch Erscheinungen am oberen Ende von ‹M› (#B2), an der rechten Seite von ‹M› (#B5), ‹N› (#B7) und ‹T› (#B7), an der linken Ecke von ‹N› (#B10-1.2), am unteren Ende von ‹G› (#B8) und vielleicht von ‹T› (#B18) lassen sich so deuten.

Bei ‹ᶜ› ist – wie auch bei ‹P›, s.u. – teilweise am Verlauf der Inzisionslinie noch zu erkennen, wie der Steinmetz die Rundungen durch mehrere rundgeführte Schläge ausgeführt hat: trotz eines meist fast perfekt runden ‹ᶜ› zeigt die Inzisionslinie, wie der Buchstabe aus offenbar vier ‚Strichen' geschlagen wurde, die wahrscheinlich jeweils von der Mitte aus nach oben und nach unten geführt wurden (#A2, #B19).

Bei ‹P› erscheint zweimal, in #A2 und in #B23, in der Mitte des Buchstabens links innerhalb des Bogens der Rest einer geraden vertikalen Kante, welche den Bogen auf den ersten Blick etwas ‚abgeflacht' erscheinen lässt. Wahrscheinlich handelt es sich dabei um den Rest der Meisselbewegung, mit dem nach einer zunächst eingeschlagenen gerundeten Linie zusätzliches Material abgetragen wurde.

Die durch einfache, in der Regel nicht die volle Buchstabenhöhe erreichende kurze vertikale Striche bezeichneten ‚Worttrenner' ‹•› sind offenbar steinmetztechnisch von oben nach unten ausgeführt worden – erkennbar an dem spitzen, dünnen oberen Ansatz und ihrem breiteren unteren Ende, z.B. #B2 u.ö. – als eine Ausnahme hiervon könnte der ‹•› am Ende von #B10 von unten nach oben mit auch dementsprechend negativem Neigungswinkel (–4°) ausgeführt worden sein, vgl. vielleicht auch #B4, #B8-1, #B13, #B14 und besonders #B20.

I.3.2 Kalligraphische Überlegungen

Der unbestimmt ‚verspätete' Anfang von Text A nach erst ca. 20 cm, das Hineinschreiben des Schlusses von B in eine massive Beschädigung des Deckels und die daraus resultierende Abweichung der Formen, das kontinuierliche Abnehmen der Zeichenhöhe in B, eine dazu disproportional starke Reduktion der Laufweite

[69] Vgl. hierzu teilweise auch schon I.2.2.

[70] Marilyn Lundberg, Editor's Notes: The Aḥiram Inscription: *Maarav* 11 (2004).

[71] Vgl. die Standpositionen der drei Sarkophage in der Gruft nach Montet 1929, Pl. cxxv und unten S. 41 Abb. 13.

[72] Vgl. Bruce Zuckerman / Lynn Swartz Dodd, Pots and Alphabets. Refractions of Reflections on Typological Method: *Maarav* 10 (2003) 89–133.107: „Although this is arguably the most formal and conservative Phoenician script known to us, even here, we see letter strokes emulating the flowing style that is the natural product of writing with a pen-like instrument on a flat surface (e.g., papyrus or ostracon), especially curving strokes

und die Typenvariabilität z. B. bei ‹T›, ‹R› und ‹M› deuten zunächst nicht auf eine sorgfältige Planung und Ausführung der Inschrift im engeren Sinne. Dennoch läßt eine Reihe konkreter, sich bei bestimmten Buchstaben mehrfach wiederholender Eigenheiten eine gewisse technische Routine in der Ausführung von Schriftzeichen erkennen und zeigt deutlich, daß bereits bei dieser frühen Form des Alphabets eine hohe kalligraphische Kultur der ‚flachen' Schreibung (auf Papyrus etc.) im Hintergrund stand.[72]

Als Reminiszenzen an eine solche Strichführung der routinierten ‚flachen' Schreibung sind zu werten:[73]

Die Sprossen des ‹Ḥ› zeigen stets eine leichte Fächerung nach rechts oben. Dies ergibt sich am ehesten aus der typischen schnellen retrograden Schreibbewegung der Horizontalen von links nach rechts[74] in ‚flacher' Schreibung.

Der Kopf des ‹W› ist an der rechten Seite unten leicht eingeknickt und abgeflacht (besonders deutlich #B1, #B6). Auch diese Besonderheit läßt sich aus einer formal-konservativen Ausführung in Stein überhaupt nicht, aus der dahinterstehenden Tradition eines Duktus in ‚flacher' Schreibung heraus dagegen hervorragend erklären. Der in der Regel recht schlanke Stamm des ‹W› läuft unten stets – sehr flach und daher oft nur schwach wahrnehmbar[75] – in einer Biegung von bis zu 55° Abweichung (bezogen auf x) nach links aus (#B1, #B4, #B6, und besonders deutlich #B9; kaum wahrnehmbar, aber auch vorhanden in #B17); auch dies dürfte als stilistisches Merkmal ‚kursivierender', flacher Schreibung zu werten sein. Ganz leicht läuft auch einmal ‹T› (#B11-2) unten nach links, und ‹S› (#B11) unten nach rechts gebogen aus.

‹P› hat die Grundform einer ‚schliessenden Klammer', die aber, mit Ausnahmen des ersten ‹P› der Ineinanderschreibung ‹PP› von #B 23 (s. u.), mit einem etwas längeren unteren Schenkel stets leicht ‚gekippt' erscheint. Diese Neigung ist wiederum Zeichen einer Kursivierungstendenz in flacher Schreibung. Die streng formale monumentalschriftliche Form des Buchstabens dagegen erscheint als sehr flache schliessende Klammer auf einem ca. 13 cm hohen Pyramidenstumpf aus Byblos mit der fragmentarischen Aufschrift *spr*[....[76]

Das Grundmuster von ‹B› ist vollkommen eindeutig, wie schon RONZEVALLE 1927 bemerkte, und woran gleichzeitig jeder Versuch, in der Graphie von #B23 ein ‹B› zu sehen, scheitern muß:

> „Toutes ces variantes (qu'explique encore l'emploi du calame et le soin, réellement étonnant, du lapicide à reproduire son modèle) se ramènent à une forme linéaire unique, dans laquelle le côté vertical du triangle s'allonge un peu vers le bas, puis s'oblique brusquement à gauche."[77]

Zwar ist die Variabilität des ‹B› in der Aḥīrōminschrift auffällig, zeigt aber letztlich nur, wie groß die Variationsbreite von Buchstaben innerhalb einer ‚Handschrift' sein kann, wo Verwechslungen ausgeschlossen sind, und wie wenig diagnostisch solche Varianten wirklich sind.[78] Die handwerkliche Durchführung des Buchstabens zeigt durchgehend das gleiche Grundmuster eines relativ hohen, vorzugsweise als gleichschenkeliges Dreieck angelegten Kopfes, der von zwei im Kopf spitzwinkelig aufeinander zu geschlagenen Linien gebildet wird. Erst deren ausgeschlagene Strichbreite und –Tiefe vermitteln letztlich den Eindruck eines stumpfen, gerundeten ‹B›-Kopfes (#B3; #B5). Stellenweise sind bei ‹B› verdickende Basisstriche erkennbar, die wiederum Eigenheiten flacher Schreibung wiedergeben (#B5, #B8, #B18, #B19).[79]

that tend to be more difficult to carve on a hard surface." Ebd. die wichtige, eigentlich selbstverständ-liche, jedoch immer wieder gerne vernachlässigte generelle Feststellung: „Indeed, it would be hard to find *any* exceptions to the rule that scribes writing Northwest Semitic inscriptions essentially rely on ink-made strokes as their models, the common point of reference for any and all script styles, regardless of medium." In diesem Sinne ganz ähnlich äußerte sich schon TORREY 1925: „One receives the impression of a form of writing which has already been in use for a considerable time. The formulas of the inscription also are plainly those of a literary language" (269). – Allerdings Ronald WALLENFELS, Redating the Byblian Inscriptions: *JANES* 15 (1983) 79–118 meint u. a. genau dies argumentativ für seine Spätdatierung der Aḥīrōminschrift verwerten zu können, die der Usurpator des Grabes in lediglich „‚archaizing' air" geschrieben hätte (111) – eine m. E. zu moderne, gar absurde Vorstellung für einen Text, der, tief in einem Grabschacht, ohnehin nicht dafür bestimmt war, jemals wieder gelesen zu werden!

73 Zu ‹Š› s. das bereits oben in Abschnitt I.2.2 S. 12 Gesagte.

74 Vgl. ZUCKERMAN/DODD 2003, 109.

75 Die Darstellung dieser Besonderheit schon bei VINCENT 1925, fehlt aber bei LUNDBERG 2005.

76 DUNAND *FB* II 1954, pl. CXLIV:10469.

77 RONZEVALLE 1927, 15. Zur Diskussion der Graphie #B23 s. o. I.2.2 S. 11f.

78 SASS 1988, 112: „The five (or more) variants of *bet* in the Aḥiram inscription demonstrate the futility of attempting to assign an exact date [...]. An over-confident epigraphist would have spread the Aḥiram *bets* over a century at least, had they been discovered in separate inscriptions (in other words such a range for Aḥiram's text is probably justified)."

79 Besonders auffällig sind derartige verdickt auslaufende Basisstriche des ‹B› in der phönizischen Inschrift des Kulamuwa aus Zindjirli, wo diese Besonderheit sogar in der aufwendigen Relieftechnik realisiert wurde!

‹R› dagegen ist, wie schon Ronzevalle 1927 konstatierte, „généralement penché vers la droite“[80] und hat einen überwiegend (Ausnahmen erst ab #B18) oben abgeflachten Kopf mit etwas kürzerer Kopfbasis.

‹T› wird offenbar stets als aufrechtstehendes + gebildet – auffällig ist dabei allerdings das einmalige ×-förmige ‹T› in #B18, das nicht zum genuinen Formenrepertoire der Aḥīrōminschrift(en) zu gehören scheint. Ein Grund für die Normabweichung ist vorerst nicht bekannt, denkbar wäre, daß die Nachbarschaft von zwei ‹T› hier diese Veränderung bewirkte.[81]

Für den im Hintergrund der Aḥīrōminschrift(en) stehenden hohen kalligraphischen Standard spricht insbesondere die Ineinanderschreibung, genauer Unterschneidung einzelner Buchstaben zum Paarausgleich (‚pair kerning‘[82]), die eine optisch ausgewogene Laufweite der Inschrift insgesamt zu regulieren trachtet. Dies begegnet neben dem sehr auffälligen Beispiel von ‹PP› in #B23 außerdem bei ‹PṬ› (#B13), bei ‹GL› (#B9), bei ‹ᶜL› (#A3; #B19) und bei ‹ML› (#A5). Auch Fälle wie ‹NM› (#B5), ‹WY› (#B9) oder ‹•Y› (#B20/21) sind unter diesem Aspekt zu sehen.

Gerade angesichts der oben erwähnten unübersehbaren Nachlässigkeiten insbesondere der Inschrift B, und gerade bei einer *in situ* und unter ungünstigen Bedingungen ausgeführten Inschrift ist ‚pair kerning‘ ein deutliches Indiz für die im Hintergrund der Aḥīrōminschrift stehende kalligraphisch geprägte Schreibertradition: Der Schreiber hat sich auf sein intuitives kalligraphisches Wissen verlassen müssen – und können. Zwar wurde offensichtlich kein geplantes Layout ausgeführt, doch vom Schreiberwissen um unterschneidungsfähige, d. h. ein ‚pair kerning‘ begünstigende Grapheme hat der Schreiber ungefähr ab #B14 gerade unter dem Druck des vor der Beschädigung am Nordwestende des Deckels knapper werdenden Schreibraums sogar in Kombinationen Gebrauch gemacht, die kurz zuvor noch ohne Kerning auskamen: vgl. die Schreibung von ‹ᶜL› und ‹BL› in #B19 gegen die Schreibung in #B8.

I.3.3 Das ᵓAleph von Byblos[83]

Das auffälligste Graphem der Aḥīrōminschrift ist das konsequent ohne die sonst mehrheitlich nordwestsemitisch übliche Durchkreuzung des vertikalen Stammes und mit einem Abwärtsknick insbesondere des unteren ‚Hornes‘ verwendete ‹ᵓ›.[84] Wenngleich sein relativ hohes Alter außer Frage stehen dürfte, kann dieser ‹ᵓ›-Typ schwerlich einfach *nur* als archaisch aufgefaßt werden, da er so unter schrifthistorisch-generativem Gesichtspunkt kaum mehr einzuordnen wäre. Typologisch vergleichbar erscheint allerdings ein solches ‹ᵓ› in drei weiteren alten Inschriften aus Byblos und vielleicht auch in einigen altphönizischen Inschriften anderer Herkunft, worunter die Schüssel von Tekke und eine Reihe kanaanäischer ‚arrowheads‘ zu zählen wären.[84] Besonders interessant sind hier aber die drei Parallelen aus Byblos.

Der bei den französischen Ausgrabungen in Byblos in unklarem archäologischem Kontext gefundene bronzene ʿAzarbaʿal-Spatel[86] hat in Z. 3 einen ‹ᵓ›-Typ,

80 Ronzevalle 1927, 20 (s. o. Anm 58), vgl. auch Zuckerman / Swartz Dodd 2003, 107.

81 Vgl. die grundsätzlichen Überlegungen zum ‚letter environment‘ von Zuckerman / Swartz Dodd 2003, 111ff.

82 Der bislang nur für den Computersatz allgemein verbreitete typographische Fachausdruck ‚kerning‘ bzw. ‚pair kerning‘ bezeichnet die Verengung des Zeichenabstandes (Unterschneidung) zum Zweck der Laufweitenregulierung einzelner Buchstabenpaare, die sonst optische Löcher in den Text reißen würden, und kann m. E. gut auch als *terminus technicus* für vergleichbare Phänomene in der nordwestsemitischen Epigraphik Verwendung finden.

83 Andeutende Überlegungen hierzu schon J. T. Milik / Frank M. Cross, Inscribed Javelin-Heads from the Period of the Judges. A Recent Discovery in Palestine: *BASOR* 134 (1954) 5–15.12–13 und Anm. 27!

84 Die Ausnahme in #B15 mit Stammdurchkreuzung betrifft nur das untere Horn, ist sehr flach und scheint ein versehentlich zu lang ausgeführter Meißelstrich zu sein.

85 Mir scheint die Zugehörigkeit der K-Gestalt des ‹ᵓ› bei der Schüssel von Tekke und diversen ‚arrowheads‘ zum ‹ᵓ›-Typ der Aḥīrōminschrift allerdings durchaus zweifelhaft zu sein. Zur Schüssel von Tekke vgl. Maurice Sznycer, L'inscription phénicienne de Tekke, près de Cnossos: *Kadmos* 18 (1979) 89–93; Sass fig. 226–229 und S. 88–91; die erste gelungene Entzifferung stammt von Edward Lipiński, Notes d'épigraphie phénicienne et punique: *OLP* 14 (1983) 129–133, der die paläographische Nähe zur Aḥīrōminschrift konstatiert und die Inschrift um 1000 v. Chr. datiert. – Die hier diskutierten und evtl. relevanten ‚arrowheads‘ sind z. B. (ohne Anspruch auf Vollständigkeit) Cross Nr. 1 (Ruweisseh, Sass fig. 208/209 u. S. 82f.: *ḥṣᵓdᵓ||bnᶜky*); Cross Nr. 13 (Sass fig. 206/207 u. S. 81: *ḥṣᶜbdny||ᵓšᶜzbᶜl*); Cross Nr. 22 (Cross 1993, 208/209: *ḥṣbnyᵓ||rbᵓlp*), Cross Nr. 24 (Cross 1992, 205: *ḥṣšmdᶜbnyšbᶜ||ᵓššpṭhṣr*), undeutlich Cross Nr. 11 (El-Khadr V, Sass fig. 189.195 u. S. 77); D./H. 1994 Nr. 5 (dreimal: *ḥṣzmᵓ||bnᵓlṣᵓl*); D./H. 1999 Nr. 121 (*ḥṣᵓlbᶜ[l]*); D./H. 1995 Nr. 46 (*ḥṣšᵓ||bnᶜbdy*); dextrograd-achsengespiegelt ist diese Form des ‹ᵓ› in den Belegen D./H. 1994 Nr. 2 (zweimal: *ḥṣᵓlbᶜlb*[…]*||ᵓšydbᶜl*, angeblich Palimpsest?); D./H. 1995 Nr. 48 (*ḥṣᵓḥᵓ||bnᶜštrt*); D./H. 1997 Nr. 80 (*ḥṣᵓlmlk||rbmkrm*). Die ‚Mischschreibung‘ von gekreuzter und K-Form des ‹ᵓ› auf D./H. 1995 Nr. 47 (*ḥṣᵓḥᵓ||bnᵓny*) und auf Cross Nr. 14 (Sass fig. 214/215 vgl. S. 84f.: *ḥṣᵓdᶜ||bnbᶜlᵓ*) bzw. (spiegelverkehrter) ‚offener‘ und geschlossener K-Form auf Cross Nr. 9 (Sass fig. 204/205 vgl. S. 80f.: *ḥṣytᵓ||bnzmᵓ*) weisen eher auf durch die Technik des Einschlagens bzw. Punzens mit einem

bei dem der um etwa 11° geneigte Stamm vom spitzen Winkel (ca. 46°) der ‚Hörner' leicht durchschnitten wird und das untere ‚Horn' mit ca. 20° Neigung nach unten noch unter das Niveau des Stammes abknickt *(Abb. 6a)*. Der ebenfalls aus Byblos, aus dem Bereich des Obeliskentempels, stammende sogenannte ‚Byblos cone B'[87], ein Tonkegel mit einem kurzen, in den noch nicht ausgehärteten Ton geritzten Stifter- oder Besitzvermerk *lʾḥʾmbbd*, weist zweimal ein ‚offenes' ‹ʾ› mit fast parallelen, den um ca. 15° geneigten Stamm nicht bzw. nur wenig schneidenden ‚Hörnern' *(Abb. 6b)* auf. Nur das zweite ‹ʾ› hat dabei am rechten Ende des unteren ‚Horns' einen kurzen senkrechten Abstrich und ist damit demjenigen des ʿAzarbaʿal-Spatels direkt vergleichbar. Da aber die kurze Aufschrift des Cone B trotz ihres aufgebrochenen ‹L› und des wohl materialbedingt unsauberen ‹M› offensichtlich von geübter Könnerhand geschrieben wurde,[88] darf die variierte Form des ‹ʾ› einmal mit und einmal ohne rechten Abstrich am unteren Horn nicht einem vermeintlich ungeübten Schreiber in Rechnung gestellt werden, sondern entspricht typologisch dem ‹ʾ› des ʿAzarbaʿal-Spatels.

Weiteren Aufschluß verspricht hier ein 1920 etwa 10 km südlich von Byblos gefundenes und 1977 von Pierre Bordreuil publiziertes Inschriftfragment.[89] Die beiden erhaltenen, gleichwohl fragmentarischen Zeilen des Textes sind in der aufwendigen und für das phönizische Kernland sonst nicht belegten Relieftechnik (‚champlevé')[90] erhaben aus dem Stein herausgearbeitet, und die einzelnen Buchstaben weisen deutlich ausgearbeitete und ungewöhnliche Rundungen auf.[91] Besonders auffällig ist dies bei ‹ʾ›, dessen ‚Hörner' den nahezu senkrechten (< 6°) Stamm ohne Durchkreuzung mit einer rundgeschwungenen Biegung um 90° nach rechts oben bzw. unten verlassen *(Abb. 6c)*. Da ‚Byblos champlevé' jedoch insgesamt paläographisch nicht als außergewöhnlich archaisch bezeichnet werden kann,[92] und da eine solche Buchstabenform in schneller, d. h. flacher Schreibung und Strichführung von links[93] wegen ‚stoßender' Federbewegung nicht realisierbar wäre, handelt es sich bei den Sonderformen dieses Fragments und insbesondere dem ‹ʾ› um kalligraphisch geformte Belege einer vermutlich speziell byblischen (Lapidar-?) Schrift, die ich als ‚byblische Rotunda' bezeichnen möchte. Deren Meisterstücke sind uns ansonsten noch weitgehend unbekannt, ihnen wäre in weiteren Untersuchungen nachzuspüren.

In flacher Schreibung würde eine solche Buchstabenform sehr rasch Änderungen gerade am oberen ‚Horn' des ‹ʾ› erleiden, und eben gerade diese Veränderung – unter Verzicht einer Aufwärtskrümmung am oberen ‚Horn' und fakultativer, wohl durch den Schreibduktus bestimmter Abwärtskrümmung des

meißelähnlichen, gleiche Strichlänge fordernden Werkzeug bedingte handwerkliche Variationen. Dies könnte ebenso für die Schüssel von Tekke gelten. Ein ähnliches, K-förmiges ‹ʾ› auf dem ʿAbdōʾ-Fragment (Dunand 1945, 152–155 u. pl. xv.; Dunand *FB* II, 1954, Nr. 9608 u. pl. cxliv) ist in (weichen) Ton eingeritzt, ebenso wohl das Fragment *FB* II Nr. 9400. Daneben enthät das ʿAbdōʾ-Fragment dreimal ein ‹B› mit nach rechts gewendetem ‚Basisstrich', wie es auch in der Šipiṭbaʿal-Inschrift (KAI 7: Dunand 1945, 148 u. pl. xv-xvi) vorzuliegen scheint, die aber wiederum unauffällig ‚gekreuztes' ‹ʾ› enthält, und ist daher wohl ebenfalls anders zu bewerten. Bemerkenswerter scheint mir hier schon eher die offene Form der Pfeilspitze Cross Nr. 2 (El-Khadr I, Sass fig. 185.190: *ḥṣʿbdlbʾt*, vgl. El-Khadr IV) zu sein. Es muß allerdings nachdrücklich hervorgehoben werden, daß weder die Schüssel von Tekke noch die ‚arrowheads' irgendwo abknickende ‹ʾ›-Hörner aufweisen. Der ʿAzarbaʿal-Spatel (s. u.) ist aber immerhin Beweis genug, daß diese Form auch in metallenem Material (Punzierung) prinzipiell durchführbar ist!

86 KAI 3; Dunand *FB* I 1939 pl. XXXII; Sass fig. 220–222.

87 Dunand *FB* II 1954, pl. CXLIV:11687; Cross / McCarter 1973; Teixidor 1977; Sass fig. 218/219 und S. 85f.; *TSSI* III, 12 und Abb. pl. I; Abb. auch in *Liban. L'autre rive* 1998, 128.

88 Dies verraten die beiden ‹B› mit ihrem eleganten ‚fading' nach links unten, der spitze Auslauf des Kopfes beim zweiten ‹B› und folgendem ‹D› zum Textende hin und insbesondere das in exakter Brillanz mit linkem oberen und rechtem unteren Überstand ausgeführte ‹Ḥ›. Auch ein Vergleich mit dem ‚Byblos cone A' (Dunand *FB* II 1954, pl. CXLIV:7765; Sass fig. 200/201; Cross / McCarter 1973, fig. 1; Cross 1975 [2003] 336) zeigt deutlich den Unterschied, der nicht allein diachron zu erklären ist.

89 Pierre Bordreuil, Une inscription phénicienne champlevée des environs de Byblos: *Semitica* 27 (1977) 23–27, vgl. Ders., Une dédicace à la Dame des Byblos, in *Liban. L'autre rive* 1998, 128.

90 In nennenswertem Umfang liegen Zeugnisse dieser Technik nur aus Zindjirli (Samʾal) vor, weitere Belege verzeichnet Bordreuil 1977, 25f.

91 Besonders deutlich bei ‹L›, ‹B›, ‹G›, aber auch an der linken Ecke von ‹D›. Natürliche, durch die Grundgestalt des Buchstabens geforderte Ausnahmen sind ‹N› und ‹T›.

92 Bordreuil 1977, 25 datiert im Schriftvergleich „au dernier quart du xᵉ ou au début du ixᵉ siècle", geht dann allerdings wegen des auffälligen ‹ʾ› in das dritte Viertel des 10. Jh. v. Chr. herauf. – Ich selbst möchte allerdings den ‚Byblos cone B' für noch jünger halten: die zunächst sehr altertümliche Form des ‹M› ist dort, auf einer Rundung geschrieben, nicht signifikant und kann ebensogut als ‚abgerutschte' Deformation des Buchstabens begriffen werden, während ‹B› (nahezu in der Form des Aḥīrōm-‹R›!) schon eine weiterentwickelte Form aufweist.

93 Strichführung der Horizontalen von links ergibt sich zwingend aus der Gestalt des zweiten ‹ʾ› auf ‚Byblos cone B', auch hier müsste sonst eine stoßende, aufwärts gerichtete Bewegung angenommen werden, die in weichem Ton nicht durchführbar ist.

Abb. 6a
‹ʾ› aus ʿAzarbaʿal

Abb. 6b Byblos cone B

Abb. 6c
‹ʾ› aus ‚Byblos champlevé'

Abb. 7 Zum Vergleich ‹ʾ› #A4 und ‹ʾ› #B20 des Aḥīrōmsarkophags

unteren ‚Horns' – liegt in der ‹ʾ›-Form des ‚Byblos cone B' vor.[94]

Ein entsprechender Vorgang hat auch seinen Niederschlag in den ‹ʾ›-Formen der Aḥīrōminschrift gefunden *(Abb. 7)*, die damit nicht zu den formalisierten Monumentalschriften gehört, sondern – als ein Text, der ja, 10 m tief unter der Erde, nie wieder gelesen werden sollte! – sich überraschend stark an die Gewohnheiten der ‚flachen' Schreibung anlehnt, die das typisch byblische ‹ʾ› nur so zu realisieren scheint, wie dies jeweils ungezwungen möglich ist.

I.3.4 Paläographische Datierung?

Die zeitliche Ansetzung der Aḥīrōm-Schrift basiert letztlich auf einem Schriftvergleich mit der ʾAbībaʿal- und ʾElībaʿal-Inschrift (KAI 5 und 6), denen gegenüber sie meist als typologisch geringfügig älter gelten kann. Da es sich in diesen beiden Fällen um auf einer Statue des Šešonq I. (945–924) bzw. Osorqon I. (924–889) angebrachte Inschriften handelt, geben die Lebensdaten der dargestellten Pharaonen einen *terminus ante quem non*, und da es sich in beiden Fällen um Weihinschriften handelt, mit denen die Statuen der *Baʿalat-Gubla* dediziert wurden, dürfte bei ihnen doch eher ein mindestens leichter *terminus post quem* und nicht Gleichzeitigkeit anzunehmen sein.[95] Sehr viel älter als diese einzig mit externer Evidenz einigermaßen datierbaren Inschriften scheint diejenige des Aḥīrōmsarkophags nicht zu sein, womit noch immer das (evtl. frühe) 10. Jahrhundert v. Chr. eine hohe Wahrscheinlichkeit für sich hat. Trotz ihrer Variationsfähigkeit in einigen Typen, für die eine konzise Erklärung noch aussteht, ist die Aḥīrōminschrift keineswegs einer primitiven oder gar unbeholfenen Frühphase der Alphabetentstehung o. ä. zuzurechnen; sie gibt sich in einigen Buchstabentypen vielmehr, wie sich gezeigt hat, ausgesprochen kalligraphisch gefestigt.[96] Allem Anschein nach muß also auch (schon) um die Wende vom 2. zum 1. Jahrtausend oder etwas später, jedenfalls in Byblos, bei ausgeprägter Schreibtechnik mit einer gleichzeitig stabilen Typologie gerechnet werden, die individuelle Handschriften, Schreibereigentümlichkeiten und sogar Varianten innerhalb eines Textes ohne weiteres zu tolerieren vermochte, oder – die letzten Gründe für Typenvariationen innerhalb *eines* Textes liegen für uns weiterhin im Dunkeln.

[94] Ein ganz ähnlicher Fall findet sich auch auf dem ʿAzorbaʿal-Spatel KAI 3 (Sass fig. 220–223), Zeile 3.

[95] Vgl. u. a. schon die kurze Notiz von Helck 1982; zur Problematik insgesamt Amadasi-Guzzo 1995, 20.

[96] Vgl. Bordreuil / Briquel-Chatonnet 1998, 29: „un alphabet plus abouti que celui des flèches en bronze provenant du Liban et de Palestine, qui datent des xiiᵉ–xiᵉ siècles avant J.-C.".

[97] Ein höheres Alter der Aḥīrōminschrift aus der generellen Infragestellung einer schrifttypologisch begründeten Entwicklungslinie der phönizischen Zeichenformen und unter Berufung auf Mansfeld 1983 aus den stratigraphisch in das 13. Jh. datierten, völlig anders gearteten geritzten Scherben von Kāmid el-Lōz abzuleiten (Rehm 2004, 57f.68), ist methodisch hoch problematisch.

Die weitgehend konventionelle paläographische Datierung der Inschrift etwa um 1000 v. Chr. oder etwas später kann daher, je nach Deutung der wenigen überhaupt vorliegenden exakten Anhaltspunkte, und mit Konsequenzen für die Gesamtheit der byblisch-phönizischen Inschriften des 1. Jt. v. Chr., vielleicht noch etwas herab-, aber schwerlich so weit in das 2. Jahrtausend hinaufdatiert werden, wie es zuletzt Ellen Rehm in ihrer archäologisch-kunsthistorischen Untersuchung des Sarkophags mit unzureichenden schrifthistorischen Gründen verlangt. Dies würde eine ausgesprochene Retardation in der Entfaltung eines typologisch bereits gefestigten Alphabets im Ausgang des 2. und zum Anfang des 1. Jahrtausends v. Chr. bedeuten, wofür es bisher keinerlei konkrete Anhaltspunkte gibt.[97] *Schrifttypologisch* ist daher eine Ansetzung des Aḥīrōmsarkophags in das 13. Jh. v. Chr. bei dem derzeitigen Kenntnisstand nach wie vor auszuschließen. Nicht viel aussichtsreicher dürfte bis auf weiteres aber auch der Versuch sein, die Aḥīrōminschrift paläographisch, d. h. schrifttypologisch, so genau ‚um 1000' oder ähnlich zu datieren, wie dies immer wieder gerne und allzu zuversichtlich getan wurde. Der Spielraum etwa eines Jahrhunderts – und meines Erachtens eher nach unten als nach oben, also etwa des gesamten 10. Jahrhunderts – wird ohne weiterführende neue Indizien wohl vorerst gewahrt bleiben müssen.[98] Hier muß nachdrücklich auf den jüngst publizierten methodologischen ‚Zwischenruf' von Bruce Zuckerman verwiesen werden, in dem es heißt:

> „[...] it should be clear that I have grave doubts as to whether we can use the typology of scripts as aggressively as has been done in the past to fix absolute chronology for texts for which there is no further decisive evidence of dating."[99]

Eben dieser weitere entscheidende Beweis für eine Datierung kann bei der Aḥīrōminschrift vorläufig nicht erbracht werden.

Aber auch ein Herunterdatieren der Aḥīrōminschrift bis in das siebente Jahrhundert, wie es Wallenfels verlangt,[100] empfiehlt sich ohne neues, eindeutig datierbares Vergleichsmaterial nicht. Man wird daher, vielleicht mit etwas mehr Spielraum nach unten, an der von Wolfgang Röllig im schrifthistorischen Vergleich dargelegten Ansetzung „in die ersten drei Jahrzehnte des 10. Jahrhunderts v. Chr." vorerst festhalten können.[101]

Rolf Hachmann hat in seinen „Untersuchungen zur Zeitstellung des sog. Ahiram-Grabes" auch die Wirrnisse einer paläographischen Datierung der Aḥīrōminschrift im Zusammen- und Gegenspiel mit den archäologischen Daten vorgeführt und beklagt:

> „Das Grab V von Byblos zeigt, wenn man seine Inschriften forschungsgeschichtlich betrachtet, wie weit sich oft die Argumentation von den eigentlichen Tatbeständen entfernen kann, zumal dann, wenn diese schwer überschaubar sind. Die Zukunft muß erweisen, ob es überhaupt möglich ist, wieder zu ihnen zurück zu gelangen. Es wäre nicht undenkbar, daß die vielen Erwägungen und Bedenken den sicheren Tatsachen unversehens ihre Glaubwürdigkeit genommen haben. Es gibt Wahrheiten, die so oft gebeugt, bestritten und ‚widerlegt' worden sind, daß sie niemand mehr glauben mag."[102]

Eine erneute Untersuchung des Sarkophags und die vorstehende paläographische Befunderhebung haben die frühen, ersten Lesungen der Inschrift als im Großen und Ganzen besser erwiesen als die vielen um besserer Verständlichkeit oder Übersetzbarkeit willen vorgenommenen ‚neuen' Lesungen und Konjekturen. Es hat sich aber auch gezeigt, daß ein selbst beträchtlicher Datierungsabstand zwischen Anfertigung des Sarkophags und Anbringung der Inschrift ganz unproblematisch wäre, weil die Inschrift, wie schon der äußere Befund zeigt, deutlich sekundär ist.[103] Philologisch wird sich dies weiter erhärten lassen. Der bessere Text allerdings stellt den Forscher auch wieder vor alte, schon längst gelöst geglaubte Probleme.

98 Sass 1988, 153: „The most important inference to be drawn [...] is that it is quite impossible to measure the pace of the letters' development in terms of absolute time on the basis of palaeography alone. In the present state of our knowledge, the range of error, even at the end of the second millenium, is 100 years and more."

99 Zuckerman / Swartz Dodd 2003, 132.

100 Ronald Wallenfels, Redating the Byblian Inscriptions: *JANES* 15 (1983) 79–118.

101 Röllig 1982, 372 (s. o. S. 1). Vgl. auch Sass 1988, 154: „In any event, my use of the date 1000 B.C. for Aḥiram's sarcophagus has been purely for the sake of convenience. If future research should elicit a different date, this would have some effect on the dates given here for the later Proto-Canaanite and earlier Phoenician inscriptions (from the el-Khadr arrowheads onwards). I say ‚some effect' since, unlike the earlier texts, many of which are dated by means of their archaeological context, these dates are approximate anyway."

102 Hachmann 1967, 114. Es sei allerdings festgehalten, daß Hachmann zu den Frühdatierern des Aḥīrōmgrabes gehört! – Ähnlich engagiert weist auch Bernal 1990, 15f. auf die Aporie zwischen Archäologie und Epigraphik hin, um dann eine Frühdatierung für seine These vom frühen Übergang des Alphabets in die Ägäis nutzbar zu machen.

103 Dies wurde auch immer wieder gelegentlich von einzelnen Forschern aus ganz verschiedenen Gründen behauptet, s. die Zusammenstellung bei Rehm 2004, 17–19.

I.4 Philologie und Logik der Sarkophaginschrift(en)

I.4.1 Das Eingangsformular (Text A) und die Frage nach der Gleichzeitigkeit von Sarkophag und Inschrift

Die Gleichzeitigkeit von Sarg und Inschrift schien wegen des Wortlauts der Inschrift selbst zunächst überhaupt nicht zweifelhaft gewesen zu sein. So hatte etwa schon René Dussaud in der *editio princeps* dargelegt:

„En premier lieu, on ne saurait douter que l'inscription est contemporaine du sarcophage, puisque Ipphesbaʿal[104] déclare avoir fait le sarcophage. Si celui-ci était remployé et si l'inscription avait été gravée lors de la réutilisation, la formule serait toute différente, ainsi qu'on peut le constater pour l'inscription de Tabnit. Donc, sarcophage et inscription sont contemporains."[105]

Die Datierung der Aḥīrōm-Inschrift(en) war daher zunächst einfach an die (Früh-) Datierung des Sarkophages in das 13. Jh. v. Chr. anhand zweier in der Gruft bzw. im Schacht gefundener Gefäßfragmente aus Alabaster mit dem Namen Ramses II. gekoppelt gewesen – oder aber auch umgekehrt: Eine (Spät-) Datierung des Sarkophags, dann meist in das 10. Jh., wurde mittels einer mehr oder weniger gut paläographisch begründeten Datierung seiner Inschrift vorgenommen.

Die immer wieder gerne vorgebrachte Behauptung einer einfachen Gleichzeitigkeit von Sarkophag und Inschrift – meist im Interesse einer Früh-, mitunter aber auch im Zuge einer Spätdatierung[106] – beruht dabei allerdings einzig auf der herkömmlichen und schon längst nicht mehr reflektierten Übersetzung des Anfangs von Text A als *Sarkophag, welchen* [ʾ]*TBʿL, Sohn des ʾḤRM, König von Byblos, für ʾḤRM, seinen Vater anfertigte* ….[107] Der vordergründig aus dem Wortlaut der Inschrift selbst herausgelesene Anspruch des Aḥīrōm-Sohnes, den Sarg für seinen Vater *gemacht* (*pʿl*) zu haben, müsse als solcher ernst genommen werden. Wie aber moderne Vorstellungen von pietätvoller Bestattung hier einen klaren Blick auf die besonderen Umstände des Aḥīrōm-Sarkophags immer wieder verstellen konnten, zeigte sich exemplarisch schon 1925 bei Hans Bauer, der selbst die nicht zu übersehende Tatsache einer Mehrfachbelegung oder -Nutzung des *Grabes*, in dem sich ja immerhin noch zwei weitere Särge fanden, schlicht ignorierte:

„Daß der Sarkophag vom Sohn des Bestatteten angefertigt ist, ergibt sich zweifellos aus der Inschrift, daß der aber auch ein frisches Grab für seinen Vater hat graben lassen und nicht etwa ein schon vorhandenes benutzt hat, ist so gut wie selbstverständlich […]. Eine solche Hypothese, daß der Sohn für seinen königlichen Vater ein älteres Grab benutzt habe, ist […] von vornherein ganz unwahrscheinlich."[108]

Mit zunehmendem Wissen über Ikonographie und Paläographie mußten solche Argumentationen aber schließlich immer tiefer in die Aporie einander widersprechender Datierungen von Sarkophag und Inschrift und einer sich an diesem Objekt entzündenden Konkurrenz zwischen Archäologie und Epigraphik führen.[109] Eine Wende in der Deutung der Sachlage hatte zwar schon im April 1946 Maurice Dunand mit einem

[104] So die anfängliche Ergänzung und Lesung des PN aus #A3, s. o. S. 5 und Anm. 25

[105] Dussaud 1924b, 141; vgl. ähnlich Rehm 2004, 69.

[106] Für eine Übersicht über den Gang der Datierungsversuche überhaupt vgl. die Darstellung bei Rehm 2004, 15–19.

[107] Übersetzung hier nach ²*KAI* II, 2.

[108] Bauer 1925, 135f., vgl. noch Rehm 2004, 79: „Wiederbelegung des Sarges nach 300 Jahren" scheine, so Rehm, „wenig überzeugend, zumal die Ruhe eines Toten hätte gestört werden müssen, was einem Frevel gleichgekommen wäre, der einem Königshaus nicht zum Vorteil gereicht hätte." – Vielleicht aber, so mag man andersherum fragen, mochte es einem Königshause gerade recht zum Vorteil und zur Legitimation gereicht haben, wenn die Totenruhe z. B. einer Vorgängerdynastie gestört wurde oder ein Usurpator sich des Sarges eines legitimen Herrschers der gestürzten Dynastie ebenso bemächtigte wie noch zu Lebzeiten z. B. des Harems seines Vorgängers? Vgl. u. Anm. 114. Im übrigen argumentiert Rehm 2004, 69 mit einer „religiösen Vorschrift gegen Wiederbestattung", die sich schlechterdings nicht belegen und so auch aus dem Text des Tabnīt-Sarkophags nicht herauslesen läßt (vgl. u. Anm. 113). Vielmehr scheinen Umbettungen und diverse, auch wiederkehrende Manipulationen an den Leichnamen und Knochen Verstorbener weit verbreitet gewesen zu sein, wie u. a. die Funde der Königsgruft von Qaṭna neuerdings wieder deutlich nahelegen (mündl. Mitteilung Peter Pfälzner, und Anm. 305–306).

[109] Vgl. etwa die positionelle und methodische Konkurrenz zwischen Hachmanns archäologischen „Untersuchungen zur Zeitstellung des sogen. Ahiram-Grabes" einerseits und den schon eingangs zitierten „Bemerkungen eines Epigraphikers zu einem kontroversen Thema" von Wolfgang Röllig andrerseits. Dagegen geben die Versuche von Rehm 2004, 15 und *passim*, epigraphisch-paläographische Argumente mit dem Hinweis zu entkräften, daß es keine paläographischen Vergleichsdaten und somit auch keine konzise Theorie zur frühen Geschichte der Alphabetschrift gäbe (vgl. bes. S. 57–58), beredtes Zeugnis davon, daß auch ihr eigener Anspruch einer Zusammenschau aller Indizien an einer Fehleinschätzung des epigraphischen Befundes und Forschungsstandes scheitert und sie daher *de facto* nicht weniger einseitig archäologisch vorgeht als viele ihrer Vor-

post scriptum zu seinen *Byblia Grammata*[110] eingeläutet, wurde aber nur zögerlich rezipiert und ist außerhalb der französischsprachigen Forschung praktisch weitgehend ignoriert worden. Auf Dauer jedoch konnte sich die Forschung ohne eigenen Schaden nicht mehr der kompromisslos an den seinerzeit zur Verfügung stehenden Fakten gewonnenen Einsicht DUNANDS entziehen, daß die Inschrift gegenüber dem Sarkophag sekundär sein müsse. In knappen und wenig beachteten Sätzen hatte DUNAND in seinem *post scriptum* die unabweisbaren materiellen Tatsachen geltend gemacht, daß die Inschrift teils auf der Wanne, teils auf dem Deckel geschrieben sei, daß ihr Verlauf weniger gleichmäßig angelegt sei als das Dekor des Sarkophags, und daß sie auf dem Deckel über einen schlecht präparierten Untergrund hinweg am Ende sogar in eine große Absplitterung des Gesteins hineinlaufe.[111] Hinzuzufügen bleibt nur noch, daß vielleicht auch der Beginn von Text A nach einem Freiraum von ca. 20 cm so zu deuten ist, daß die Inschrift erst *in situ*, nämlich in der Gruft unter beengten Platzverhältnissen, angebracht worden ist.

Der daraus vernünftigerweise folgende und von DUNAND auch unmißverständlich gezogene Schluß, daß Sarkophag und Inschrift *nicht gleichzeitig* sein *können* und der Sarg folglich wohl mehrfach benutzt worden war, scheint nun freilich zwingend auf Kosten der Glaubwürdigkeit des Aḥīrōm-Sohnes zu gehen. Der den Tatsachen anscheinend widersprechende Wortlaut der Inschrift selbst sei daher, wie z.B. BORDREUIL/BRIQUEL-CHATONNET darlegen, als anmaßendes Rühmen des Sohnes zu verstehen:

„L'hypothèse la plus probable est donc que ce sarcophage a été fabriqué et utilisé une première fois au XIIIe siècle pour une sépulture royale. C'est le premiere occupant, anonyme, qui serait représenté sur le bas-relief funéraire [...] Au tournant du IIe et du Ier millénaire, ce sarcophage aurait été réutilisé par le roi Ittobaal de Byblos pour inhumer son père Ahirom. A cette occasion, il aurait fait graver une inscription en l'honneur de son père, tout en s'attribuant le mérite de la fabrication de ce chef-d'œuvre.“[112]

Daß ein altorientalischer Herrscher sich mit fremden Lorbeeren schmückte, ist ja so ungewöhnlich nicht, daß daraus ein beweiskräftiges Argument *contra* gemacht werden könnte. Und die ebenfalls aus Byblos stammenden, mit der gleichen Formel „X—*zpʿl*—NN“ beginnenden Weihinschriften des Abibaʿal (KAI 5) und des Elibaʿal (KAI 6) auf augenscheinlich ägyptischen, importierten Pharaonenskulpturen zeigen deutlich, daß eine derartige Rhetorik der Urheberschaft, in *diesem* Sinne wörtlich genommen, vollkommen wertlos wäre und schlechterdings von niemandem jemals hätte ernst genommen werden dürfen. Auch die Praxis (nur gelegentlicher?) Wiederverwertung älterer Sarkophage kann nicht grundsätzlich in Frage gestellt werden, wie die prominenten Beispiele des Tabnīt- und des ʾEšmūnʿazōr-Sarkophags aus Sidon zeigen.[113] Die ungenierte Neubelegung und Neubeschriftung – im Falle des Tabnītsarkophags sogar ohne Tilgung einer Inschrift des Vorbesitzers – legt vielmehr die Vermutung nahe, daß hinter dieser Praxis vielmehr ein sogar bewußter, kulturell oder rituell legitimierter Akt mit einer besonderen, wertstiftenden oder -steigernden

gänger. Letzteres ist indes nicht allein REHM anzulasten, sondern ist eine der Gesamtfragestellung inhärente Aporie, der nur dann zu entkommen ist, wenn das Grundvorurteil aufgegeben wird, daß damals nicht sein konnte, was heute nicht sein darf – nämlich ‚recycling' von Särgen und Gräbern.

[110] Maurice DUNAND, *Byblia Grammata*, Beyrouth 1945, S. 197–200 [April 1946].

[111] DUNAND 1945, 199f.: „L'inscription d'Akhiram apparaissant partie sur la cuve partie sur le couvercle surprend dans la composition décorative bien équilibrée du sarcophage. Son tracé n'est pas réglé, elle sinue sur une surface mal préparée pour tomber à la fin dans un creux déterminé par un large éclatement de la pierre. Or toutes les autres parties sculptées du monument paraissent avoir été tracées à la règle sur un champ soigneusement dressé. L'inscription a donc sans doute été gravée après coup, et ce n'est pas seulement la tombe mais le sarcophage qu'Ithobaal aurait usurpé pour assurer le dernier repos à son père Akhiram.“ Vgl. auch meine Beschreibung oben Abschnitt I.2.

[112] BORDREUIL/BRIQUEL-CHATONNET 1998, 29, ähnlich schon CHÉHAB 1970, 114f: „Il est certain que cette inscription a été gravée postérieurement aux sculptures. Mais son texte déclare clairement: Sarcophage qu'a fait [...]. Le mot פעל ne laisse planer aucun doute à moins qu'on n'admette que le fils ait menti effrontément à son père auquel il doit le respect et la vérité au moins dans le mort [...].“ In der frankophonen Forschung herrscht weitgehende Übereinstimmung darin, daß der Sarg (sogar mehrfach: GUBEL 1999, 56) usurpiert wurde, vgl. nun auch NIEHR 1998, 92.114.

[113] KAI 13 und 14, dazu kommt ein weiterer, unbeschrifteter Sarkophag aus Sidon (Simone FREDE, *Die phönizischen anthropoiden Sarkophage 1*, Mainz 2000, 65–69.72–74 [Katalog I.1.1; I.1.2; I.2.1]; Silke GRALLERT, Die ägyptischen Sarkophage aus der Nekropole von Sidon, in: FREDE, *Die phönizischen anthropoiden Sarkophage 2*, Mainz 2002, 191–215. 311 [Texte]). Die phönizischen Texte der beiden in die Mitte des 1. Jahrtausends zu datierenden Sarkophage mit ihrer Bitte, die Totenruhe nicht zu stören, können *gegen* eine solche Praxis gerade *nicht* geltend gemacht werden, da ja nur solche Praxis getadelt bzw. mit Sanktionen belegt wurde, die auch wirklich vorkam – und schließlich war diese Praxis ja vom sidonischen Priesterkönig Tabnīt und seinem Sohn ʾEšmūnʿazōr selbst noch ausgeübt worden! Die Texte, insbesondere der des ʾEšmūnʿazōr, bedrohen nicht primär Grabschändung durch Beraubung, sondern Umbettung (*KAI* 14, 5–6: *wʾl yšʾ ʾyt ḥlt mškby wʾl yʿm|sn bmškb z ʿlt mškb*

Absicht stand.[114] Für den Aḥīrōm-Sarkophag eröffnet dies immerhin die Möglichkeit, daß in dem Sarg vorher ein anderer König (?) bestattet war, der vielleicht einer anderen Dynastie angehörte als Aḥīrōm, oder daß Aḥīrōm selbst bzw. sein ihn bestattender Sohn ein Usurpator war.

Aber nicht einmal mit einem fingierten Anspruch des Königs von Byblos, diesen Sarg für seinen Vater gemacht zu haben, muß gerechnet werden. Ein solcher Anspruch hinge ohnehin einzig an dem Verb *pʿl* ‚machen'. An dessen Verbindung mit der Partikel *z* in graphischer Proklise als ‹*ʾRN•ZPʿL*[•› fällt die Entscheidung für eine Auflösung des aporetischen Verhältnisses zwischen Sarkophag und Inschrift, Archäologie und Philologie. Wie ich an anderer Stelle ausführlich zeigen konnte, handelt es sich bei *ʾrn.zpʿl.*[*ʾ*]*tbʿl* im Eingangsformular des Aḥīrōm-Textes um ein in Byblos mehrfach bezeugtes Textformular „X—*zpʿl*—NN—(*l*-)", das in den Zusammenhang „sekundärer Verwendung, Umwidmung oder Erneuerung" gehört.[115]

Insgesamt fünf aus Byblos stammende Texte weisen eine exakt genauso gebildete Eingangsformel „Objekt—*z*+Verb—Subjekt" mit ggf. anschliessendem Dativobjekt (nur in KAI 4 fehlt dieses) auf. Ihnen allen gemeinsam ist – mit der nicht nachprüfbaren Ausnahme des an der Stelle ergänzten Abibaʿal-Textes KAI 5 – die Trennzeichen- bzw. ‚Worttrenner'setzung, welche die Partikel *z* als proklitisch zum folgenden Wort behandelt:[116]

KAI 1	*ʾrn.zpʿl.*[*ʾ*]*tbʿl.bnʾḥrm.*	*mlkgbl.*	*lʾḥrm.ʾbh …*
KAI 4	*bt.zbny.yḥmlk.*	*mlkgbl …*	
KAI 5	[*mš z y*]*bʾ.ʾbbʿl*	*mlk* [*gbl …*]*…*	*lbʿl*[*t gbl …*
KAI 6	*mš.zpʿl.ʾlbʿl.*	*mlk.gbl ……* [	*lb*]*ʿlt.gbl …*
KAI 7	*qr.zbny.špṭbʿl.*	*mlkgbl ……*	*lbʿlt gbl …*

Die gewohnte Erwartung, daß *z* als Demonstrativum in attributiver Stellung allenfalls *en*klitisch zu seinem Bezugswort stehen dürfe, scheint hier offenbar durch die mit dem Worttrenner unübersehbar als *pro*klitisch zu *pʿl* etc. markierte Stellung konterkariert, was letztlich auch zu der in der Forschung lange behaupteten Deutung des *z* als speziell (alt-)byblischer Relativpartikel geführt hatte.[117] Entgegen verbreiteter Ansicht ist die in graphischer Proklise, also in enger Anbindung an das folgende Wort, stehende Partikel *z* hier aber dennoch nicht als (alt)byblisches Relativum aufzufassen, sondern ebenso wie in anderen phönizischen Tex-

šny „und er soll den Sarkophag meiner Ruhestätte nicht hochheben, und er soll mich nicht wegtragen von dieser Ruhestätte zu einer anderen Ruhestätte", vgl. auch Z. 7, wo „öffnen", „hochheben" und „wegtragen" gleichermaßen explizit mit Flüchen sanktioniert wird) bzw. Wiederbenutzung, eine Praxis, die zur Zeit des Tabnīt möglicherweise schon der Obsoleszenz verfiel, aber als ältere Sitte noch soweit bekannt gewesen zu sein scheint, daß sie eigens abgemahnt werden mußte. Von einer „warnenden Inschrift", so Rehm 2004, 69, „die auf den Einhalt der religiösen Vorschrift gegen Wiederbestattung drängt", kann überhaupt keine Rede sein. Derartige Vorschriften dürften ganz offenkundig kaum existiert haben. Auch in Ägypten sind, wie mir Joachim Quack (Berlin) mitteilt, Särge verschiedentlich wiederbenutzt worden. Die ‚Dunkelziffer' uns heute nicht mehr erkennbarer ‚recycelter' Särge dürfte jedoch erheblich höher sein.

114 Auch die (nordhebräische) Szene um das Elisha-Grab 2 Reg 13: 20–21 weist auf eine derartige magische, lebensspendende Kraft hin, die Gräbern, insbesondere Knochen, von Personen besonderer Dignität beigerechnet wurde, vgl. W. F. Albright, The high place in Ancient Palestine, in: *VTS* 4, 1957, 242–258 und besonders Th. J. Lewis, *Cults of the Dead in Ancient Israel and Ugarit*, 1989, 122f. – Der manifesten Herrschaftslegitimation etwa, fränkischer König *und* römischer Kaiser über den Tod hinaus zu sein, diente auch die Bestattung Karls des Großen in einem römischen Proserpinasarkophag des 3. Jahrhunderts, vgl. Friedrich Prinz, *Von Konstantin zu Karl dem Großen. Entfaltung und Wandel Europas*, Düsseldorf 2000, 368f.

115 Reinhard G. Lehmann, Studien zur Formgeschichte der ʿEqron-Inschrift des ʾKYŠ und den phönizischen Dedikationstexten aus Byblos: *UF* 31 (1999 [2000]) 255–396, bes. 272–297. Für die Einzelheiten muß hier auf diese Studie verwiesen werden.

116 Der einzige weitere unbestritten phönizische Beleg exakt der Phrase steht auf einer 9,5 cm langen Scherbe vom Rand eines Terrakottagefäßes aus Byblos und lautet nur …] *zpʿl*[… (Dunand 1939, *FB* I 95, Nr. 1450). Wegen des fehlenden Kontextes ist er nicht verwertbar. – Nicht aus Byblos, sondern aus Zincirli stammt die heute verschollene Goldhülse des Kulamuwa (KAI 25) in konsequenter Spatienschreibung: *smr z qn klmw …* Ihre sprachliche Zuordnung ist jedoch kontrovers. Während sie von Tropper 1993, 51 als sam'alisch dem aramäischen Sprachraum zugewiesen wurde, hält Lehmann 2000, 292f den Text wieder für phönizisch.

117 Vgl. [3]*PPG* 209 (§293), im Altbyblischen steht danach *z*- „als Relativum", vgl. Krahmalkov *PPG* 93f. Diese Auffassung stützt sich jedoch einzig auf jene erwähnten byblischen Texte, in denen *z*- in graphischer Proklise steht, wohingegen sämtliche anderen, attributiv stehenden *z*-Belege auch aus Byblos einmütig als Demonstrativa anerkannt werden, und ist daher aufzugeben, s. Lehmann 2000, 272ff., vgl. auch Bonnet 1993, 26 und Niehr 2003, 37.

118 Vgl. Friedrich 1939. Die Mehrzahl der monosyllabisch-einkonsonantigen Wörter steht zwar tatsächlich in Proklise, ist aber einzig durch deren Semantik bzw. Funktion bewirkt (Präpositionen *b*-, *k*-, *l*-). Daß dagegen kein prinzipieller *orthographischer* Grund zu proklitischer Schreibung solcher Wörter besteht, beweist ausgerechnet die *en*klitische Schreibung des attributiven Demonstrativpronomens mit nachfolgendem Spatium z. B. in KAI 10 = CIS I.1 (Z. 4: *bḥz*[•]*h-z*; Z. 5: *ʿl-pn-ptḥy-z*; Z. 10: *wlʿn-ʿm-ʾrṣ-z*), vgl. dazu ausführlich Reinhard G. Lehmann, Space-Syntax and Metre in the Inscription of Yaḥawmilk, King of Byblos, in: Al-Ghul, O. / Ziyadeh, A. (ed.), *Proceedings* 2005, und in den Inschriften Phu/A II:9.17 und III:7.14.15.18 von Karatepe.

ten und im gesamten (süd-)kanaanäischen Dialektkontinuum als Demonstrativum.

Diese (zunächst graphische) Proklise ist hier weder einfach willkürlich-zufällig, noch durch eine vermeintliche Schreiberregel bedingt, wonach monosyllabisch-einkonsonantische Wörter nicht isoliert geschrieben würden – was ja schließlich auch durch sonst übliche *En*klise zu leisten gewesen wäre.[118] Beides ist nur unter der Voraussetzung einer orthographischen Beliebigkeit vorstellbar, die für das frühe erste Jahrtausend aber nicht wahrscheinlich gemacht werden kann. Vielmehr ist die *graphische* Proklise hier der Reflex einer echten *phonologisch-syntaktischen* Proklise und markiert damit eine morphosyntaktische Sonderfunktion der Demonstrativpartikel. Diese ergibt sich aus der Tatsache, daß speziell der Dialekt von Byblos für das Demonstrativpronomen mit *z-* ein überschüssiges Lexem neben dem alten, gut und mit weiter Laufzeit bezeugten Demonstrativum *zn*, fem. *zʾ*, hat,[119] ferner, wenn die traditionelle Auffassung von proklitischem *z-* als Relativum im Recht wäre, daß auch dieses in Byblos konkurrierend neben dem ‚standardphönizischen' *ʾš* stände,[120] und daß schließlich die Mehrzahl der Texte mit proklitischem *z-* schon allein durch ihren inhärenten Widerspruch zwischen Text und Textträger deutlich auf den Kontext von „sekundärer Verwendung, Umwidmung oder Erneuerung" verweisen.[121] Das alte, ‚standardphönizische' Demonstrativpronomen *z* hat in Byblos unter der Konkurrenz des nur byblischen *zn* vielmehr eine funktionale Nische besetzen können, die in syntaktischer Opposition zur gewöhnlichen attributiven Stellung des Demonstrativums durch Proklise als *zpʿl*, *zbny* usw. markiert werden konnte.

Das Formular „X—*zpʿl*—NN" fungiert so als Verschriftungsform einer explizit performativen Äußerung als deklarativem Sprechakt. Mit

ʾrn.zpʿl[.ʾ]tbʿl.bnʾḥrm.mlkgbl.lʾḥrm.ʾbh

manifestiert 'Ittōba'al, der König von Byblos, die wahrscheinlich in einer rituellen Weihehandlung gestaltete Aneignung eines älteren Sarges *für seinen Vater Aḥīrōm*, so daß zu übersetzen ist:

Zum Sarkophag hat dies gemacht 'Ittōba'al Sohn des Aḥīrōm, König von Byblos, für Aḥīrōm seinen Vater …

Tatsächlich gibt es also auch im Wortlaut der Inschrift nichts, was dem schon in der paläographischen Analyse anhand der überschriebenen Beschädigungen erhobenen äußerlichen Befund einer nachträglichen Beschriftung und der daraus und aus der archäologisch-paläographisch nicht zu vereinbarenden Gesamtsituation des Aḥīrōm-Sarkophags sich ergebenden Annahme einer Wiederverwendung widerspräche. Die Mehrfach-Einsatzgeschichte des Grabes selbst[122] kor-

[119] Auf dem Aḥīrōm-Sarg *und* in der Schachtinschrift wie auch noch in der Batnoʿam-Inschrift (KAI 11, ca. 350 v. Chr.) belegt, vgl. ³*PPG* 69 (§113b), und Krahmalkov *PPG* 83ff, der anhand der Yaḥawmilk-Inschrift „two sets of demonstratives" für das Byblische funktional unterscheidet. Eine Übersicht über die Belege bei Lehmann 2000, 275 (Tafel 2).

[120] Vgl. ³*PPG* 72 (§121); Krahmalkov *PPG* 93ff., und die Übersicht bei Lehmann 2000, 276 (Tafel 4) und 277 unten. Zudem zeigt eine Spatienanalyse z. B. von KAI 10, dass auch das Relativpronomen entweder isolierte oder proklitische Position bevorzugt, vgl. Lehmann 2005.

[121] Dies gilt unübersehbar für die schon erwähnten, auf importierter ägyptischer Ware angebrachten Inschriften des Abibaʿal (KAI 5) und des Elibaʿal (KAI 6), für die Renovierungsinschrift des Yaḥūmilk (KAI 4), die als Palimpsestinschrift mit hieroglyphen-byblischem Subtext in ihrer Zweitverwendung kenntlich ist, und kann ebenso für die anderen Texte (KAI 7, KAI 12, auch KAI 25 und 48) gezeigt werden. Die Übersetzung muß daher jeweils lauten:
Als Haus (= Tempel) hat dies gebaut Yaḥūmilk … (KAI 4)
Als Mauer [‚Brunnenbecken'] hat dies gebaut Šipiṭbaʿal … (KAI 7)
[Als Weihgabe hat dies gebr]acht 'Abibaʿal … (KAI 5)
Zur Weihgabe hat dies gemacht 'Elibaʿal … (KAI 6)
Als Darbringung habe ich dies dargebracht … (KAI 12)
Als SMR hat dies erworben Kulamuwa … (KAI 25)
Für die Einzelheiten muß hier auf die Studie von Lehmann 2000 verwiesen werden.

[122] Vgl. schon Dunand 1945, 197ff: „Ithobaal usurpe pour son père Akhiram la tombe d'un roi antérieur comme peu après Abibaal et Elibaal usurperont les statues de Sheshonq Ier et d'Osorkon Ier" (199). Über die Tatsache einer sukzessiven Mehrfachnutzung des *Grabes an sich* besteht weitgehend Konsens, allerdings nicht darüber, wie man sich dies im einzelnen vorzustellen habe. Hachmann 1967, 100f, hält es für am wahrscheinlichsten, daß das Grab von vornherein für mehrere Bestattungen eingerichtet war. Nach Einbringung des ersten Sarges sei bereits eine Balkendecke im Schacht und auch das ‚Graffito' KAI 2 (s. u. Teil II) angebracht worden, später der Aḥīrōm-Sarkophag als zweiter und noch später der dritte, äußere Sarkophag in das Grab eingebracht worden, denn es „war gewiß kein Grund vorhanden, die Reihenfolge der Särge zu ändern". Nach Analysen von Edith Porada 1973 dagegen wurde das Grab V irgendwann im zweiten Jahrtausend v. Chr. hergestellt und hatte zunächst zwei möglicherweise eng aufeinanderfolgende Einsatzphasen, die mit den beiden älteren Sargtypen in das 13. Jahrhundert zu datieren seien. In einer dritten Phase sei dann die Grabkammer um 1000 oberflächlich gereinigt, der Aḥīrōm-Sarkophag eingebracht, der Schacht aufgefüllt und mit einem vermutlich hölzernen Zwischenboden versehen worden, oberhalb dessen das Graffito KAI 2 angebracht wurde. – Mit dem teilweise neuen Befund zum Schacht und zur Schachtinschrift (s. u. Teil II) sind indes beide Szenarien nur noch partiell vereinbar, vgl. nun das Ende dieser Untersuchung.

respondiert vielmehr offenkundig mit einer zweiten, nur den Sarkophag selbst betreffenden Mehrfachnutzung.[123]

I.4.2 Aḥīrōm, Ittōbaʿal und die Herrschaft über Byblos

Weder Aḥīrōm noch sein Sohn mit dem in der Lücke von #A3 teilweise ergänzten Namen, mag er nun ʾIttōbaʿal oder Pillesbaʿal[124] gelautet haben, sind als Herrscher von *Byblos* aus anderen Quellen bekannt. Als König von *Sidon* oder *Tyrus* aber ist ein ʾIttōbaʿal immerhin historisch belegt,[125] und zu dessen näheren Vorfahren scheint auch ein Ḥīrām = Aḥīrōm als Zeitgenosse und Vertragspartner Salomos zu zählen.[126]

Die Gleichung der Namen חִירָם Ḥīrām = אחרם Aḥīrōm (*„der/mein Bruder ist erhaben"*) kann schwerlich bestritten werden, liegt in dem phönizisch offenbar beliebten Wegfall von anlautendem /ʾ/ gerade auch bei dem Wort ‚Bruder' begründet[127] und ist durch zahlreiche Analogien gesichert.[128] Auch die Vokalisation auf /-rōm/ ist trotz der mehrheitlichen alttestamentlichen Überlieferung auf /ā/ (Ḥīrām) durch die zugrundeliegende Wurzel *rwm* und die Gesetze der kanaanäischen Lautverschiebung sicher.[129] Doch über eine personale Identifikation des Aḥīrōm mit einer der aus anderen Quellen bekannten Ḥīrām-Gestalten kann wohl kaum mehr als nur spekuliert werden.[130]

Daß aber Aḥīrōm nach dem Wortlaut der Eingangsphrase des Sarkophagtextes mit hoher Wahrscheinlichkeit gar kein König – nicht jedenfalls von

[123] Ein etwas anderes Szenarium der Wiederverwertung entwirft der Konservator und Restaurator des Sarkophags. Ihm zufolge handelte es sich um die *in situ*-Umarbeitung eines schlichten, mittelbronzezeitlichen Sarkophags samt Inschrift in einem Arbeitshergang gegen Anfang des 10. Jh. v. Chr („une rétaille complète d'un sarcophage massif du Bronze Moyen"). Petrographischen Analysen zufolge besteht der Aḥīrōmsarkophag aus dem gleichen Gestein der Gegend von Tartij (im Gebirge ca. 20 km nö. von Byblos) wie die anderen bronzezeitlichen Sarkophage in Byblos. Die Umarbeitung zum Aḥīrōmsarkophag *in situ* leitet sich dabei aus der gegenüber den anderen Sarkophagen mangelhaften Maßhaltigkeit und vor allem auf der Rückseite schlechten handwerklichen Ausführung her (Jean Délivré: Le sarcophage d'Ahirom: un cas de réemploi?, in: *Liban. L'autre rive*, Paris 1998, 75). Allerdings macht die durch Rehm 2004 wieder bestätigte Frühdatierung des Dekors die Umarbeitung eines schlichten Sarkophags in einem einzigen Arbeitsgang zusammen mit der Beschriftung unmöglich.

[124] S. o. S. 5. Im Bewußtsein aller damit verbundenen Unsicherheiten wird hier aus konventionellen Gründen an dem Namen ʾIttōbaʿal festgehalten.

[125] ʾIttō-Baʿal *„mit ihm ist/sei Baʿal"*, nach 1 Reg 16:31 König der Sidonier (= Phönizier? אֶתְבַּעַל מֶלֶךְ צִידֹנִים, vgl. Timm 1982, 229f) und Schwiegervater des Königs Ahab von Israel; in der Septuaginta Ιεθεβααλ, bei Josephus in historisch zuverlässigerer Lautung Ιθωβαλος (*var. lect.* bei Labow 2003, 199 *ad* 123 [18]) als König von *Tyrus und* Sidon (so harmonisierend Josephus selbst) *Ant.* VIII:317, IX:138 bzw. nach Menander nur von Tyrus (*Ant.* VIII:324), aber Usurpator und Priester der Astarte *c.Apion.* I:123 (vgl. Labow 2003, 194). Ihm schreibt Menander mit der vermeintlichen (Timm 227f) Gründung der Stadt Βοτρυς = Baṭruna wenig nördlich von Byblos auch einen Übergriff auf byblisches Einflußgebiet zu (bei Josephus *Ant.* VIII:324)! Zum Zeitgenossen Ahabs wird dieser Menander'sche Ιθωβαλος erst durch eine redaktionelle Bemerkung Josephus' gemacht, *Ant.* VIII:324*finis* und Timm 1982, 225f. Tyrus hat auch schon bei Josephus (und Menander?) anscheinend andere Traditionen usurpiert, und in der israelitisch-jüdischen Tradition scheint Tyrus zum Kristallisationspunkt aller Vorstellungen dessen geworden zu sein, was als phönizisch gelten sollte, vgl. auch Ps. 45. – Ein späterer Träger des Namens, möglicherweise der Vater Hirams II. von Tyrus (s. u.) und Zeitgenosse eines Šipiṭbaʿal von Byblos und Panammu von Samʾal ist bei Tiglatpileser III. St. III A:6 als ^{m}*Tu-ba-ìl* ^{uru}*Ṣur-a+a*, vgl. Sanh. II, 47 u. ö., belegt; ein noch späterer bei Josephus *Ant.* X:228 und *c.Apion.* I:156 als Zeitgenosse Nebukadnezars II. ist wohl historische Konfusion. Einen weiteren ʾIttōbaʿal IV. will neuerdings Lemaire 2004, 128* aufgrund einer vorläufig in ihrer Echtheit noch nicht erwiesenen Inschrift einführen. Vgl. auch Bunnens, *DCPP* 1992, 233.

[126] 1 Reg. 5:15ff. // 2 Chr. 2:2ff.

[127] ^{3}*PPG* § 14.d vgl. § 94 und § 240,2.

[128] Beispiele ^{3}*PPG* § 240,2; Benz 1972, 263f.

[129] ^{3}*PPG* § 71, vgl. § 78; anders Krahmalkov *PPG* 9.

[130] Folgende Ḥīrām-Gestalten sind aus den Quellen bekannt (etwas anders Lipiński *DCCP* 1992, 218f.):
1) Ḥīrām, König von Tyrus, als Zeitgenosse Davids חִירָם 2 Sam 5:11 // 1 Chr 14:1 (Q: חוּרָם Ḥūrām), wenn nicht fiktiv, dann als identisch anzusehen mit 2) Ḥīrām (I.), König von Tyrus, als Zeitgenosse und Vertragspartner Salomos חִירָם 1 Reg 5:15ff, 9:11ff, 10:11, aber 1 Reg 5:24.32 חִירוֹם Ḥīrōm; 2 Chr 2:2.10.11, 8:2.18, 2 Chr 9:10.21(Q) חוּרָם Ḥūrām, bei Josephus Ειρωμος Sohn des Αβιβαλος (ʾAbībaʿal, von Tyrus) *Ant.* VII:66, VIII: 50–60.76.141f.163, VIII:144 (nach Menander), VIII:147–149 (nach Dios), *c.Apion.* I:109, I:113–115 (Dios), I:117a, I:117b.121 (Menand. = *Ant.* VIII:144), I:126, II,18; vgl. ausführlich Green 1983 und Labow 2003, 181–199. – 3) Ḥīrām (II.) von Tyrus (^{m}*Ḫi-ru-um-mu* ^{uru}*Ṣur-ra-a+a* in den Annalen Tiglatpilesers III., Ann. 27:2 = 13*:11 bzw. einmal ^{m}*Ḫi-ri-mu* Ann. 9:r5; vgl. *TGI* 57; *TUAT* I, 375f), Sohn ʾIttōbaʿals II. – Kaum damit identisch 4) der in einer paläographisch ins 8. oder ausgehende 9. Jh. zu datierenden phönizischen Inschrift aus Limassol (KAI 31 = CIS I,5) als ‚König der Sidonier' (*ḥrm mlk ṣdnm*) geführte Herrscher *ḥrm* (vgl. Timm 1982, 221; Lipiński 2004, 47f.). Mit ihm sollte wohl auch der in der höchstwahrscheinlich als Fälschung des 19. Jh. anzusehenden Parahaiba-Inschrift erwähnte Ḥīrām gemeint sein. – 5) Ein noch jüngerer Ḥīrām (III.) könnte der nur bei Josephus *c.Apion.* I:158 belegte Ειρωμος sein; als Vater eines neu zu postulierenden ʾIttōbaʿal (IV.; s. Anm. 104) erscheint dieser nun auch auf einer jüngst publizierten tyrischen Votivin-

Byblos				
KAI 1	*ʾrn.zpʿl.[ʾ]tbʿl.*		*bnʾḥḥrm.*	*mlkgbl.*
KAI 5	*[mš z y] bʾ.ʾ bbʿl*	*mlk[gbl.*	*byḥmlk*	*mlk]gbl…*
KAI 6	*mš.zpʿl.ʾlbʿl.*	*mlk.gbl.*	*byḥ[mlk*	*mlk gbl[131]]…*
KAI 7	*qr.zbny. špṭbʿl.*	*mlk|gbl.*	*bnʾlbʿl.*	*mlk.gbl…*
KAI 9	[… … …	… … …	*b]n špṭbʿl*	*mlk gbl…*
KAI 10	*ʾnk yḥwmlk*	*mlkgbl*	*bnyḥrbʿl bnbnʾrmlk*	*mlk|gbl…*
KAI 11	*…btnʿm ʾm mlk ʿzrbʿl*	*mlk gbl*	*bn plṭbʿl*	*khn bʿlt*
Sidon				
KAI 13	*ʾnk tbnt*	*khn ʿštrt mlk ṣdnm*	*bn ʾšmnʿzr*	*khn ʿštrt mlk ṣdnm*
KAI 14	*…mlk ʾšmnʿzr*	*mlk ṣdnm*	*bn mlk tbnt*	*mlk ṣdnm*
KAI 15	*mlk bdʿštrt*	*mlk ṣdnm*	*bn bn mlk ʾšmnʿzr*	*mlk ṣdnm*
KAI 16	*mlk bdʿštrt*			
	wbn ṣdq ytnmlk	*mlk ṣdnm*	*bn bn mlk ʾšmnʿzr*	*mlk ṣdnm*
KAI 31	[…]	*skn qrtḥdšt*	*ʿbd ḥrm*	*mlk ṣdnm*
KAI 281	*ḥsml z ʾš ytn bʿlšlm*		*bn mlk bʿnʾ*	*mlk ṣdnm*
			bn mlk ʿbdʾmn	*mlk ṣdnm*
			bn mlk bʿlšlm	*mlk ṣdnm*
Zypern: Kition				
KAI 32	*…lm[l]k pmy[y]tn*	*m[lk kty*		
		w]ʾdyl wtmš	*bn mlk mlkytn*	*mlk kty wʾdyl*
KAI 33	*…lmlk.pmyytn.*	*mlkkty.wʾdyl*	*bn mlk mlkytn*	*mlkty.wʾdyl*
KAI 289	*…mlk pmyytn*	*mlk kty wʾdyl*	*bn mlk mlkytn*	*mlk[kt]y wʾdyl*
KAI 34	*…mṣbt ʾz ʾš ytnʾ ʾrš*	*rb srsrm*	*lʾby lprsy*	*rb srsrm bn ʾrš rb srsrm…*

schrift aus Privatbesitz (Lemaire 2004, 127*ff). Eine etwas abweichende Liste tyrischer Könige des Namens Ḥīrām bei Katzenstein 1973, 81, vgl. 349. – 6) Der tyrische Erzgießer Ḥīrām (חִירָם) im Baudienst Salomos 1 Reg 7:13.45, in anderen Schreibungen חִירוֹם Ḥīrōm (1 Reg 7:40) und חוּרָם Ḥūrām (2 Chr 2:12, 4:11(Q).16), bei Josephus *Ant.* VII:76f.88 orthographisch als Χειρωμος von Nr. 1–5 (Ειρωμος) unterschieden (dagegen schreibt LXX durchgängig Χιραμ). Aus Ermangelung an Historizität kommt dieser hier kaum in Betracht, denn „ganz über den Verdacht, ein später fiktiver Doppelgänger des Königs Hiram von Tyrus zu sein, ist der Erzgießer Hiram nicht erhaben" (M. Noth 1983, 148).

Einzig der als Nr. 1 bzw. 2 angeführte König von Tyrus Ḥīrām (I.), zweifellos die interessanteste, aber auch am einseitigsten bezeugte Ḥīrām-Gestalt, käme hier für eine Identifizierung mit Aḥīrōm (von Byblos!) in Betracht, wollte man nicht der legendären Gestalt des tyrischen Handwerksmeisters (Nr. 6) etwas mehr Historizität zubilligen (vgl. u. Anm. 137). Jedoch müsste auch dann hier plausibel gemacht werden, warum Ḥīrām (I.) in der Überlieferung nur der Titel eines Königs von *Tyrus* anhaftet. Immerhin aber wäre es aus der südlichen, israelitisch-jüdischen Perspektive erklärlich, wenn im Laufe des 1. Jahrtausends v. Chr. aus geopolitischen Gründen das weit im Norden gelegene Byblos gegenüber der tyrischen Dominanz soweit in Vergessenheit geraten wäre, daß Tyrus im Alten Testament und bei Josephus auch Daten nicht-tyrischer Historiographie adaptieren konnte (vgl. Anm. 3 und 104; vgl. zur Geschichte von Tyrus generell Katzenstein 1973, bes. 77ff. 130ff., kritisch dazu Timm 1982, 200–231). Und dennoch ist sogar im Alten Testament dem König Ḥīrām (I.) von Tyros mit 1 Reg 5:32 noch eine gewisse, literarisch einigermaßen unverdächtige Verbindung zu Byblos bescheinigt: וַיִּפְסְלוּ בֹּנֵי שְׁלֹמֹה וּבֹנֵי חִירוֹם וְהַגִּבְלִים וַיָּכִינוּ הָעֵצִים וְהָאֲבָנִים לִבְנוֹת הַבָּיִת *da meisselten die Bauhandwerker Salomos und die Bauhandwerker Hiroms und die Gibliten, und sie richteten die Hölzer und die Steine zum Bau des Hauses zu*. Zweifellos sind mit den Gibliten (הַגִּבְלִים) hier aus Byblos (גְּבַל) stammende Handwerker gemeint (vgl. Jos. 13:5, o. Anm. 3). Die Septuaginta (LXX) gibt an dieser Stelle freilich nur die zweite Vershälfte (ab וַיָּכִינוּ) wieder (καὶ ἡτοίμασαν τοὺς λίθους καὶ τὰ ξύλα τρία ἔτη), während die erste Hälfte erst in 6:1β als καὶ ἐπελέκησαν οἱ υἱοὶ Σαλωμων καὶ οἱ υἱοὶ Χιραμ καὶ ἔβαλαν αὐτούς erscheint, und ersetzt die Gibliter (וְהַגִּבְלִים) durch eine Verbform εβαλαν (in der lukianischen Überlieferung ενεβαλον), die am ehesten als gräzisierende ‚Verballhornung' von γεβαλ = גְּבַל zu sehen ist (Martin Noth). גְּבַל = Βύβλος = Byblos und die daraus abgeleitete Nisbe הַגִּבְלִים (Plural) ist also nicht mehr verstanden, zunächst wohl als Partizip (vgl. Targum וארגובליא, nur hier und noch 2 Reg 12:13 für hebr. גֹּדְרִים *Maurer*, ebenso Syr.) gedeutet und dann als finites Verb wiedergegeben worden. Erst in der hexaplarischen Rezension des Origenes findet sich unter Asteriskus wieder και οι βιβλιοι als Rückgriff auf altes גְּבַל = Βύβλος / Βίβλος. Der Vers 1 Reg 5:32 scheint also einen Reflex davon geben zu wollen, wie sich das immer mächtiger werdende Tyros des traditionellen ‚know-how' von Byblos zu bedienen wußte – eine Anschauung, wie sie sich auch noch in Ez 27:9 im Klagegedicht über Tyrus findet (זִקְנֵי גְבַל וַחֲכָמֶיהָ הָיוּ בָךְ מַחֲזִיקֵי בִּדְקֵךְ *die Ältesten von Byblos und ihre Weisen waren in dir als deine Schiffszimmerleute*), vgl. Corral 2002, 164–166.

131 Durch den Raum der *lacuna* sehr wahrscheinliche Ergänzung.

Byblos – war, ist bisher wenig beachtet worden.[132] Während sich ʾIttōbaʿal bin-Aḥīrōm, der Begräbnisstiftende, selbst als König tituliert, bezeichnet er Aḥīrōm lediglich als ‚sein Vater‘ (*ʾḥrm.ʾbh*) — ohne Titel! Im Korpus der phönizischen Königsinschriften, die, sofern der Vater genannt ist, diesen auch stets mit Titel führen, ist dies immerhin so auffällig, daß es nicht übergangen werden sollte, vgl. die Übersicht S. 25.

Auch in der Inschrift A des Aḥīrōmsarkophags hätte man nach diesen Beispielen eher

ʾrn.zpʿl.ʾtbʿl.mlkgbl.** bnʾḥrm.mlkgbl.lʾḥrm.ʾbh*

oder gleich

ʾrn.zpʿl.ʾtbʿl.mlkgbl.**lʾḥrm.mlkgbl.ʾbh*

erwartet. Der vorfindliche Sarkophagtext dagegen weckt zunächst den Eindruck, als ob nicht Aḥīrōm, sondern seinem Sohn ʾIttōbaʿal des Herrschertitels ermangelte. Indes fällt die Annahme, daß zwar Aḥīrōm König von Byblos gewesen sei, (noch) nicht aber sein Sohn ʾIttōbaʿal, aus sachlichen Gründen schwer. Es müsste dann plausibel gemacht werden, wie der Thronfolger einer Dynastie nach dem Tod und bei dem Begräbnis seines Vaters (noch) nicht als König tituliert werden konnte, und warum ein solcher hypothetischer Übergangszustand dazu auch noch inschriftlich dokumentiert worden sein sollte.

Einzig die sidonische Stifterinschrift KAI 281 ist anders strukturiert. Hier trägt der Stifter Baʿalšillem, ähnlich wie in der Aḥīrōminschrift A, keinen direkt hinter den Namen gestellten Titel. Da die Inschrift auf einer Basisplatte angebracht war, die, wie andere Beispiele aus Bostan esh-Sheikh zeigen, eine Kinderstatue getragen haben muß, wird aber übereinstimmend angenommen, daß es sich bei Baʿalšillem um einen Prinz oder gar – wegen der Länge der Genealogie – Kronprinz handele, der noch keinen eigenen Herrschertitel beanspruchen kann.[133] Auch die auffällige pleonastische Auffüllung des Namens mit jeweils vorgeschaltetem *mlk* zeigt, daß es sich hier um einen Königs*sohn* und Abkömmling von Königen, aber eben nicht selbst um einen König handelt. Die Fortsetzung der Genealogie mit dreifachem attributivem *mlk ṣdnm* aber zeigt auch das gleiche Schema wie die anderen Inschriften. Eine formale Parallele zur Aḥīrōminschrift oder gar die Annahme, daß auch ʾIttōbaʿal nicht König gewesen sei, scheint mir daraus nicht ableitbar zu sein.[134]

Im Eingang der Aḥīrōminschrift ist *ʾtbʿl.bnʾḥrm. mlkgbl* wie in zahllosen hebräischen Wendungen[135] vielmehr so aufzufassen, daß das Attribut *mlkgbl* auf den Namen des Erstgenannten bezogen ist. Die wahrscheinlichste Lesung der Eingangsphrase des Aḥīrōmsarkophags läßt also erkennen, daß der König ʾIttōbaʿal von Byblos hier seinen Vater bestattete, der selbst nicht König, jedenfalls nicht von Byblos, gewesen war.

Die oben schon ausgesprochene, aus der Sekundärnutzung des Sarges (und des Grabes) abgeleitete Vermutung, daß es sich bei ʾIttōbaʿal um einen Usurpator handeln könnte, der mit der Bestattung seines Vaters in einem alten byblischen Grab und Sarg in der Königsnekropole von Byblos einen symbolisch dynastiegründenden und somit seine Herrschaft über Byblos legitimierenden Akt vollzog, gewinnt dadurch neue Nahrung.[136] Die Quellen scheinen uns hier jedoch bisher weitere Auskünfte zu verweigern. Um aber fürderhin mögliche Vorurteile oder falsche Suggestionen auszuschließen, sollte m. E. bis zum Erweis des Gegenteils nicht mehr von Aḥīrōm als *König*, schon gar nicht von Byblos, die Rede sein.

Zugleich sollte dann aber auch die wirkliche Sohnesschaft des ʾIttōbaʿal offen gelassen werden. Denn weder muß *bn* stets den leiblichen Sohn bezeichnen,

[132] Neuerdings weist Jordi Vidal, A King with no Gods: *Altorientalische Forschungen* 31 (2004) 148–155 auf den “controversial charakter of the kindom of Aḥīrom” hin (S. 151).

[133] Gibson 1982, *TSSI* III:29 (S. 114ff.), vgl. W. Röllig, Beiträge zur nordsemitischen Epigraphik. 3. Eine neue phönizische Dynastie in Sidon: *Welt des Orients* 5 (1969/70) 121–124.

[134] Die kürzlich von Lemaire 2004, 117*–129* veröffentlichte Inschrift eines ‚Votivboots‘ aus Privatbesitz bietet eine noch andere Variante des Formulars (… *mlk ʾtbʿl bn hmlk ḥrm mlk ṣr*). Ihre Echtheit muß aber aus philologischen und historischen Gründen vorerst zweifelhaft bleiben.

[135] Besonders mit Titel Num 7:18, 25:7.14, Hag 1:1 (זְרֻבָּבֶל בֶּן־שְׁאַלְתִּיאֵל פַּחַת יְהוּדָה *Zerubabel, Sohn Schealtiels, Statthalter von Juda* und יְהוֹשֻׁעַ בֶּן־יְהוֹצָדָק הַכֹּהֵן הַגָּדוֹל *Josua, Sohn Jozadaqs, Hoher Priester*), Ez 11:1 u. ö., mit Königstitel Num 22:10 (בָּלָק בֶּן־צִפֹּר מֶלֶךְ מוֹאָב *Balaq, Sohn Zippors, König von Moab*), 1 Sam 8:12, 27:2, 1 Reg 15:8, 2 Reg 8:16.29, 14:1, Jer 1:2.3, 2 Chr 30:26 und viele mehr, auch mit Verwandtschaftsbezeichnungen Gen 24:15, 28:9 (מָחֲלַת בַּת־יִשְׁמָעֵאל בֶּן־אַבְרָהָם אֲחוֹת נְבָיוֹת *Mahalat, die Tochter Ismaels, des Sohnes Abrahams, die Schwester Nebajots*), 2 Sam 18:2 (אֲבִישַׁי בֶן־צְרוּיָה אֲחִי יוֹאָב *Abisai, Sohn der Zeruja, Bruder Joabs*) u. a. m., aber anders Gen 36:10, Jos 15:17, Ex 31:2 u. ö.

[136] Mit aller gebührenden Zurückhaltung sei in diesem Zusammenhang auch auf das oben Anm. 125 zu ʾIttōbaʿal von Tyrus Gesagte hingewiesen. – Auch Yaḥūmilk von Byblos (KAI 4) war möglicherweise ein Usurpator, wie Wolfgang Röllig wegen des fehlenden Patronymikons erwägt ([2]*KAI* 7).

[137] So ist etwa Eliakim ben-Hilkia *zum Vater für die Einwohnerschaft Jerusalems und für das Haus Juda* (לְאָב לְיוֹשֵׁב יְרוּשָׁלִַם

noch steht *ʾb* nur für den leiblichen Vater. Wie zahlreiche alttestamentlich-hebräische und weitere nordwestsemitische sowie auch akkadische und ägyptische Beispiele zeigen, werden beide Begriffe auch zur Bezeichnung des Lehrer-Schüler-Verhältnisses verwendet. Insbesondere אָב *ʾāb* kann direkt auch einen Titel, eine Ehrenbezeichnung oder bei Königen auch allgemein den bzw. im Plural die Vorfahren bezeichnen.[137] Unter diesem Aspekt gewinnt auch der Zweifel am leiblichen Vaterschaftsverhältnis des Aḥīrōm von Byblos – der, wie sich gezeigt hatte, ohnehin kein König war – gegenüber König 'Ittōbaʿal von Byblos weiteren Raum.

I.4.3 Die ewige Verborgenheit

Für die folgende Phrase *kšth.bʿlm* (#A8/9) scheint die durch eine Gleichsetzung von *ʿlm* mit hebräisch עוֹלָם ‚Ewigkeit' induzierte Übersetzung ... *als er ihn in die Ewigkeit niederlegte* auf den ersten Blick naheliegend zu sein.[138] Doch abgesehen davon, daß sich die Übersetzung damit möglicherweise „unreflektiert im Bann einer durch das Alte Testament vorgegebenen Auffassung von ‚Ewigkeit' bewegt",[139] stellt allein der Ausdruck *b-ʿlm* (in dieser Verbindung) schon ein grammatisches Problem dar, das auch in der Literatur verschiedentlich angesprochen wurde: *ʿlm* עוֹלָם erscheint weder im Hebräischen noch sonst auch im Nordwestsemitischen jemals mit der Präposition *ba-*, an die zu erwartende Position tritt vielmehr *la-*.[140] Als Extrembegriff ist *ʿôlām* ‚Ewigkeit' tatsächlich auch schon aus semantischen Gründen mit der Präposition *ba-*, die einen abgeschlossenen Zeitraum voraussetzen würde, inkompatibel.[141] Umso auffälliger allerdings ist dann der einzig in der Aḥīrōminschrift vorkommende Ausdruck *bʿlm*. Schon für Torrey 1925 und ihm folgend Tawil 1970 und Gibson 1982 war dies der Anlaß, *bʿlm* als Abkürzung für *bt ʿlm* „Haus der Ewigkeit" zu verstehen.[142] Freilich müsste dann auch noch Aphaeresis einer Präposition *ba-* angenommen werden, die zwar, wie das Hebräische und das Ugaritische beweisen, gerade bei בית *bt* reichlich vorkommt,[143] hier aber zusammen mit einer Abkürzung (oder Assimilation des /t/) eine auf zu vielen Hypothesen fußende Lesung wäre.

Will man hier nicht eine ungewöhnliche, einzigartige präpositionale Verknüpfung von *ʿlm* mit *b-* annehmen, so ist die Alternative eines anderen Lexems ernsthaft zu erwägen. Eine Wurzel עלם in der Bedeutung *dunkel sein* oder, häufiger, *verborgen, der Wahrnehmung*

וּלְבֵית יְהוּדָה) bestellt (Jes 22:21) und Josef *zum Vater für den Pharao und Herrn für sein ganzes Haus* (לְאָב לְפַרְעֹה וּלְאָדוֹן לְכָל־בֵּיתוֹ, Gen 45:8); jemand kann *zum Vater und zum Priester* bestellt werden (לְאָב וּלְכֹהֵן, Jdc 17:10, 18:19); als ehrende Anrede des Königs an einen Propheten *mein Vater* (אָבִי) 2 Reg 6:21 (vgl. dazu 2 Reg 8:9) oder, mit weiteren ehrenden Zusätzen, 2 Reg 13:14 *mein Vater, mein Vater, Wagen Israels und seine Reiterei* (אָבִי אָבִי רֶכֶב יִשְׂרָאֵל וּפָרָשָׁיו), dasselbe vorher (2 Reg 2:12) schon in der Anrede des Prophetenschülers an den Meister. Im begrifflichen Übergang vom Ahnherrn zum Meister ist ‚Vater' zu verstehen in Gen 4:21 *Jûbal, der war der Urmeister aller Harfenisten und Flötisten* (יוּבָל הוּא הָיָה אֲבִי כָּל־תֹּפֵשׂ כִּנּוֹר וְעוּגָב). Nach 2 Chr 2:12f wäre auch der tyrische Handwerksmeister, der nicht nur als Bronzegießer Ḥīrām wie 1 Reg 7:13f, sondern unter dem Namen Ḥūrām hier als ein kunsthandwerklicher Universalist präsentiert wird, im Wortlaut der Phrase לְחוּרָם אָבִי der Vater des ihn entsendenden Königs von Tyrus gewesen, eine für altorientalische Verhältnisse ebenso unwahrscheinliche Vorstellung wie die Auskunft von 2 Chr 4:16 (חוּרָם אָבִיו, in der Septuaginta fehlt hier der Zusatz!), wonach er, streng genommen, der Vater Salomos gewesen sein müsste! Auch hier wird daher das Attribut אָבִי bzw. אָבִיו die ehrende Bezeichnung eines (in bestimmte Fertigkeiten und besonderes Wissen) eingeweihten (Handwerks- oder ‚Zunft'-) Meisters zu sehen sein. Zum metaphorischen Gebrauch von *ʾab* vgl. auch *DNWSI* s.v. (S. 3) und vor allem Ringgren in: *ThWAT* I, 1973, 1–7, der auch auf akkadisches *abu ummāni kalāma* „ein Meister jedes Handwerks", hinweist (S. 3).

[138] Vgl. ²*KAI*:1; *IFO* 5:3; vgl. *TSSI* III:4.

[139] Herbert Niehr, Zur Semantik von nordwestsemitisch *ʿlm* als ‚Unterwelt' und ‚Grab', in: *Ana šadî Labnāni lū allik*, FS Wolfgang Röllig, Neukirchen 1997, 295–305.295.

[140] Im Hebräischen des Alten Testaments erscheint bei der Hälfte der etwa 440 Belege עוֹלָם mit einer voranstehenden Präposition, die überwiegend -לְ ist (181 Fälle), gefolgt von עַד (81) und מִן (27), vgl. E. Jenni in *THAT* II, 1979, 228–243, bes. 229; Gerlemann 1979, 339.

[141] Die Gründe hierfür hat zuletzt Ernst Jenni mit seinen Untersuchungen zum System der hebräischen Präpositionen dargelegt. Demnach ist die Verwendung der Präposition *beth* bei Temporalisation die „Gleichstellung von Zeitbestimmungen: Eine Zeitbestimmung y wird mit einem in einer Satzaussage vorkommenden bzw. vorausgesetzten Zeitelement x gleichgestellt, um damit die vorgestellte Situation zu komplettieren." (Jenni 1992, 67, vgl. ausführlich 288–328). Auf עוֹלָם ist dies nicht anwendbar, da עוֹלָם kein ‚Ort' ist, der eine solche Gleichstellung vertrüge. Selbst dort, wo dies bei entsprechendem verbalen Ausdruck noch am ehesten vermutet werden könnte, steht -לְ oder עַד, etwa Jes 14:20 (לֹא־יִקָּרֵא לְעוֹלָם), 2 Sam 7:16 (כִּסְאֲךָ יִהְיֶה נָכוֹן עַד־עוֹלָם). Zur Semantik von עוֹלָם vgl. besonders G. Gerlemann, Die sperrende Grenze. Die Wurzel *ʿlm* im Hebräischen: *ZAW* 91 (1979) 338–349; E. Jenni in *THAT* II, 1979, 229f.; auch H. D. Preuss in *ThWAT* V, 1986, 1144–1159.

[142] Torrey 1925, 272; Tawil 1970, 33–36; Gibson *TSSI* III, 14: „...when he placed him in 'the house of eternity'".

[143] Gen 12:15, 24:23, 38:11 u. ö., vgl. auch Tawil 1970, 35 n. 16.

entzogen sein ist hebräisch belegt,[144] der ugaritisches *ġlmt*^{II} ‚Verbergung, Dunkelheit, Finsternis' (parallel *ẓlmt*, vgl. hebr. √ צלם, צַלְמָוֶת) zur Seite steht.[145]

Aufschlußreich ist bei den Vorkommen der hebräischen Wurzel עלם, die häufig im Wortfeld zusammen mit dem Verb סתר *verbergen* auftaucht, daß sie nicht wie dieses die Konnotation des Bergenden, Schützenden aufweist, sondern stets im Sinne von „eine Person / Sache der Wahrnehmung durch einen anderen entziehen" die Dimension des Kognitiven negiert.[146] Dies ist auch bei den beiden nominalen Derivaten, dem dreimal bezeugten *תַּעֲלֻמָה (nur Pl. תַּעֲלֻמוֹת) ‚Verborgenes'[147] und dem Hapaxlegomenon *עָלֻם in der suffigierten Form עֲלֻמֵנוּ Ps. 90:8 deutlich. Letztere wird, obwohl im Parallelismus zu dem Substantiv עֲוֹנֹתֵינוּ *unsere Sünden* stehend, traditionell als suffigiertes Ptz. pass. Qal gedeutet. Dazu besteht jedoch schon allein darum keine Veranlassung, weil das Verb sonst keine Formen im Grundstamm bildet und dies bei nichtreflexivem, stativisch-passivem Nif'al neben Hitpa''el ohne weitere Passivstämme semantisch auch gar nicht zu erwarten ist.[148] Vielmehr handelt es sich bei עָלֻם < *ᶜalūm* um ein altes „patiens actant noun" des gemeinsemitischen *qatūl*-Schemas.[149] Auch im Ugaritischen und Phönizischen ist das Schema nachgewiesen.[150] Es steht daher nichts dem entgegen, dieses Nomen auch in der Aḥīrōminschrift zu lesen und *b*^{c}*lm* als *in das Verborgene* oder *in die Verhüllung* zu übersetzen.[151]

Die Deutung von *kšth* als ein Qal Perfekt 3msg der Wurzel *šyt* mit proklitischer (konjunktionaler) Präposition *k-* wurde bislang nicht ernsthaft in Zweifel gezogen,[152] allerdings auch kaum je ernsthaft in ihrem syntaktischen Potential durchdacht. Zwar ist das Suffix unproblematisch die alte westsemitische, aus dem Ugaritischen[153] gut bekannte, für das Phönizische jedoch nur im Altbyblischen und hier nur auf dem Aḥīrōmsarkophag selbst noch weitere zwei Male (#B16; #B22) belegte Form,[154] deren Reflexe sich auch noch als archaische oder archaisierende Bildungen im Hebräischen finden.[155] Aber eine Gesamtdeutung der Form *kšth* als *verbum finitum* der 3msg Perfekt mit Präposition und Suffix ist jedenfalls nach dem Maßstab

144 Nach *HAL* 789f handele es sich um zwei homonyme Wurzeln עלם^{I} *verbergen, verschliessen* und עלם^{II} *verdunkelt, schwarz sein / werden*. Sicher aber ist doch nur die eine Wurzel mit dem Bedeutungsumfang sowohl des ‚Verbergens' als auch des ‚Verdunkelns' von der anderen, auch im ugarit. belegten Wurzel עלם *erregt sein* > עֶלֶם *Jüngling* zu unterscheiden, C. Locher in *ThWAT*, 1989, 160–167; vgl. Thompson 1977. Für die mit dem Bildungsschema von hebr. עוֹלָם verbundenen Fragen s. Fox 2003, 289f.

145 *DUL* 320f. – Der Weg einer ‚semantischen Verengung' von ‚Unterwelt' auf ‚Grab' (Niehr 1997, 297) ist damit nicht notwendig, zumal er auf der auch schon uneindeutigen Bedeutung von *ᶜlm* als ‚Unterwelt' basiert.

146 Locher 1989, 163; Samuel E. Balentine, A description of the semantic field of Hebrew words for „hide": *VT* 30 (1980) 137–153.

147 Während Ps 44:22 (*Abgründe des Herzens*) und wohl auch Hi 11:6 (*Tiefen der Weisheit*) die eher vergeistigt-symbolische ‚Tiefe' damit ansprechen, ist in Hi 28:11 im Kontext der Bergbauterminologie von 28:1-11 mit וְתַעֲלֻמָהּ יֹצִא אוֹר *und ihr Verborgenes bringt man heraus ans Licht* konkret das Unterirdisch-Verborgene gemeint!

148 Vgl. P. A. Siebesma, *The function of the niph'al in Biblical Hebrew*, Assen 1991.

149 Fox 2003, 197ff und 129f.; vgl. *BLH* 471f.; Kienast 2001, 87 (§ 79.4), 90 (§ 84.1c), 96–100 (§ 94); Lipiński 1997, 211f (§ 29.8). Während das Schema im Akkadischen vorzugsweise für *nomina actionis* steht (Kienast 2001; Fox 2003), vertritt es arabisch und westsemitisch vorzugsweise das „patiens actant noun" (Fox 2003, 197–201) und im Hebräischen natürlich, als Objekt transitiver Verben, das Partizip Passiv des G. – Der eigentümliche sprachliche Charakter von Ps. 90 ist immer wieder beobachtet und als älteres Sprachgut gedeutet worden (Gunkel, *Psalmen* 399: „Der zweite Teil wird aus nachexilischer Zeit stammen, der erste aus bei weitem älterer", Kraus, *Psalmen* 1969, 629: „Wie das Buch Hiob führt er aber älteste Elemente mit sich."). Vor allem dürften hier jedoch sprachliche Einflüsse aus dem Norden vorliegen, dies gilt insbesondere für V. 8 und V. 15. Die Defectivschreibung עֲלֻמֵנוּ statt *עֲלֻמֵינוּ wird auf masoretische (Fehl-) Deutung eines Singulars für Plural zurückzuführen sein. Schon in LXX ist עֲלֻמֵנוּ nicht mehr verstanden, als eine Form von עוֹלָם gedeutet und mit αἰὼν ἡμῶν übersetzt worden, dazu vgl. weiter Johannes Schnocks, *Vergänglichkeit und Gottesherrschaft. Studien zu Psalm 90 und dem vierten Psalmenbuch*, Berlin 2002, 85–87. Textkritische Operationen und Emendationsversuche allerdings sind mit der Annahme eines alten *qatūl*-Nomens, wofür Ps 19:13 das jüngere und vertrautere נִסְתָּרוֹת verwendet, unnötig.

150 Tropper 2000, 261 (§ 51.43); ^{3}*PPG* 135 (§ 197).

151 Erst im späteren Hebräisch belegt ist עֶלֶם mit der Bedeutung *‚secret, forgetfulness'* (Jastrow *Dictionary* 1903, 1084). Auch dies würde den kritischen Anfragen an *b*^{c}*lm* standhalten.

152 So seit Dussaud 1924-b, 139: „Le sens n'est pas douteux et se peut tirer de la racine שִׁית; mais le terme est nouveau dans cette acception. Le *hé* qui est attaché à ce mot ne peut être que le pronom suffixe de la troisième personne masc. sing." Vgl. ^{3}*PPG* 106 (§ 166), 128 (§ 190).

153 Tropper 2000, 221ff. (§ 41.221.5).

154 ^{3}*PPG* 66 (§ 112); Swiggers 1991, 125f.

155 *GKG* § 7c S. 38; § 58d S. 163; § 91e S. 266; vgl. Andersen / Forbes 1986, 61f.183ff.; Andersen in *Orthography* 1992, 64f. 73ff.; Young 2001. Nach Young 1993, 23 ist das Suffix der 3msg *–hū* ein Indiz für die gleiche Entwicklung im (Nord = Byblisch-) Phönizischen wie im (Nord-) Hebräischen: „The Byblos dialect, however, follows closely the development in Biblical Hebrew. In the Ahiram inscription, the singular masculine suffix is *–h*, corresponding to a rare, perhaps archaic form in some ancient sections of the Bible [...]. In the later tenth century, the

des Althebräischen als dem Phönizischen im kanaanäischen Dialektkontinuum nahestehender Sprache[156] hochproblematisch. Die direkte Verbindung einer proklitischen Präposition mit finitem Verb *und* Suffix ist hier klassisch überhaupt nicht belegt und ist auch im späteren rabbinischen Hebräisch ausgeschlossen.[157] Und auch ohne Suffix wurde die *direkte* Verbindung von -בְּ, -כְּ oder -לְ mit dem finiten Verb klassisch-hebräisch offenbar vermieden, an die Stelle tritt die verbreitete Konstruktion mit der Nominalisierungspartikel אֲשֶׁר.[158]

Auch ein suffigierter Infinitiv, der sich als Temporalisation mit *k-* sachlich durchaus anböte, ist hier für *kšth* kaum anzunehmen, da im Hebräischen jedenfalls bei derartigen Konstruktionen als Suffix allenfalls das Agens, nicht aber das pronominale Objekt erscheint.[159] Letzteres würde sich in solchen Fällen vielmehr stets als Suffixform der *nota objecti* zeigen, die möglicherweise aber altbyblisch bzw. so früh noch nicht bekannt war.[160]

Zu leichten Zweifeln an der Übersetzung von *kšth* mit „als er ihn niederlegte" gibt schließlich auch der Umstand Anlaß, daß ein temporal-konjunktionales *k-* im Phönizischen außer an dieser Stelle sonst offenbar nicht zu belegen ist.[161] Hingegen ist der Übergang zwischen der (älteren) asseverativen Funktion von *k-* und derjenigen (jüngeren) als Konjunktion wie bei hebräischem כִּי fliessend und kaum mehr immer exakt zu bestimmen.[162] Die alte Signalfunktion der Partikel, die erst nachträglich zur Konjunktion avancierte, ist besonders deutlich im ugaritischen *k* = /kī/ als verstärkender Affirmativpartikel ‚ja! gewiß, fürwahr',[163] die „häufig eine von zwei / mehreren parallelen Verbalformen" variierend betont.[164] Hierbei lassen sich nun sogar Beispiele mit Objektsuffix nachweisen:[165]

KTU 1.4:IV:27: *hlm il* ***k̲ yphnh/yprq*** *lṣb w yṣḥq*[166]

KTU 1.17:V:35f.: *qšt* ***yqb*** *[**yd**]**rk*** / *ʿl aqht* ***k̲*** ***yq**[**bh**]*[167]

KTU 1.6:I:14f: ***tšu*** *aliyn bʿl / l ktp ʿnt* ***k̲ tšth***[168]

Ähnlich kann im Aḥīrōmtext auch *kšth* (#A8) in dieser Stilfigur als variierte Parallele zu *pʿl … lʾḥrm* (#A2 + 6) gesehen werden:

ʾrn ***zpʿl*** *[ʾ]tbʿl bn ʾḥrm mlk gbl lʾḥrm ʾbh* ***k̲šth*** *bʿlm*

Die beiden grammatisch kongruenten Verben *z-pʿl* und *št* sind dabei aufeinander bezogen. Zwar könnte nach den obigen Beispielen nun auch hier das durch Suffix vertretene pronominale Objekt der anaphorische Rückverweis auf das ‚zum Sarkophag (*ʾrn*) für Aḥīrōm' gemachte (ältere) Artefakt selbst sein. Aber da der Sarkophag schon in der Gruft gestanden hatte, als 'Ittōbaʿal ihn für Aḥīrōm usurpierte, ist dies sachlich unwahrscheinlich. Das Pronominalsuffix ist daher doch auf Aḥīrōm zu beziehen und die Inschrift A insgesamt zu übersetzen:

situation almost exactly parallels Standard Biblical Hebrew." Zur Gesamtsituation dieses Suffix im Nordwestsemitischen Garr 1985, 110–112.

156 Garr 1985, 229ff.

157 Vgl. Miguel Pérez Fernández, *An Introductory Grammar of Rabbinic Hebrew*, Leiden 1997, 144f.

158 כַּאֲשֶׁר + AK: 391, כַּאֲשֶׁר + PK: 68, kaum belegt dagegen bei בַּאֲשֶׁר oder לַאֲשֶׁר. Auch von den wenigen Belegen mit der Langform כְּמוֹ verbleiben nach Ausscheiden der textkritisch unsicheren Stellen Prov. 23:7 und Ps 58:8 nur zwei Belege direkt vor dem *verbum finitum*: Jes 26:18 כְּמוֹ יָלַדְנוּ רוּחַ *als wenn wir Wind gebären*; Sach 10:8 וְרָבוּ כְּמוֹ רָבוּ *sie werden zahlreich, wie sie zahlreich waren*. Die Langform ist hier vergleichend wie phöniz. *km* (vgl. ³*PPG* 186) und als nominalisierend wie die Verbindung כַּאֲשֶׁר aufzufassen (vgl. Jenni 1994, 15 und *passim*).

159 Vgl. Jenni 1994, 147ff und die Belege mit dem Siglum „j" 166ff.

160 Vgl. ³*PPG* 184 (§ 255).

161 ³*PPG* 186 (§ 257c4), auch schon ²*PPG* 130. Die leichten Zweifel zeigen sich hier in der Formulierung „[…] wenn כ שתה richtig ‚als er ihn niederlegte' gedeutet ist." Unkritisch dagegen Krahmalkov *PPG* 267 mit einem weiteren, unsicheren latino-punischen Beleg.

162 ³*PPG* 185 (§257), besonders KAI 4:6 *kmlk.ṣdq.wmlk|yšr.lpn.ʾlgbl.qdšm[hʾ]* („Fürwahr ein gerechter König und ein rechtschaffener König vor den heiligen Göttern von Byblos [ist er]"), vielleicht auch CIS I 4:3, im Hebräischen noch deutlich bei כִּי in nicht-konjunktionalem Gebrauch, z. B. Gen 18:20 (zweimal כִּי, vgl. dazu ug. KTU 1.96:2f!), Ctc 1:2b (parallel zu asseverativem -לְ Ctc 1:3a), Jes 7:9, Dtn 32 (14 mal asseverativ/affirmativ!), u. ö.; bemerkenswert schon Robert Gordis, The Asseverative Kaph in Ugaritic and Hebrew: *JAOS* 63 (1943) 176–178, ausführlich Schoors 1981, bes. 243–253; Muraoka, *Emphatic Words and Structures*, 1985, 158–164.

163 *DUL* 420ff.

164 Tropper 2000, 809f. (§85.7). Den Zusammenhang zwischen konjunktionaler und emphatischer Funktion der Partikel und ihre vorrangig syntaktisch gesteuerte Semantik betont besonders Pardee 2003/04, 383; demnach wären insbesondere die dislozierten Beispiele (s. u.) „emphatic or highly marked".

165 Tropper 2000, 810.

166 *Sobald Ilu sie fürwahr erblickte.*

167 *Er krümmte, [spa]nnte den Bogen; wegen Aqhatu fürwahr krümm[te] er [ihn].*

168 *Sie hob den hochmächtigen Baʿlu hoch (und) legte ihn fürwahr auf die Schultern ʿAnatus.* Weitere Beispiele Tropper 2000, 810 und Aartun 1974, 32.

Zum Sarkophag machte dies 'Ittōba'al Sohn Aḥīrōms,
König von Byblos, für seinen Vater Aḥīrōm;
fürwahr er setzte ihn (damit) ins Verborgene.[169]

I.4.4 Der Fluch des Deckeltexts B

Daß der Text B ein längeres, mit koordinierendem *w-* beginnendes Bedingungssatzgefüge darstellt, dessen Protasis von #B1 bis #B10 reicht, und dessen Apodosis der in #B11 mit *tḥtsp* beginnende, bis zum rätselhaften *šrl* in #B23 reichende Fluch darstellt, steht wohl außer Zweifel. Es liegt daher inhaltlich nahe, in *wʾl*, dem ersten Wort des Textes, eine konditionale Konjunktion zu sehen. Schon in der *editio princeps* hatte René Dussaud vorgeschlagen, *wʾl* analog zu seltenem und spätem hebräischem אִלּוּ, וְאִלּוּ als Konjunktion *ʾillū* ‚wenn' zu lesen.[170] Diese Deutung scheint sich heute als mit ugaritisch *hl* ‚siehe!' und altkanaanäisch *allû* zusammenhängende Form weitgehend durchgesetzt zu haben.[171] Zwar wurden aus dem Unbehagen heraus, daß sich die konditionale Konjunktion *ʾl* nicht so früh belegen ließ,[172] auch andere Vorschläge diskutiert,[173] doch eine ernsthafte Alternative zu *wʾl* = ‚und wenn' scheint mir derzeit nicht in Sicht zu sein.

Die nächste formgeschichtliche Parallele zur Protasis des Textes findet sich, allerdings stark aufgefüllt und mit dreifacher Protasis, in Karatepe in der phönizisch-luwischen Bilingue des Nordtores, die hier um der Übersichtlichkeit willen gegliedert wiedergegeben wird:[174]

[12]*wʾm mlk bmlkm wrzn brznm*
ʾm ʾ[13]*dm ʾš ʾdm šm*
ʾš ymḥ šm ʾztw[14]*d bšʿr z*
wšt šm
ʾm ʾp yḥmd ʾy[15]*t hqrt z*
wysʿ hšʿr z ʾš pʿl ʾl[16]*ztwd*
wypʿl l šʿr zr
wšt šm ʿly[17]*ʾm bḥmdt ysʿ ʾm bšnʾt wbrʿ ysʿ*[18]*hšʿr z*
wmḥ bʿl šmm wʾl qn ʾrṣ|[19]*wšmš ʿlm wkl dr bn ʾlm ʾyt*
hmmlkt hʾ wʾyt hmlk hʾ wʾyt|ʾdm hʾ ʾš ʾdm šm …

„But, if a king among kings, or a prince among princes, or any man whose name is ‚man', effaces the name of Azatiwada from this gate and puts up his (own) name, or more than that, covets this city and pulls down this gate which Azatiwada made, and makes another gate for it and puts his (own) name on it, whether it is out of covetousness or whether it is out of hatred and malice that he pulls down this gate, – then may efface Ba'al-Shamem and El-Creator-of-Earth and Shamash-ʿolam and the whole generation of the sons of the god that kingdom and that king and that man whose name is ‚man'! …"[175]

---

169 Alternativ – ohne auf das Ugaritische zurückgreifen – müsste in Frage gestellt werden, ob hier mit *kšth* überhaupt ein Verb intendiert ist. Es wäre dann *št* als Verbalsubstantiv *šīt* in der Bedeutung ‚(das) Setzen, Deponieren' (vgl. syllabisch-ugaritisch *ši-tu* = *šītu*, Tropper 2000, 189, 485) bzw. konkret ‚Deponiertes' in Erwägung zu ziehen oder anders als ‚Kleidung, Hülle' (vgl. hebr. שִׁית Ps 73:6, Prov 7:10) zu sehen. In dem Fall wäre zu übersetzen … *als (quasi) sein Deposit(ori)um/seine Hülle im Verborgenen.*

170 Dussaud 1924-b, 139. Die einzigen alttestamentlichen Belege sind Qoh 6:6, Esth 7:4. In Qumran findet sich die Konjunktion nicht, dafür reichlich (wieder) in der Mishna. Ein Indiz für eine Erscheinung erst der späten Sprache muß dies nicht sein, da einerseits gerade Esther und Qohelet selbst unter den späten Büchern des Alten Testaments linguistisch teilweise auffällig sind, und andererseits möglicherweise ein alter nordisraelitischer (und damit dem Phönizischen näherstehender) Colloquialdialekt sich gewissermaßen ‚an Qumran vorbei' in der Sprache der Mischna erhalten hat, vgl. hierzu Gary A. Rendsburg, The Strata of Biblical Hebrew: *JNWSL* 17 (1991) 81–99. 83; Ders., The Galilean Background of Mischnaic Hebrew, in: *The Galilee in Late Antiquity*, ed. L. I. Levine, Cambridge MA 1992, 225–240, auch Ian Young, *Diversity in Pre-Exilic Hebrew*, Tübingen 1993, 73ff. 81. – Ergänzend zu אִלּוּ seien hier noch althebräische Belege angeführt, in denen auch die eigentlich abwehrend-verneinende Partikel אַל m. E. besser konditionale, nicht-negierende Funktion zu haben scheint: 2 Reg 6:27 וַיֹּאמֶר אַל־יוֹשִׁעֵךְ יְהוָה מֵאַיִן אוֹשִׁיעֵךְ *Da sprach er: wenn Jahwe dir nicht hilft, woher sollte ich dir helfen?*, Ps 59:12 אַל־תַּהַרְגֵם פֶּן־יִשְׁכְּחוּ עַמִּי הֲנִיעֵמוֹ בְחֵילְךָ וְהוֹרִידֵמוֹ *Wenn du sie tötest, damit mein Volk es nicht vergißt, zerstreue sie mit deiner Macht und vernichte sie*, Prov 27:10 רֵעֲךָ וְרֵעַה אָבִיךָ אַל־תַּעֲזֹב וּבֵית אָחִיךָ אַל־תָּבוֹא בְּיוֹם אֵידֶךָ טוֹב שָׁכֵן קָרוֹב מֵאָח רָחוֹק *Deinen Freund und den Freund deines Vaters verlaß nicht – aber das Haus deines Bruders: wenn du gehst am Tag deiner Not, dann ist ein naher Nachbar besser als ein ferner Bruder.* Gerhards 2000, 58f. 61f. 63 deutet die Stellen allerdings emphatisch.

171 ³*PPG* 186 (§257), Tropper 2000, 750 (§81.4b), vgl. auch ²*KAI* II, 3. Gibson *TSSI* III, 15 zieht zur Deutung zusätzlich noch Gen 18:24.28 und Hos 8:7 heran, wo auch das Wort אוּלַי eher ‚wenn' als ‚vielleicht' heißt, eine Anregung, die auf Albright 1926, 80 zurückgeht, wogegen aber, so schon Ronzevalle 1927, 28, die Schreibung in #B1 ohne ‹y› spricht.

172 „La plupart des auteurs l'ont suivi mais plutôt pour des raisons étrangères à la philologie", van den Branden 1960, 733.

173 Mark Lidzbarski 1924, 45 erwog u. a. die Verbform וְאָלָה „und er sprach eine Verwünschung aus"; Carl Brockelmann 1947, 66 wollte das Wort als Perfekt *ʾāl* eines nordwestsemitisch nur noch in nominalen Ableitungen erhaltenen Verbs ‚mächtig sein, regieren' verstehen, van den Branden 1960, 733 erwog auch eine Verbform der Wurzel *ʾly* ‚schwören'. Weitere Vorschläge zusammengestellt in *DNWSI* 57, s.v. $ʾl_7$.

Weitere luwische Texte zeigen – ohne daß es sich dabei um Bilinguen handelt – eine ähnliche Struktur.[176] Auf die formgeschichtliche Besonderheit des Aḥīrōmtexts B gegenüber solchen und anderen altorientalischen Fluchtexten[177] hatte nachdrücklich Herbert Donner aufmerksam gemacht.[178] Der wesentliche Unterschied – wie ähnlich sie auch immer dem Aḥīrōmtext sonst sein mögen – ist, daß in dem „außerordentlich weitschichtigen Material an Fluchformeln, das der Alte Orient sonst zu bieten hat,“[179] der Vordersatz ein imperfektisches Prädikat hat, während im aktivisch formulierten Nachsatz die Gottheiten zum Vollzug der Fluchdrohung angerufen werden. Beides ist auch in Karatepe der Fall. Im Text des Aḥīrōmsarkophags jedoch fehlen jegliche Gottheiten, und er weist eine für Fluchformeln ungewöhnliche, einzigartige „Dreigliedrigkeit mit einer Art consecutio temporum“ auf, die sich üblicherweise in mit *šumma* eingeleiteten kasuistischen Rechtssätzen[180] z. B. des Codex Hammurabi findet – womit sich die Aḥīrōm-Fluchformel „nach ihrer formalen Gestalt als ein kasuistischer Rechtssatz, inhaltlich jedoch als Fluch“ darstellt.[181]

#B2-7: mlk bmlkm wskn bsnm wtmʾ mḥnt

Der Text erscheint mit deutlicher Parallele in Karatepe, mit der Variante, daß anstatt *skn* dort *rzn* ‚Prinz‘ steht. Auch dort ist die Formel zweigliedrig, für eine dritte Protasis mußte die Konditionalpartikel *ʾm* wiederholt werden (s. o.):

wʾm mlk bmklm
wrzn brznm

Im Aḥīrōmtext ist dies offenbar nicht der Fall. Das dritte, anders gebaute Kolon führt die Protasis mit einem nachgestellten Verb im Perfekt rhythmisch zu einem ersten Gipfel weiter:[182]

mlk bmlkm
wskn bsnm
wtmʾ mḥnt
ʿly gbl

Bei *skn* ‚Gouverneur, Präfekt‘[183] wurde bisher stets angenommen, daß mit ‹*BSNM*› ein Schreibfehler für *‹*BSKNM*› vorliegt.[184] Dagegen wäre jedoch auch zu erwägen, ob hier nicht Aufweichung in dem sonst phönizisch nicht belegten Plural des Wortes vorliegt, die sich in dem von babylonisch *šaknu*, assyrisch und ugarit. *sākinu* herzuleitenden[185] Lehnwort auch in den nur im Plural belegten Formen hebräisch סְגָנִים, aramäisch סִגְנִין, סִגְנַיָּא *Statthalter, (babylonischer) Reichsbeamter* (reichsaramäisch auch sg.) ebenfalls schon als partielle Aufweichung zu /g/ findet.

tmʾ, mit ungeklärter Etymologie und nur noch in zwei punischen Texten belegt[186], ist im Zusammenhang mit *mḥnt*, vgl. hebr. מַחֲנֶה ‚Heerlager‘ als im

[174] KAI 26 AIII, zitiert nach *CHLI* II, Phu/A III:12–19 (S. 52/54). Mit nur geringfügigen Varianten bzw. Schreiberfehlern genauso in der Statueninschrift PhSt/C IV:13f.

[175] Übersetzung nach Röllig 1999, 53/55, mit leichten Umstellungen am Ende.

[176] Babylon 1 (Hawkins 2000, 391–394) Zeile 5–6 (§ 10–12), u. ö.

[177] Für die westsemitischen Flüche vgl. insbesondere Gevirtz 1961, Mazza 1975 und – nebst ausführlichem philologischem Kommentar – jüngstens Gaby Abou Samra, *Bénédictions et malédictions dans les inscriptions phénico-puniques*. Thèse de doctorat présentée par Gaby Abou Samra sous la direction de Monsieur André Lemaire. École pratique des Hautes Études. Sciences historiques et philogiques, Paris 2002, bes. S. 19–31.

[178] Herbert Donner, Zur Formgeschichte der Aḥīrām-Inschrift: *Wissenschaftliche Zeitschrift der Karl-Marx-Universität. Gesellschafts- und Sprachwissenschaftliche Reihe*, Heft 2/3 (1953/54) 283–87.

[179] Donner 1953, 284.

[180] *GAG* 261 (§ 161c–e).

[181] Donner 1953, 286, vgl. auch Röllig *KAI* S. 4, im Kontext althebräischer Fluchformeln auch Willy Schottroff, *Der altisraelitische Fluchspruch*, Neukirchen 1969, 104.155 und *passim*. Nach Demsky 1978 seien auch die drei auf dem Sarkophag (*mlk*, *skn*, und *tmʾ mḥnt*) und die drei in Karatepe (*mlk*, *rzn*, und *ʾdm ʾš ʾdm šm*) genannten Typen von Autoritäten phönizischer Reflex einer älteren, altbabylonischen Viererreihe *LU.GAL*, *EN*, *ENSÍ* und *awīlūtum ša šumam nabiat*. Auch drei der vier Flüche der Aḥīrōminschrift sollten nach Demsky Übersetzungen von drei Flüchen sein, die sich in der gleichen Reihenfolge im Epilog des Codex Hammurabi fänden.

[182] Dussaud sah in *mlk bmlkm* und *wskn bsnm* noch Subjekte zu einer Verbform *wtmʾ* und übersetzte: „et si un roi parmi les rois, gouverneur parmi les gouverneurs, dresse le camp contre Gebal“. Im Sinne des Gesamtaufbaus des Textes sollte man jedoch Lidzbarski 1927, 455 folgen, der im *tmʾ* bereits eine „dritte Person“ sah.

[183] *DNWSI* 785f. s.v. skn_2.

[184] So praktisch überall und auch *DNWSI* 785f. s.v. skn_2.

[185] *AHW* 1141, 1012; *CAD* 15, 76f.; 17, 178–192.

[186] Bei der von Torrey 1925, 273 vorgeschlagenen Etymologie nach akkad. *tamû* ‚sprechen‘ wäre es derjenige, ‚der das Wort führt‘, also kommandiert. Hier läge evtl. eine ähnliche Bedeutungsverschiebung ins Phönizische vor, wie dies bei דבר von hebr. *sagen* über *befehlen* zu aramäisch *anführen* der Fall ist, vgl. eine ähnliche Bedeutungsbreite bei griechisch ἡγέομαι. Jedoch heißt *tamû(m)* wohl eigentlich *schwören* bzw. *vereidigen* (D), cf. *AHW* 1317f., so daß es sich eher um einen unter (königlichem) Eid stehenden ‚Bevollmächtigten‘ handelt. – Gevirtz leitet das Wort von ταμίας ‚Schaffner, Verwalter‘ her (*DNWSI* 1218 *s.v.*), was mir nicht gut zu *mḥnt* zu passen scheint. Vgl. insgesamt *DNWSI* 1218f. *s. v.*

Zusammenspiel mit *mlk* und *skn* hohe militärische Führungsgestalt, *Heerlagerkommandant* oder ‚*General*', hinreichend deutlich.

#B8–10: ʿly gbl wygl ʾrn zn

Die genannten Personen – *mlk*, *skn* und *tmʾ mḥnt* – sind gemeinsam Subjekt einer folgenden Verbform *ʿly*, die als Perfekt 3. m.sg. etwa *ʿalaya* (wörtlich: *er steigt hinauf*) zu lesen ist; eine Präposition *gegen* Byblos ist im Ortsakkusativ[187] nicht nötig, zumal *ʿly*/עלה durchaus im Sinne von ‚überfallen', ‚herfallen über' gebraucht werden kann.[188] Der Akt des Überfallens oder, gleichviel, militärischen Heraufziehens gegen Byblos entläßt einen zweiten, schwereren Frevel geradezu notwendig aus sich heraus: Wer sich als fremder Eroberer oder als Usurpator der Herrschaft über Byblos bemächtigt, wird die Früheren nicht mehr ehren, ihre Gräber plündern und für die eigene Dynastie nutzbar machen. So ist *wygl* hier echtes Folgetempus für *ʿalaya* und als PK-Kurzform bzw. Apokopat *wa-yigl* zu lesen.[189]

#B11–16.17–19: tḥtsp ḥṭr mšpṭh thtpk ksʾ mlkh wnḥt tbrḥ ʿl Gbl

Singulär im Phönizischen sind die beiden Formen mit infigiertem /t/, die als Passiva zu deuten sind und wie altaramäisch und moabitisch an die Stelle des Nifʿal treten.[190] Die paarweise Formulierung von „Szepter seiner Gerichtsamkeit" und „Thron seines Königtums" ist auffällig und korrespondiert mit *mlk bmlkm* und *wskn bsnm* der Protasis:

tḥtsp ḥṭr mšpṭh
thtpk ksʾ mlkh[191]

Sie findet sich – in umgekehrter Reihenfolge und als zweites und drittes Glied einer Dreierreihe – auch in einem ugaritischen Text (*KTU* 1.6:VI:27–29):[192]

l ysʿ alt | ṯbtk
l yhpk ksa mlkk
l yṯbr ḫṭ mṯpṭk

„er wird gewiß herausreißen die Pfeiler deines Sitzes
er wird gewiß umstürzen den Thron deines Königtums
er wird gewiß zerbrechen das Szepter deiner Gerichtsamkeit."

Freilich ist im Aḥīrōmtext die Dreierreihe ganz offenkundig zugunsten einer anderen Konstruktion aufgegeben, von einem Zitat aus dem Baal-Anat-Epos kann also keine Rede sein[193], es handelt sich vielmehr um freies und variables Formelgut, um *stock phrases* einer *oral formulaic language*.[194] Denn während sich das „Umstürzen des Thrones" mit dem gleichen Verb *hpk* ereignet, wird der *Stab seiner Gerichtsamkeit* im Aḥīrōmtext offenbar *abgeschält, zersplittert* bzw. *entblößt*. Die Wurzel *ḥsp* ist in dieser Bedeutung im Althebräischen als חשׂף und akkad. *ḫasāpu* hinreichend belegt.[195] Es besteht daher kein Grund, der Wurzel eine andere Bedeutung beizugeben, vielmehr paßt sie gut zur Grundbedeutung von *ḥṭr* חֹטֶר als ‚Zweig'.[196] Es wird sich vielmehr bei der *ḥṭr mšpṭ* um ein Zeichen richterlicher Hoheit in der Art von *fasces* handeln.

Wie das erste, wie sich zeigte, vermutlich traditionell verankerte und daher stereotype ‚Täter'paar der Protasis (#B2–5) durch einen dritten Tätertyp, den *tmʾ mḥnt*, variierend mit Ziel auf Byblos fortgesetzt wird, so findet auch dieses zweite Folgenpaar der Apodosis in einem Aktivsatz – ebenfalls mit dem Fokus auf Byblos

187 ³*PPG* 198 (§ 280a).

188 Vgl. bes. Jes 7:1.6. ALBRIGHT 1947, 156 übersetzt „… or any army commander attacks Byblus …". Von GEVIRTZ 1961, 147 wird der militärische Kontext mit unzureichenden Gründen bestritten.

189 ALBRIGHT 1947, 156: „The form is a characteristic imperfect with *waw* consecutive, agreeing in tense with the previous perfect", und YOUNG 1993, 23.

190 Vgl. altaramäisch Tell Fekheriye 23 *ygtzr* von *gzr* ‚abgeschnitten werden' und moabitisch in der Meshastele *wʾltḥm* (11.15), *bhltḥmh* (19) und *hltḥm* (32) von *lḥm* ‚kämpfen' (reflexiv), ³*PPG* 94 (§ 150); VAN DEN BRANDEN 1969, 81: „elle sera dépouillée" und „elle sera renversée". Dagegen sieht KRAHMALKOV *PPG*, 157 die Funktion des bybl.-phöniz. Gt-Stammes ähnlich wie im Ugaritischen im Ausdruck des Intransitivs eines transitiven Verbs („His imperial sceptre will break <and> his royal throne will overturn"). Für das Ugaritische ist eine passive Funktion des Gt-Stammes nicht sicher nachzuweisen (TROPPER 2000, 532). Die Vokalisation ist wohl nach dem Ugaritischen als *tiḫtasap* vorzunehmen, TROPPER 2000, 518f (§74.232.1), PARDEE 2003, 264.

191 Die femininen Formen machen es unabweislich, daß *ksʾ* und *ḥṭr* hier, zusammen mit dem Akkadischen und dem Ugaritischen, aber gegen das Hebräische und Aramäische, *femininum* sind.

192 Darauf wies schon FRIEDRICH 1935, 81f. hin.

193 Dies behauptete GINSBERG, The Rebellion and Death of Baʿal: *Orientalia* 5 (1936) 179.

194 Vgl. Robert C. CULLEY, *Oral Formulaic Language in the Biblical Psalms*, Toronto 1967. GREENFIELD 1971, 254–257 trägt eine Reihe ähnlicher (nicht gleicher!) Formulierungen aus dem Alten Testament zusammen, die genau diesen Befund der grundsätzlichen Variabilität von langlebigen „clichés" stützen.

195 In Sirach 42:1 ist das Verb mit ‹S› geschrieben, vgl. mit ‹S› auch das quadrilitt. חספס ‚flockig'.

196 Vgl. Jes 11:1 (RÖLLIG *KAI* S. 4).

197 Karatepe Phu/A I:17–18, Übersetzung: RÖLLIG 1999, 51.

– seinen ersten Gipfel. *nḥt* scheint ein Topos für den ‚Mehrwert' geordneter Herrschaftsverhältnisse (jedenfalls aus der Sicht des Herrschers) zu sein, vgl. wiederum in Karatepe:

wbn ʾnk ḥnyt bmqmm hmt lšbtnm dnn|ym bnḥt lbnm

„And I built fortresses in these places so that the Danunians might dwell in them with their minds at peace."[197]

wkn bkl ymty šbʿ wmnʿm wšbt|nʿmt wnḥt lb ldnnym wlkl ʿm|qʾdn

„And in all my days the Danunians and the whole plain of Adana had everything (that was) good, and satiation, and welfare, and peace of mind."[198]

Diese Ruhe (vgl. das nicht häufige hebräische נַחַת) über Byblos wird notwendig fliehen, weil nach zerbrochenem Richterstab und umgestürztem Thron keine geordneten Verhältnisse mehr bestehen, die diese Ruhe garantieren können.[199] Es ist nicht nötig, hier den Ausfall eines *m-* (für *mʿl*) anzunehmen – *ʿl* kann, insbesondere auch bei ‚fliehen', wie schon Semkowski 1926 unter Verweis auf Dan 2:1, 6:19 gezeigt hat, durchaus im Sinne von ‚weg von' gebraucht werden:[200]
die Ruhe [der normalen, geordneten Herrschaftsverhältnisse] fliehe von Byblos.

I.4.5 Das Problem des Textendes #B20–23

Die in 1.2.2 dargelegte und ausführlich begründete paläographische Wiedergewinnung der Graphie ‹*WHʾ•YMḤSPRH•LPP•ŠRL*› kann nur noch um den Preis einer Emendation umgangen werden. Versuche hierzu, teils mit der Emphase vermeintlich epigraphisch nachweisbarer besserer Lesungen vorgetragen, kennt die Forschungsgeschichte zum Aḥīrōm-Sarkophag zur Genüge (vgl. S. 9). Auf deren Vermehrung wird hier bewußt verzichtet und stattdessen der Versuch einer neuen philologischen Deutung des bestehenden Textes vorgelegt.

Mit *whʾ* beginnt, an die vorangegangene Fluchformel anknüpfend und diese bisher analogielos weiterführend, eine Pendenskonstruktion[201] mit Wiederaufnahme im Suffix an *sprh*, und *sprh* selbst ist entweder Subjekt der damit verbundenen Verbform, die als passives Prädikat im Jussiv Nifʿal *yimmaḥ* von der Wurzel *mḥy* ‚auslöschen' aufzufassen ist, oder aber Objekt einer aktiven Form derselben Wurzel. Dies wurde im Prinzip schon von Albright beobachtet, der etwa gleichzeitig mit Aimé-Giron 1926 auch erstmals richtig die Lesung ‹*SPRH*› statt ‹*SPRZ*› vertreten hatte:

„It has also the great advantage that the former syntactical strangeness of והא disappears entirely, since it now becomes a simple nominative absolute, taking up and emphasizing the subject of the curse, while the pronominal suffix ‚his' simply refers back to it. We should then render: ‚as for *him*, his writing will be effaced [...].“[202]

Da sich solche Pendenskonstruktionen mit Verbum im Passivstamm und Wiederaufnahme durch Suffix aber sonst anscheinend nicht belegen lassen, und da auch die Passiva in #B11.14 als Gt-Stamm gebildet sind (*tḥtsp* und *thtpk*), ist hier wohl besser an ein aktives Imperfekt / Jussiv Qal (G) der 3 m. pl. *yimḥū* mit unpersönlichem Subjekt zu denken: *man lösche aus.*

[198] Karatepe Phu/A II:7–8, Übersetzung: Röllig 1999, 53, vgl. auch Phu/A II:13.

[199] Metzger: *UF* 2 (1970) 157f., vgl. auch Teixidor, *Bulletin* 1973, 419f.

[200] Semkowski 1926, vgl. auch Mesha (KAI 181:14) *lk ʾḥz nbh ʿl yšrʾl* (Avishur 2000, 110).

[201] Die Weite der Definition und die konzeptionelle Deutung des gemeinten, auch als *extraposition, nominativus absolutus* etc. bezeichneten Phänomens ist umstritten, hier jedoch von untergeordneter Bedeutung. Der veranschlagte Satztyp findet sich schon beschrieben bei S. R. Driver, *A Treatise on the Use of the Tenses in Hebrew*, ³1892, 264–274, umfassend sodann, ohne sich mit jenem auseinanderzusetzen, Walter Gross, *Die Pendenskonstruktion im Biblischen Hebräisch*, 1987 und, in weiterem semitistischem Horizont, Geoffrey Khan, *Studies in Semitic Syntax*, Oxford 1988, für das Ugaritische vgl. Tropper 2000, 882f; die ältere Terminologie des ‚zusammengesetzten Nominalsatzes' mit teilweise anderer Deutung wieder aufnehmend auch Lehmann 1997 und Schüle 2000, 144ff., 152, 156. Hier genügt es festzustellen, daß es sich um einen Satz mit vorangestelltem Pronomen (*whʾ*) handelt, welches im Suffix an *sprh* wieder aufgenommen ist. Vergleichbare Fälle im Hebräischen sind, mit Pronomen und PK, Gen 24:7 הוּא יִשְׁלַח מַלְאָכוֹ לְפָנֶיךָ *er ist es, der seinen Engel vor dir hersenden wird*, Jdc 5:29 אַף־הִיא תָּשִׁיב אֲמָרֶיהָ לָהּ *sogar auch sie selbst rezitiert ihre Worte für sich*, jussivisch Gen 14:24 הֵם יִקְחוּ חֶלְקָם *sie sollen ihren Teil bekommen*, mit Inkongruenz zwischen Pronomen und Verb bes. Gen 49:8 יְהוּדָה אַתָּה יוֹדוּךָ אַחֶיךָ *Juda! Was dich anlangt – deine Brüder sollen dich preisen!*, mit (sachlicher) Inkongruenz zwischen Pronomen und Suffix Num 18:23 וְהֵם יִשְׂאוּ עֲוֹנָם *wobei sie die Schuld jener zu tragen haben.*

[202] Albright 1926, 77, vgl. I.2.2, A. 45–46.

Die Inschrift allerdings, die dabei getilgt werden soll, ist merkwürdig unbestimmt und hat zu mancherlei Spekulationen Anlaß gegeben.[203] Und dennoch kann schon wegen des Suffixes letztlich nur der *spr* des Frevlers gemeint sein.[204] Man hat daher immer wieder angenommen, daß entweder eine andere, nicht bekannte, aber vorauszusetzende oder eine gar erst anzufertigende Inschrift des Frevlers gemeint sei, die dann (wieder) ausgemeisselt werden sollte, wozu sich die schon traditionelle Deutung von ‹*LPP•ŠRL*› als „mit der Schärfe des ......“[205] und ein solchermaßen deduziertes, sonst nicht bekanntes ŠRL-Werkzeug gut zu fügen schien.

Eine Schwierigkeit indes ergibt sich dabei durch die Semantik des Verbs *mḥy*, das niemals mit Werkzeugen oder Geräten verbunden erscheint und das nordwestsemitisch allem Anschein nach auch keine ‚harte‘ Tätigkeit des ‚Ausmerzens‘ mit einem Werkzeug oder einer Waffe konnotiert, sondern mit der Grundvorstellung des reinigenden oder gar läuternden ‚Wegwischens‘ verbunden ist.[206] Mit der Annahme eines solchen wie auch immer gestalteten ŠRL-Werkzeugs ist dies schwer vereinbar.[207]

Daß aber ‹*ŠRL*› ohnehin kaum als wirklich semitische Wurzel veranschlagt werden kann, war schon durch Aimé-Giron und Dussaud festgestellt worden. Die Phonemfolge /r-l/ als zweiter und dritter Radikal sei, von ganz wenigen Ausnahmen abgesehen, semitisch nicht belegt und aus phonotaktischen Gründen auch kaum zu erwarten. Es müsse sich daher um eine Wurzel fremder, vermutlich ägäischer Herkunft handeln (Dussaud), oder die ungewöhnlich Form sei, so Aimé-Giron, durch eine bislang nicht verstandene Liquidenalteration entstanden.[208]

Tatsächlich ist ja der Wechsel zwischen den Liquiden /r/ und /l/, die etwa im Altägyptischen und Mykenisch-Griechischen graphisch gar nicht unterschieden werden, ein in den semitischen Sprachen bekanntes Phänomen.[209] Einen Ausweg aus dem unverständlichen ‹*ŠRL*› könnte daher auch die im Zusammenhang mit späteren Erscheinungen[210] von Hans-Peter Müller ausgesprochene Vermutung weisen, daß es „im ältesten Semitischen“ neben dem velaren /r/ ein apikoalveolares /r/ gab, „das mit einem ebenfalls apikoalveolaren [*L*]-Laut leicht verwechselt werden konnte“, und daß dieser Zustand im Phönizischen offenbar noch lange nachwirkte.[211] Demnach wären die Grapheme ‹R› und ‹L› in ‹*ŠRL*› als graphetische allophone Varianten innerhalb einer sonst als ‹*ŠRR*› oder ‹*ŠLL*› bekannten Wurzel wie z. B. *šll* ‚plündern‘, zu sehen.[212]

Wahrscheinlicher aber ist es, in der sich unsemitisch gebenden Graphie ‹*ŠRL*› ein indogermanisches Fremd-

[203] Eine eigenwillige Deutung hatte an kaum zu vermutender Stelle Dussaud 1925, 107 vorgeschlagen, der übersetzte: „Quant à lui, sa postérité sera anéantie par l'épée.“ Dussaud nahm dabei einfach in der trennzeichenlosen Graphemsequenz ‹*YMḤSPRH*› eine andere Trennung vor, womit er *YMḤS* als Passiv (Nif'al) einer hebr. als מחץ, akkad. als *maḫāṣu* mit dem Sinn *zerschlagen, zerschmettern* bekannten Wurzel gewann. ‹*PRH*› sei dann als *seine Frucht* im Sinne von ‚seine Nachkommenschaft‘ wie in KAI 14,11ff. zu deuten. Der Vorteil dieser Lösung ist offensichtlich, daß eine irgendwie rätselhafte Inschrift dann nicht mehr vorkommt. Dennoch krankt Dussauds inhaltlich verlockender Vorschlag, der keinen Eingang in die weitere Forschung gefunden hat, an der philologischen Schwierigkeit, daß das vorausgesetzte Verb nur als /mḥṣ/, also mit /ṣ/, belegt ist. Dagegen wäre zunächst zu zeigen, mit welcher Wahrscheinlichkeit hier ein Sibilantenwechsel von /ṣ/ zu /s/ plausibel gemacht werden kann.

[204] Die vorfindliche Sarkophaginschrift darunter zu verstehen, so Aimé-Giron 1926, 12 („le texte gravé“), ergibt keinen vernünftigen Sinn und sollte daher ausgeschlossen bleiben (mit kaum möglicher Fortsetzung des Konditionalgefüges auch Krahmalkov *PPD* 275).

[205] So z. B. ²*KAI* II, 2–4.

[206] Alonso Schökel, *THWAT* IV, 1984, 804–808.

[207] Das Verb ist nie mit ‚Schwert‘ oder sonst einem Gerät verbunden, selbst Num 5:23 gibt eigentlich nicht das Mittel des ‚Abwischens‘ an: וְכָתַב אֶת־הָאָלֹת הָאֵלֶּה הַכֹּהֵן בַּסֵּפֶר וּמָחָה אֶל־מֵי הַמָּרִים *und der Priester soll diese Flüche auf ein Schriftstück schreiben und sie in das Wasser der Bitternis abwischen*. Die Grundbedeutung ‚wischen‘ ist besonders deutlich in Prov. 30:20 אָכְלָה וּמָחֲתָה פִיהָ וְאָמְרָה *sie ißt und wischt sich den Mund und sagt* ..., Jes 25:8 וּמָחָה אֲדֹנָי יהוה דִּמְעָה מֵעַל כָּל־פָּנִים *und der Herr Jahwe wird abwischen Tränen von allen Gesichtern* und 2 Reg 21:13 ... וּמָחִיתִי אֶת־יְרוּשָׁלִַם כַּאֲשֶׁר־יִמְחֶה אֶת־הַצַּלַּחַת *nämlich daß ich Jerusalem auswische wie man eine Schüssel auswischt*; ganz entsprechend und auch im Bereich der Hauswirtschaft ugaritisch KTU 1.124:15f *btn mḥy l dg w l klb* ‚*Das Haus möge gereinigt werden von Fisch und Hund*‘; KTU 1.3:II:30f: *ymḫ b bt dm ḏmr* ‚*Das Blut der Krieger wurde aus dem Haus weggewischt*‘; vgl. KTU 1.5:II:25. Dagegen sind auf die Inschriften selbst bezogene epigraphische Belege (Karatepe KAI 26C:IV:15 = PhSt/C:IV:15; KAI 26A:III:13.18 = Phu/A:III:13.18) als formelhaft-übertragener Gebrauch zu sehen. Sie geben den Vorgang des Wegwischens bzw. Auswaschens (Num 5:23!) von Geschriebenem bei flachem Beschreibstoff wie Papyrus wieder. Das Verb läßt selbst hier nicht die Vorstellung eines Einsatzes von harten Werkzeugen erkennen.

[208] *GAG* § 51f und § 58b. – Dussaud 1925, 107; Aimé-Giron 1926, 13.

[209] Lipiński 1997, 135 (§17.5); Brockelmann *GVG* 1908, 221–231 (§ 84).

[210] ³*PPG* 29 (§ 51c).

[211] Müller 2000, 377ff.

[212] Der bekannten Liquidenalteration stände hier somit eine – m.W. bisher nicht beschriebene – seltene ‚Liquiden-Geminatendissimilation‘ /ll/ bzw. / rr/ > /rl/ oder /lr/ gegenüber, die sicher

wort zu sehen, das mit luwisch *sarla/i-* (logographisch LIBARE), hethitisch-luwisch *šarla/i-*,libieren, opfern'[213] zusammenzubringen ist. Dabei ist ‹*ŠRL*› im Aḫīrōm-Text der Endstellung wegen aber kaum *verbum finitum*, sondern eher ein mit *sarla/i-* verwandtes und davon abgeleitetes *nomen actionis, agentis* oder *loci* im Sinne von ‚Libationsritus', ‚Libationsspender', ‚Totenopfer' oder ‚Opferschale, Libationsröhre'.

Die vorangehende Graphie ‹*LPP*› ist sicher in die Präposition *la-* und ihre Dependenz *pp* aufzuteilen, da ein Nomen *lpp* allein zwischen mit Suffix determiniertem *sprh* und *šrl* syntaktisch nicht mehr sinnvoll untergebracht werden kann. Daher könnte *pp* Infinitiv eines unbekannten Verbums *pûp*/*pîp* mit privativer Bedeutung, etwa ‚beenden', ‚verhindern', ‚verweigern', ‚entziehen', ‚wegnehmen' o. ä. sein, das jedoch nicht belegt werden kann.[214] Wahrscheinlicher ist daher *pp* als ein Nomen im *status constructus* aufzufassen, das dann zusammen mit *šrl* einen *terminus technicus* im Kontext des (Libations-) Opfers bei der Totenpflege bildet. Der philologische Weg dazu ist schon 1925 von René DUSSAUD gewiesen worden, der *pp* als Reduplikationsform von *py* (hebr. פֶּה) *Mund* analog zu hebräisch פִּיפִיּוֹת verstanden wissen wollte. Der militärische Kontext der beiden einzigen Belege dieser Form[215] hatte allerdings dazu verleitet, unter Rückgriff auf den alttestamentlich-hebräischen Ausdruck פִּי־חֶרֶב ‚Schwertklinge'[216] *šrl* als ein Werkzeug zum Auslöschen einer Inschrift und *pp.šrl* als die Klinge desselben zu induzieren.[217] Allerdings ist mit פִּיפִיּוֹת allein (wie Jes 41:15) ebensowenig notwendig die Konnotation der Gewaltanwendung oder der ‚Schärfe' bzw. ‚Härte' eines Geräts oder einer Waffe verbunden wie in der Aḫīrōminschrift im Kotext des Verbs *mḥy*. Vielmehr scheint der reduplizierte Plural פִּיפִיּוֹת die ‚Ausdehnung', das ‚besondere Freßvermögen'[218] des Mundes zu bezeichnen. Demgemäß ist auch *pp* in Aḫīrōm #B 23 nichts weiter als ein alter Reduplikationsplural *Mundöffnungen*.[219]

Diese Mundöffnungen sind diejenigen Libationsstellen, d. h. Opferschalen oder Libationsröhren[220],

kombinatorisch bedingt war und vielleicht auch den Hintergrund für die wenigen anderen semitischen Wörter auf ‹*–rl*› wie גּוֹרָל, עָרֵל (auch arab.) bildet.

213 HAWKINS 2000, 629, Belegnachweise auch 147. In den großen phönizisch-luwischen Bilinguen (Karatepe, Çineköy) konnte das *šarla/i*-Opfer leider nicht nachgewiesen werden. – Den Hinweis auf hethitisch-luwisch *šarla/i* und damit den Auslöser für die vorliegende Deutung des Aḫīrōm-Schlusses verdanke ich Sebastian Graetz, die weiterführende fachliche Unterstützung die luwischen Texte betreffend gewährte mir Annick Payne.

214 In diesem Falle wäre etwa zu übersetzen: *Was ihn betrifft: man lösche aus sein Verzeichnis* (*sprh*, s. u. S. 36), *um zu verweigern ein* šrl-*Opfer*.

215 Ps 149:6 וְחֶרֶב פִּיפִיּוֹת בְּיָדָם *mit ‚scharfen' Schwertern in ihren Händen*; Jes 41:15 הִנֵּה שַׂמְתִּיךְ לְמוֹרַג חָרוּץ חָדָשׁ בַּעַל פִּיפִיּוֹת *Ich mache dich zum Dreschwagen (mit) neuer Dreschwalze, von besonderer Schärfe* (*baʿal pîpìoyyôt*) … , s. weiter u. Anm. 219f.

216 35 x und immer mit Präposition als לְפִי־חֶרֶב, und meistens mit dem Verb נכה Hif ‚(er-)schlagen'.

217 DUSSAUD 1925, 107 und seitdem immer wieder so, vgl. ²*KAI* II, 4; *TSSI* III, 16; *DNWSI* 930 *s. v.* pp_2 (dort auch andere, meist schon paläographisch nicht mögliche Deutungsvorschläge).

218 ELLIGER 1978, 153.

219 Der Plural von ugar. *p*, phön.-pun. *p* (sämtliche bisher als *py* belegte Formen sind entweder cstr. oder suffigiert), akkad. *pû(m)*, hebr. פֶּה ‚Mund' ist kaum zu belegen und aus naheliegenden anatomischen Gründen ohnehin auch fast nur als *terminus technicus* plausibel. In diesem Sinne kommt auch die regelmäßige (?) Pluralbildung althebräisch nur in Prov. 5:4 als פִּיּוֹת (wofür zwei Handschriften פִּיפִיּוֹת haben!) und Jdc 3:16 als פִּיּוֹת vor. Die neben Ps. 149:6 und Jes 41:15 nirgends zu belegende Form פִּיפִיּוֹת (s. o. Anm. 215) ist nicht einfach besonders altertümliche Pluralbildung, BAUER/LEANDER 1922, 619 (§ 78*q.s*), zumal dann bei ‚Mund' kaum die Bildung auf *-ôt* (bzw. *sg. *-āl-at*) zu erwarten wäre, sondern es liegt hier die jüngere Pluralbildung zu einem sekundär erweiterten *femininum-abstractum* als Spezialausdruck vor (etwa **pīpīyat* > **pīpīya* „Gefräßigkeit"), das sich selbst freilich von einem älteren (BROCKELMANN GVG I, § 240, LIPIŃSKI *SL* 244) Reduplikationsplural **pipīm* ‚Münder' des maskulinen *nomen concretum* **/pī/* (**/pīyu/*?) herleitet, vielleicht ist hierzu akkad. *ana pi-pi-i ša amēlti* / *PN* zu vergleichen (*AHW* II, *s. v. pû(m)* I, S. 873b). Eine derartig reduplizierende Pluralbildung eines einkonsonantigen Nomens kann nordwestsemitisch mindestens noch bei מֵימֵי Wasser Jos 4:7 u. ö. (stets cstr.!) belegt werden. Auch für *pp* in Aḫīrōm #B 23 ist daher mit hoher Wahrscheinlichkeit ein ganz analog gebildeter *Plural constructus* als *pīpī-* oder *pīpē-* anzusetzen.

220 Daß akkad. *pû(m)* / hebr. פֶּה neben Mundöffnung auch sonstige Öffnungen und Eingänge, vornehmlich auch bei Gefäßen oder sonstigen Installationen, bezeichnen kann, ist gut belegt, *AHW* II, 872–874, *s. v. pû(m)* 2.–5.; *HAL* 864 *s. v.* פֶּה (vgl. bes. Gen 29:2ff., 42:27, 1 Reg 7:31, Sach 5:8); LABUSCHAGNE in *THAT* II, 1979, 406–411; F. GARCÍA LÓPEZ, פֶּה *pæh*, in: *ThWAT* VI, 1989, 522–538: „Öffnung, die eine Verbindung zwischen außen und innen herstellt" (525). – Bei den Hethitern ikonographisch und literarisch belegt ist die Libation nicht nur auf den Boden, sondern auch in ein (*ḫupruš*ḫ*i*) Gefäß, das vor dem Altar, auf dem Herd oder auf dem Boden steht, vgl. D. RITTIG in *RLA* VII, 1987/90, 11, und G. FRANTZ-SZABÓ, ebd. 7; in Mesopotamien wurde u. a. auch „in das (*ana libbi*) *adagurru*-Gefäß" libiert (W. HEIMPEL in *RLA* VII, 1987/90, 3), und im Totenkult gab es *arūtum* genannte, senkrecht in den Boden eingelassene Rinnen oder Tonröhren, „in welche kühles Wasser bei Opfern für die Toten gegossen wurde" (SJÖBERG 1965, 63f.), auch *CAD* A II, 324b *s. v. arūtu*: „(clay) pipe (through which libations to the dead are made)"; ähnliches begegnet auch in Ugarit, vgl. NIEHR 1998, 67 und, allerdings skeptisch, W. T. PITARD, The „Libation Installations" of the Tombs at Ugarit: *BA* 57 (1994) 20–37.

welche die *šrl*-Libation in Empfang nehmen, *pp.šrl* demgemäß also *terminus technicus* für die (Libations-) Opferstelle im Rahmen der Totenpflege.[221]

In diesem Zusammenhang ist nun noch einmal auf den *spr* zurückzukommen, der hier in seiner Bedeutung nicht vorschnell auf ‚Inschrift' eingeengt werden sollte. Mit einem Seitenblick auf z. B. althebräische Belege, die bezeichnenderweise auch mit dem Verb *mḥy* verbundenen sein können, ist *spr* im Kontext des Todes auch unter dem Aspekt des Nekrologs oder Memorialverzeichnisses[222] zu sehen, in dem die im Totengedenken und in der Totenpflege (*kispum*)[223] zu Berücksichtigenden verzeichnet sind. Der *spr* am Ende der Aḥīrōminschrift scheint genau dies zu sein: der Eintrag in das (virtuelle oder reelle?) Memorialverzeichnis derer, die bei der Totenpflege mit einem *šarla/i*-Opfer zu bedenken sind, und genau dies, die Verweigerung bzw. der Verlust der Totenpflege und somit eine *damnatio memoriae*, soll dem Frevler von Byblos angedroht werden – wozu die ‚Löschung' seines ‚Registereintrags' vonnöten ist.[224]

Daß das Ausbleiben der Totenpflege bzw. die Androhung ihrer Verweigerung einen dramatischen Einschnitt bedeutete, kann durch mesopotamische Texte veranschaulicht werden – das Dasein unbetreuter Totengeister war offenbar bedrückend, ihre Wirkung auf die Lebenswelt verheerend.[225] In den Annalen Assurbanipals heißt es im Zusammenhang einer Vernichtungsaktion:

> „Ich gab ihren Totengeistern Ruhelosigkeit.
> Ich beraubte sie ihrer Totenpflege und Wasserlibation",[226]

und in der Fluchformel eines neubabylonischen Privatvertrages heißt es:

> „Šamaš, Richter des Himmels und der Erde, möge ihm den Erbsohn, den Wasserspender wegnehmen. Im ‚verfallenen Haus' (?) der Unterwelt möge von seinem Totengeist die Totenpflege geraubt werden!"[227]

In einem Fluch der Vasallenverträge Asarhaddons schließlich heißt es:

> *eṭemmakunu pāqidu nāq mê aji irši* (VTE 452)

> „Euer Totengeist möge keinen Betreuer, keinen Wasserspender bekommen!"[228]

Dieser letzte Beleg ist von besonderer Wichtigkeit, weil er unter den Adad-Fluch subsummiert ist, was auf seine Herkunft aus Nordsyrien oder Anatolien verweist und somit in eine gewisse geographische Nähe zum *šarla/i*-Opfer rückt.[229]

221 Wenn sich der Sprachgebrauch bisher auch so nicht nachweisen läßt, so liegt die Vorstellung des ‚Mundes', der die Opferspeise resp. das Opfergetränk zu sich nimmt, doch nahe. Als nächste Analogie wäre zu nennen altägyptisch auf einem Pyramidentext der 6. Dynastie *rꜣ nṯrw* als „Altar, Schlachtbank" (*literaliter* „Mund der Götter"), s. Rainer HANNIG, *Ägyptisches Wörterbuch I. Altes Reich und Erste Zwischenzeit*, Mainz 2003, 699. Zwar muß eingeräumt werden, daß diese ‚Parallele' erheblich zu früh ist, vielleicht kann dies aber in Byblos auch als gut 1000 Jahre jüngerer Atavismus anerkannt werden.

222 Im Sinne eines ‚Memorialverzeichnisses' oder ‚Registers', worin etwas zu tilgen (*mḥy*) oder einzutragen (*ktb*) sei, erscheint *spr* insbesondere mehrmals im Zusammenhang mit זִכָּרוֹן זֵכֶר ‚Erinnerung, Gedächtnis' Mal 3:16 וַיַּקְשֵׁב יהוה וַיִּשְׁמָע וַיִּכָּתֵב סֵפֶר זִכָּרוֹן לְפָנָיו לְיִרְאֵי יהוה *Jahwe merkt und hört, und vor ihm wird für die, die Jahwe fürchten, eine Gedenkschrift aufgezeichnet*, Ex 17:14, Dtn 25:19, Ps 9:6–7 oder mit שֵׁם ‚Name' Dtn 9:14, 25:6, 29:19, 2 Reg 14:27; weiter Ex 32:32 מְחֵנִי נָא מִסִּפְרְךָ אֲשֶׁר כָּתָבְתָּ *Tilge mich doch aus deinem ‚Verzeichnis', das du schreibst*; vgl. Ex 32:33.

223 Vgl. zum ganzen Akio TSUKIMOTO, *Untersuchungen zur Totenpflege* (kispum) *im alten Mesopotamien*, Neukirchen 1985 (AOAT 216).

224 Der Gedanke einer solchen *damnatio memoriae* zeigt sich deutlich auch in Ps 69:29 יִמָּחוּ מִסֵּפֶר חַיִּים וְעִם צַדִּיקִים אַל־יִכָּתֵבוּ *Sie seien getilgt aus dem ‚Verzeichnis' des Lebens, und bei den Gerechten seien sie nicht aufgeschrieben* und in Ps 109:13 בְּדוֹר אַחֵר יִמַּח שְׁמָם *in nächster Generation sei ihr Name getilgt!* Ein konkreter derartiger *spr* für den Totenkult könnte im ugaritischen Bestattungsritual für Niqmaddu III. vorliegen, dessen Überschrift lautet (KTU 1.161:1): *spr dbḥ ẓlm* „Verzeichnis der Opfer für die Schatten" (Hinweis von H. Niehr). – So ein wirklich als *spr* existierendes Verzeichnis oder Register für die Totenpflege setzt allerdings voraus, daß diese nicht wie in Mesopotamien Obliegenheit des Erbsohnes (*aplum*) war, sondern Bestandteil einer priesterlich-kultischen Institution. Analogien hierzu sind mir erst wieder in Gestalt mittelalterlicher Memorialbücher bekannt.

225 TSUKIMOTO 1985, 146–150.

226 Assurb. Pr. A:VI:70–76: *e-ṭem-me-šú-nu la sa-la-lu e-me-ed ki-is-pi na-aq a*^{meš} *ú-za-am-me-šú-nu-ti* (zitiert nach TSUKIMOTO 1985, 114f.).

227 BE 8:4, zitiert nach TSUKIMOTO 1985, 118f.

228 VTE § 47, 452, zitiert nach WATANABE 1987, 164–165; vgl. auch VTE § 56, 576f. Weitere Belege bei LUNDSTRÖM 2001, 221.223.233.

229 Aus diesem Bereich stammt auch die thematische ‚Umkehrung' der *šarla/i*-Annahmeverweigerung, die mir auf die Aḥīrōminschrift jedoch nicht anwendbar zu sein scheint: Karkamiš A11a § 21–27 (*CHLI* I, II.9): „If in future they shall pass down to (one) who shall …, and shall *overturn* this god from (his) place(s), or shall erase my name, against him may Tarhunzas, Karhuhas and Kubaba litigate! From him may they not take up bread and libation!" (*wa/i-tú-ta-'* (PANIS)*tú+ra/i-pi-na* (LIBARE) *sa*$_5$*+ra/i-la*||*-ta-za-ha* NEG$_3$*-sa* ARHA |*tà-ti-i*). Die nächste Parallele dazu findet sich in Z. 28–30 bzw. 16–18 der ebenfalls aus

Die letzte Phrase der Aḥīrōminschrift (#B20–23) droht somit dem Usurpator und Frevler die durch eine wirkliche oder virtuell vorgestellte Löschung seines ‚Memorialeintrags' oder ‚Registervermerks' manifestierte Verweigerung der *šarla/i*-Totenpflege an und schließt damit, gewissermaßen als Höhe- und Endpunkt, den Fluch des Deckeltextes ab:

Und was ihn selbst angeht: man wische aus seinen Toten-Registervermerk in Bezug auf die Libationsröhre des šarla/i-Opfers.

I.5 Struktur

Für den Gesamtaufbau des Textes B, dessen vermeintlich nicht ganz vollständiger Parallelismus früh bemerkt und diskutiert wurde,[230] scheint mir die doppelt parallele Struktur von *mlk bmlkm* und *wskn bsnm* mit dem anders gebauten Fortgang *wtmʾ mḥnt* einerseits und von den beiden Gt-Phrasen *tḥtsp ḥṭr mšpṭh* und *thtpk ksʾ mlkh* mit der ebenfalls anderen Fortsetzung *wnḥt tbrḥ ʿl Gbl* andrerseits das bestimmende Gliederungsmerkmal des Textes zu sein. Dabei ist nicht nur bemerkenswert, daß die jeweils dritte Phrase sowohl der Protasis als auch der Apodosis mit *Gbl* ‚Byblos' endet, sondern daß auch die anderen Phrasen jeweils thematisch aufeinander bezogen sind – daß nämlich *mlk bmlkm* und *wskn bsnm* als Herrschaftsbegriffe sich auf das Scheitern der (Fremd-)Herrschaft über Byblos in den Sätzen *tḥtsp ḥṭr mšpṭh* und *thtpk ksʾ mlkh* beziehen, und daß die je vierten Phrasen inhaltlich auf den Bereich des Todes (*ʾrn* bzw. *pp.šrl*) bezogen sind, nämlich das frevlerische Öffnen des Sargs in der hybriden Konsequenz des (Fremd-) Herrschaftsanspruchs über Byblos (*wygl ʾrn zn*) auf die angedrohte daraus folgende Verweigerung der Totenpflege (*whʾ ymḥ sprh lpp šrl*). Dies wird gestützt durch den Umstand, daß sich epigraphische bzw. literarische Parallelen jeweils nur zu den jeweils die Protasis bzw. Apodosis eröffnenden Zweiergliedern aufweisen lassen, während die jeweils dritte (und vierte) Phrase anscheinend analogielos oder wenigstens formgeschichtlich nicht mit *mlk bmlkm wskn bsnm* bzw. *tḥtsp ḥṭr mšpṭh thtpk ksʾ mlkh* verbunden eine freie, vielleicht innovative Prägung zu sein scheint. Dabei sind auch die je dritten Phrasen kunstvoll aufeinander hin konstruiert, sofern jeweils vor *Gbl* ein Lexem bzw. eine Form der Basis {*ʿl*} steht (*ʿly* bzw. *ʿl*) und, vielleicht ebenfalls nicht zufällig, wiederum davor ein ‚Wurzelspiel' zwischen den Radikalen *ḥ–n+t* stattfindet (*mḥnt* gegen *wnḥt*). So ist Text B insgesamt wie unten dargestellt zu strukturieren.[231]

In der Konsequenz gibt sich der Aḥīrōmtext B als ein Stück (phönizischer) Poetik, welches – „formal ein Rechtssatz und inhaltlich ein Fluch"[232] – sachlich *mutatis mutandis* in den Bereich des *ius talionis* gehört.

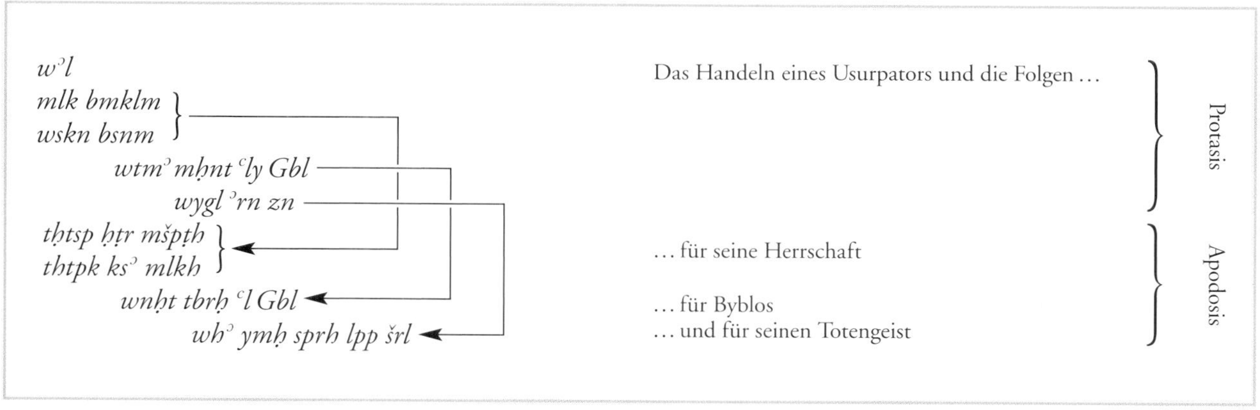

wʾl
mlk bmklm
wskn bsnm
wtmʾ mḥnt ʿly Gbl
wygl ʾrn zn
tḥtsp ḥṭr mšpṭh
thtpk ksʾ mlkh
wnḥt tbrḥ ʿl Gbl
whʾ ymḥ sprh lpp šrl
Das Handeln eines Usurpators und die Folgen …
… für seine Herrschaft
… für Byblos
… und für seinen Totengeist
Protasis
Apodosis

Nordsyrien stammenden, assyrisch-aramäischen Hadad-Bilingue von Tell Fekherye.

[230] Aimé-Giron 1926, 5ff.; Lidzbarski 1927, 454: „Daß eine Parallelisierung angestrebt ist, ist klar, aber der Redaktor hat sie schlecht durchgeführt. Wenn man bedenkt, wie schlecht die viel jüngere Inschrift des Ešmunazar redigiert ist, so wird man hier keine bessere Redaktion erwarten."

[231] Eine ähnliche, jedoch wegen des unerklärten Endes letztlich doch andere Struktur A-A'-B-C hatte Aimé-Giron bereits im Oktober 1924 vorgeschlagen (berichtet von Geuthner 1924, 386) und später ausführlich begründet publiziert (Aimé-Giron 1926, 5ff).

[232] Donner 1953, 287.

I.6 Text und Übersetzung des Sarkophagtextes (A und B)

Transliteration:

A *ʾrn.zpʿl*[.ʾ] *tbʿl.bnʾḥrm.mlkgbl.lʾḥrm.ʾbh.kšth*[.] *bʿlm*

B *wʾl.mlk.bmlkm.wskn.bsnm.wtmʾ.mḥnt.ʿly.gbl.wygl.*
ʾrn.zn.tḥtsp.ḥṭr.mšpṭh.thtpk.ksʾ.mlkh.wnḥt.tbrḥ.ʿl.gbl.
whʾ.ymḥsprh.lpp.šrl

Übersetzung

Die zusammenhängende Gesamtübersetzung der Sarkophaginschrift(en) weicht von den vorher gegebenen Teilübersetzungen insofern gelegentlich ab, als hier nicht der Versuch gemacht wird, *verbatim* zu übersetzen, sondern eine in deutscher Sprache lesbare Übersetzung angestrebt wird.

Vokalisierte Transkription:

A *ʾarōn ze-paʿal* [*ʾI*] *ttōbaʿal bin-ʾAḥīrōm*
milk-Gubla la-ʾAḥīrōm ʾabīhū
kī-šōtahū ba-ʿalūm[233]

B *wa-ʾillu milk ba-milakīm*
wa-sukin ba-su{k}inīm
wa-tamiʾ maḥnat ʿalaya Gubla
wa-yigl ʾarōn zīna
tiḥtasap ḥuṭr mašpaṭihū
tihtapak kissīʾ mulkihū
wa-naḥta tibraḥ ʿal Gubla
wa-hūʾ yimḥū siprahū la-pipē-śrl

A *Zum Sarkophag machte dies ʾIttōbaʿal Sohn Aḥīrōms,*
König von Byblos, für seinen Vater Aḥīrōm;
fürwahr er setzte ihn (damit) ins Verborgene.

B *Und wenn ein König unter Königen*
und Statthalter unter Statthaltern
und Heerlagerkommandant Byblos überfällt
und deckt dann diesen Sarkophag auf – (dann:)
sei entblättert der Stab seiner Gerichtsamkeit,
sei umgestürzt der Thron seines Königtums
und die Ruhe fliehe von Byblos
und er – man lösche seinen Memorialeintrag für die
sarli-*Totenpflege.*

233 Zur Vokalisierung von *šōtahū* vgl. ^{3}*PPG* 66 (§ 112,3 I).

TEIL II
DIE SCHACHTINSCHRIFT (G) DES GRABES V DER KÖNIGSNEKROPOLE VON BYBLOS

II.1. Der Schacht

Wer heute in Jbeil unter Mühen den Schacht des Grabes V der Nekropole von Byblos hinabsteigt[234] und die Gruft des Aḥīrōm-Grabes betritt, vermag sich kaum vorzustellen, daß dort einmal neben diesem großen Sarkophag noch zwei weitere Särge gestanden haben. Jedenfalls scheint es so, daß die Grundrißzeichnungen der Grabanlage V, wie sie bei Montet und ihm folgend bei anderen publiziert sind *(Abb. 13)*, die Größenverhältnisse zwischen Schacht und Gruft nicht ganz zutreffend wiedergeben und die Gruft geräumiger darstellen, als sie wirklich war.[235] Durch Abbrüche und Schutt ist sie in ihren ursprünglichen Ausmaßen heute jedoch nicht mehr eindeutig erkennbar und an den Rändern so niedrig, daß ungehindertes aufrechtes Stehen nur noch in der Mitte und in einer von sockelähnlich angeordneten Steinen umrahmten Mulde möglich ist. Hier dürfte bis 1924 der Aḥīrōm-Sarkophag gestanden haben *(Abb. 8)*.[236]

Montet gibt an, den Aḥīrōm-Sarkophag trotz der von ihm selbst erwähnten hohen Lehmverschüttungen und von der Decke herabgestürzten Trümmer als ersten gesehen zu haben, was sich mit der Anordnung der *drei*

Abb. 8 Sarkophag V_2 *in situ* auf Sockeln[237]

Sarkophage nach den publizierten Zeichnungen allerdings schwer vereinbaren läßt.[238]

Spuren eines Durchbruchs nach Süden (zum später entdeckten Grab IX?), wie sie in den stets Montet 1929 reproduzierenden publizierten Grundrissen angedeutet sind (vgl. *Abb. 13*), oder von Durchgängen zu weiteren Kammern, die von Montet offenbar angenommen und auch gezielt gesucht wurden,[239] sind in der Gruft heutzutage nicht (mehr?) erkennbar. Am

[234] Mit Genehmigung des Directeur Général des Antiquités de la République Libanaise, Monsieur Frederic Husseini, konnte ich am 21. Juli 2003 in den Grabschacht v von Jbeil (Byblos) hinabsteigen. Die folgenden Analysen beruhen also auf Autopsie und auf über 100 Farb- und SW-Photographien, die ich aus verschiedenen Perspektiven vom Schacht und seiner Inschrift machen konnte. Wenn in den folgenden Ausführungen dennoch immer wieder exakte Maßangaben für die Anlage des Grabes v fehlen, liegt dies einzig daran, daß ich im Juli 2003 noch keine Vorstellung davon hatte, wie mangelhaft die Anlage bisher nur dokumentiert war, und daß mir für spontane Vermessung an Ort und Stelle die technischen Hilfsmittel fehlten.

[235] Montet 1929, Pl. cxxv; vgl. Rehm 2004 Fig 5. Die Nordung des *Schacht*grundrisses, wie sie sich überall findet, ist allerdings unrichtig und geht wohl auf einen Layout- bzw. Montagefehler bei Montet zurück. Die darauf fußenden Behauptungen über die Ausrichtung der Sarkophage bei Rehm 2004, 19 Anm. 180 sind daher nichtig. Tatsächlich waren die *Sarkophage* annähernd in Nord-Süd-Ausrichtung aufgestellt, die Bezeichnungen der inschrifttragenden Schmal- und Breitseite des Aḥīrōm-Sarkophags als Süd- und Westseite nach Montet sind daher korrekt! – Auch die Ausrichtung der Zeichnung bei Salles 1994 Fig. 2 und 3 mit der Gruft in der Nordwand ist *falsch*. Die Gruft ist in der Ostwand!

[236] Montet berichtet selbst leider nichts über die spezielle Aufstellungssituation des Sarkophags, ggf. auf Sockelsteinen o. ä. Jedoch sind auf der *in situ*-Photographie bei Vincent 1925, Pl. vii (= Montet: *L'Illustration*, 3. Mai 1924, 404) oder auch Montet 1929, Pl. xvi (= Jidejian 1968, pl. 92; ³2000, 39 und Vincent 1925, Pl. vi) sockelartige Substruktionen noch gut zu erkennen.

[237] Aus Montet: *L'Illustration*, 3. Mai 1924, 404.

[238] Montet 1923-b, 342f, vgl. Montet 1928, 217. Auch das Photo Montet 1929 Pl. cxxvii oben, auf dem der Blick in den Grufteingang nur Sarkophag V_3 zeigt, widerspricht dem.

[239] Montet 1923-b, 343 [Schreiben vom 15. Dezember 1923].

Abb. 9 Innenansicht mit Stütz-und Abschlussmauer

Abb. 10 Blick aus der Gruft in den Schacht

Abb. 11 Innenansicht mit eingestürztem Südabschnitt

Abb. 12 Stütz-und Abschlussmauer von innen

südlichen Ende der Gruft scheint jedoch inzwischen ein Bereich eingestürzt zu sein *(Abb. 11)*. Zum Schacht hin war die Gruft durch eine Mauer abgeschlossen, deren südliche Hälfte noch heute unverändert steht und die sich mit zwei Brechungen ein Stück nach Südosten in die Gruft hinein fortsetzt *(Abb. 9. 10. 12)*.[240]

Wie in der Literatur verschiedentlich hervorgehoben, war das Aḥīrōm-Grab schon in der Antike geplündert worden. Dies geht deutlich aus dem Gesamtbefund der leeren Sarkophage mit zerstörtem bzw. verschobenem Deckel und aus dem Fehlen von geordneten oder intakten Grabbeigaben hervor. Über den Vorgang und den Zeitpunkt der Plünderung selbst können jedoch nur Mutmaßungen angestellt werden. Gerade weil es sich um eine Beraubungssituation handelt, können weder die in der Gruft gefundenen, ägyptisch beschrifteten Alabasterfragmente noch der unklare Keramikbefund in der Verfüllung des Schachts hierzu irgendetwas beitragen.[241] Solange nicht klar ist, wie die (mit einem *terminus post quem* datierbaren) Alabasterfragmente in die Gruft gelangten und welche Funktion sie ursprünglich hatten, können sie zur Klärung des Szenarios ebensowenig herangezogen werden wie der Verfüllungsbefund. Dieser würde ohnehin nur die späte ‚Schliessung' der Anlage nach Beraubung illustrieren können, ohne daß dadurch klar würde, woher das Material stammte und wie es in den Schacht geriet. Über den Zugriff auf das Aḥīrōm-Grab hatte Montet spekuliert, daß die antiken Plünderer natürliche Hohlräume zwischen Fels und darunterliegender Lehmschicht als Verbindungsweg von Grab V über das benachbarte Grab IX nach Grab VIII benutzt hätten. Nina Jidejian machte daraus schließlich „a passage dug in the clay stratum". Doch auch diese Vermutung über

[240] Bei Montet 1929 in der Zeichnung Pl. cxxv (s. u. *Abb. 13*) nicht korrekt wiedergegeben. Eine neue Vermessung der Gruft war mir aus Mangel an Zeit und technischen Hilfsmitteln aber leider nicht möglich.

[241] Darauf wies nachdrücklich schon Spiegelberg 1926 hin, vgl. auch Aimé-Giron 1943, 287f.

[242] Nach Montet 1929, Pl. cxxv; genordet und leicht überarbeitet (vgl. Anm. 240 und 245). Die graue Fläche deutet den heute verschütteten, nicht mehr erkennbaren Bereich an.

[243] Montet 1928, 211, vgl. 217; Jidejian 1968, 31; [3]2000, 37. 38. – Diese Deutung ist jedoch nicht zwingend. Zwar befanden sich wohl in der Schachtsohle und in der Gruft vereinzelte Steine, die zur Abschlussmauer gehört haben könnten, und daß ein Teil solcher Steine irgendwann zur Abstützung des Gewölbes benutzt worden sind (Montet 1928, 215ff.), bleibt unbenommen. Andrerseits aber macht die noch stehende rechte (südliche) Hälfte der Mauer nicht den Eindruck, als ob ein Teil davon gewaltsam beseitigt worden sei (vgl. *Abb. 9* und Tafel 14a).

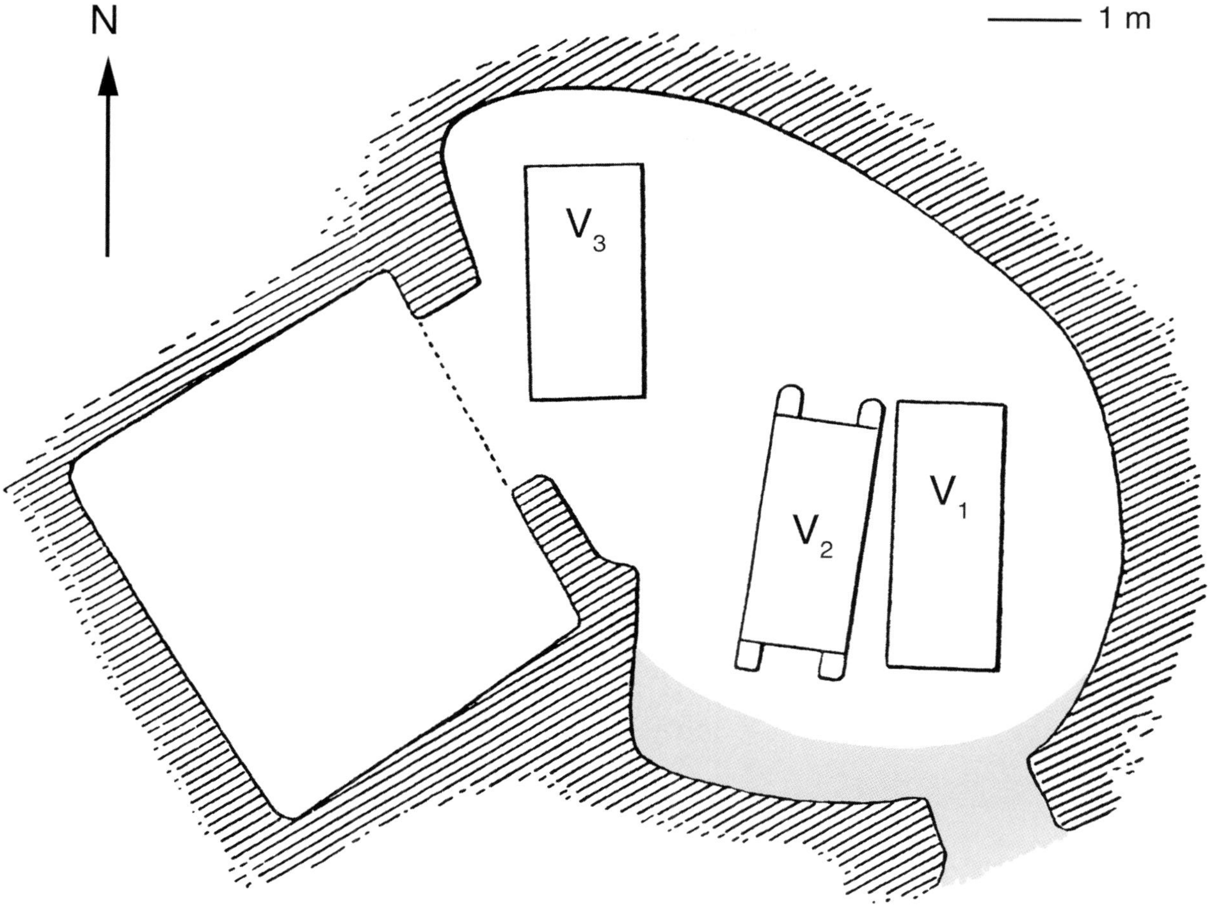

Abb. 13 Grundriss nach Montet, genordet[242]

den ‚Plünderungsweg' von Grab V aus ergibt sich allein aus der Beobachtung heraus, daß die die Gruft abschließende Mauer in Grab IX unversehrt, diejenige von Grab V dagegen teilweise eingestürzt („en partie effondré", Montet) war.[243]

Der Schacht selbst ist mit 4,0 x 4,25 m lichter Weite sehr groß und über 10 m tief.[244] Der Boden ist heute in nicht nachprüfbarer Höhe mit hinabgestürztem Gestein bedeckt, so daß der Grufteingang subjektiv etwas zu niedrig erscheint. In die Ost- und Westwand[245] ist jeweils in gleicher Tiefe (4,35 m) eine horizontale Reihe von vier rechteckigen Nischen in den Fels eingelassen, die als Balkenlager gedeutet werden müssen. Darauf weist nicht nur die bei Ausgrabung darin noch sichtbare „trace noirâtre" hin,[246] sondern auch, daß diese Löcher nach oben deutlich ausgeschrägt sind, so daß ein paßgenauer Balken von oben eingelegt werden konnte.[247] Vermutlich war hier also ursprünglich ein Zwischenboden eingezogen gewesen *(Abb. 14)*. Noch darüber befindet sich in 2,20 m Tiefe oberhalb des am meisten südwärts gelegenen Balkenlagers eine weitere, deutlich kleinere ‚Nische'. Montet beschreibt diese nur für die Westwand, jedoch hat sie ihr exaktes Gegenstück auch in der Ostwand (Tafel 13a und 14b). Eine vermeintlich weitere, von Montet erwähnte „seule niche, toute petite" in der *Nord*wand existiert dagegen eindeutig nicht![248]

[244] Genaue Daten liegen nicht vor. Das Oberflächenniveau liegt bei etwa 27 m über NN.

[245] Die Benennung der Schachtwände als ‚Ost-' bzw. ‚Westwand' folgt hier der von Montet eingeführten Konvention. Tatsächlich ist der Schachtgrundriß leicht nach Nord-Nordwest—Süd-Südost verdreht, so daß die in der Gruft aufgestellten Sarkophage in Nord-Süd-Richtung ausgerichtet waren, vgl. die Zeichnung Montets in der genordeten Wiedergabe *(Abb. 13)*.

[246] Montet 1928, 215.

[247] Vgl. auch die Zeichnung Montet 1929, Pl. cxxv unten links mit allerdings falscher Bezeichnung der Wände (Anm. 249!) = Rehm 2004, 20 Fig. 5. Richtig hier *Abb. 15*, vgl. auch *Abb. 14* und Tafel 13a.

[248] So allerdings falsch Montet 1928, 215 und ihm folgend Rehm 2004, 19.

Abb. 14 Westwand mit oberen und unteren Balkenlagern

Ebensowenig war bisher beachtet worden, daß sich weiter unten im Schacht nur wenig oberhalb des Grufteingangs und wiederum exakt einander gegenüber an West- und Ostwand je zwei weitere ‚Nischen' im Fels finden, die folglich ebenso als Balkenlager gedeutet werden müssen. Sehr deutlich sind sie an der Westwand sichtbar[249], an der Ostwand sind sie teilweise durch Abbrüche und Verwitterungen über dem Grufteingang zerstört, aber dennoch auch hier zu erkennen (Tafel 14a). Auch knapp oberhalb der Gruft scheint also noch eine Zwischendecke eingezogen gewesen zu sein.

Die Anordnung dieser Balkenlager wie auch die offenkundigen Reste von Auf- oder Überbauten, die sich vor allem an der Nordostecke des Schachteingangs noch finden,[250] deuten darauf hin, daß sich im Schacht des Grabes V einst eine Art Treppenhaus- oder Zugangskonstruktion befunden hat und daß der Schacht folglich ursprünglich als begehbar gedacht und nicht zur Verfüllung vorgesehen war.[251]

II.2 Epigraphische Bestandaufnahme

In der Südwand des Schachts befindet sich in etwa 3 m Tiefe, also etwa mannshoch über der vermuteten ersten, oberen Zwischendecke, eine dreizeilig eingeschlagene, über ca. 14° (Z.1), 11° (Z.2) bzw. 5° (Z.3)

[249] Auch auf der Photographie bei Montet 1929, Pl. cxxvi links („Paroi Ouest") ist das rechte der beiden unteren Balkenlager erkennbar. Sie fehlen allerdings in der vielfach reproduzierten Zeichnung ebd. Pl. cxxv unten (vgl. auch Rehm 2004 Fig. 5). – Bezüglich der Legenden seiner Abbildungen herrscht bei Montet 1929 Konfusion: Pl. cxxv unten rechts stellt (freilich mit Einschränkung der fehlenden unteren Nischen) die *Ost*wand dar, statt „paroi ouest" ist also zweimal „paroi est" zu lesen (ebenso Salles 1994, 68 und Rehm 2004, Fig. 5). Ebenso ist auf Montet Pl. cxxvi rechts unten nicht „l'angle Nord-Est", sondern die Nord*west*ecke dargestellt. Dagegen vgl. hier die Tafeln 13 und 14.

[250] Montet 1928, 215; Montet 1929, Pl. cxxvi.

[251] Die intentionale – nicht nur für Mehrfachbestattungen gedachte – Begehbarkeit einer Grabanlage ist jüngst durch die Entdeckung des Hypogäums von Qaṭna jeden Zweifels enthoben, vgl. Novák / Pfälzner 2003 und unten Anm. 305.

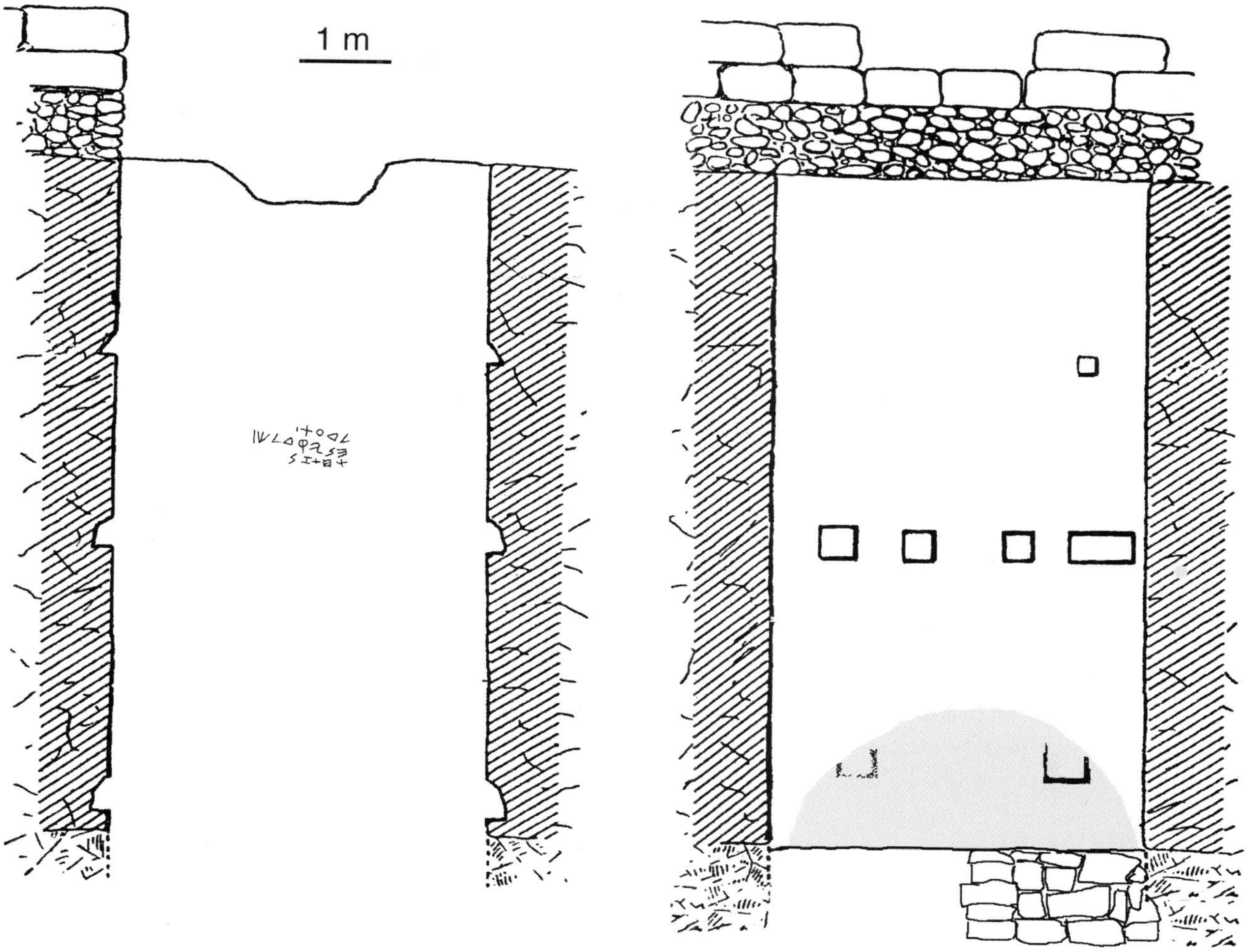

Südwand

Ostwand mit Grufteingang

Abb. 15 Schacht V im Querschnitt[252]

steigende[253] Inschrift (Tafeln 15–16 und Tafel 8b). Die Zeichenhöhe liegt zwischen ca. 8 cm (‹D›) und 12 cm (‹K›), die Zeilen sind ca. 57 cm (Z.1), 102 cm (Z.2) bzw. 62 cm (Z.3) lang. Der Felsuntergrund scheint in diesem Bereich nicht besonders geglättet worden zu sein. So liegt Zeile 1 ab ‹ᶜ› im Vergleich mit der zweiten Zeile etwas tiefer und weniger konturiert im Stein. Stärker ist dies noch mit Zeile 3 der Fall, die praktisch ganz in einer ungefähr ovalen und auch noch die Unterkante von Z. 2 mit betreffenden sehr flachen ‚Senke' liegt. Sie ist ebenfalls wenig konturiert und nur schwer zu erkennen. Die Lesung der gesamten Inschrift war schon seit der Entdeckung wegen ihres schlechten Zustandes unsicher und, auch weil der Forschung nur eine einzige Photographie zur Verfügung stand[254], zunächst umstritten. Inzwischen ist diese irreführend als Aḥīrōm-*Graffito*[255] firmierende Schachtinschrift stärker verwittert als noch zum Zeitpunkt ihrer Entdeckung und

252 Nach Montet 1929 Pl. cxxv, erweitert und korrigiert vom Verf.

253 Eine solche gefächerte Neigung hat, wie Athas 2003, 27–30 überzeugend gezeigt hat, seine Ursache in der bei ausgestrecktem Arm freihändigen Vorzeichnung eines durch einen Steinmetz auszuführenden Dokuments. Die bei einer Wand notwendig stehende Ausführung könnte die nach links steigende (statt, nach Athas, links-fallende) Fächerung bewirkt haben. Eine ähnliche, aber weniger starke Links-Aufwärtslage der Schriftzeilen haben auch die beiden ersten Tafeln der phönizischen Inschriften des Nordtores von Karatepe (Phu/A I-II, Çambel 1999, Pl. 7–11).

254 Montet 1929, Pl. cxxvi, dieselbe Photographie wohl auch bei Vincent 1925.

255 Bei der geschlagenen (gemeisselten) und sicher nicht nur geritzten Inschrift handelt es sich jedenfalls nicht um ein ‚Graffito' im engeren Sinne.

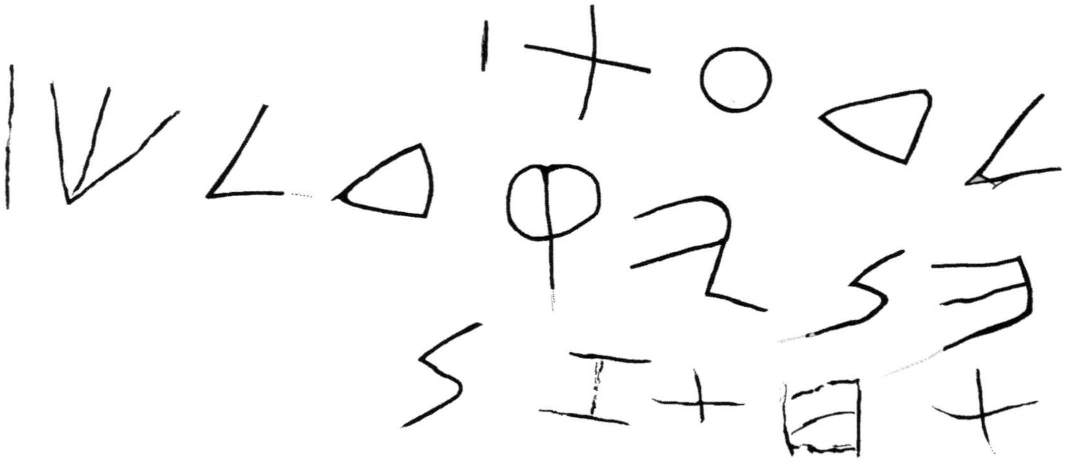

Zeichnung: R. G. Lehmann

Abb. 16 Die Schachtinschrift (G)

gegenwärtig durch das Wurzelwerk eines knapp rechts darüber aus einem Felsspalt herauswachsenden Feigenbaums gefährdet. Weiter unten, direkt auf der Höhe der oberen Balkenlagerreihe, befinden sich noch zwei auffällige senkrechte Striche, die jedoch nicht zu Schriftzeichen ergänzt werden können und, sofern sie nicht zufällige Erosionsfolgen im Stein sind, mit der Konstruktion einer Zwischendecke (etwa als Baumarken) in Zusammenhang gebracht werden könnten.

Insgesamt ist die Schachtinschrift, wenn man sich in genügendem Abstand und auf gleicher Höhe befindet, noch (!) hinreichend deutlich lesbar. Schwierigkeiten bereitet allerdings der mit einer Neigung von etwa 26° nach links fallende Schichtverlauf des groben und verwitterten Gesteins. In dieser Struktur ist die Erosion, wie ein Vergleich mit den frühen veröffentlichten Photographien zeigt, teilweise deutlich fortgeschritten. Auch ist der Strukturverlauf des Gesteins offenbar zur Formung einzelner Buchstaben ausgenutzt worden bzw. fällt mit Linien eines Zeichens zusammen, was in der Vergangenheit Anlaß zu Mißdeutungen gab (‹H›, ‹N›).

Nach Autopsie ist eine schon länger eingeführte Lesung zu revidieren.

Zeile 1 (#G1)

Bei ‹L› scheint noch eine Meißelführung aus drei (!) Strichen erkennbar zu sein, deren innere untere Rundung dann nachträglich abgetragen wurde. Freilich hat das ‹L› von #G2 eine scharfe Spitze, so daß auch in Erwägung gezogen werden muss, daß hier in #G1 ein Teil der Spitze – wo der Stein etwas tiefer liegt – ausgebrochen bzw. verwittert ist und die Inzisionslinie an dieser Stelle erosionsbedingt ist, oder daß einfach das Werkzeug ausgerutscht ist.

‹D› zeigt sich in #G1 als auf einer Basisneigung von –30° liegendes, rechts unten rechtwinkliges Dreieck mit einem etwas längeren Basisschenkel. Die obere Ecke ist ebenso eindeutig gerundet, wie die unteren beiden Ecken kantig-spitz sind.[256] ‹^{c}› ist praktisch perfekt gerundet, vermeintliche harte Kanten bzw. Brüche sind Erosion.[257] ‹T› ist heute nur noch sehr schlecht erhalten, aber in seiner auffälligen Größe bei Montet noch gut erkennbar.[258] Danach folgt ein nicht sehr langer, aber markanter vertikaler Strich, der hier nur ‚Worttrenner' sein kann.

Hinter ‹*LD^{c}T*•› befinden sich keine weiteren Buchstabenreste.[259]

[256] Dagegen zeichnen Montet 1928, 216 und andere ein auch oben spitzes ‹D›. Erosion einer ursprünglichen Spitze muß hier jedoch ausgeschlossen werden.

[257] Z. B. bei Montet 1928, 216.

[258] Montet 1929, Pl. cxxvi.

[259] Gegen Vincent 1925, 189 und Pl. viii, vgl. Montet 1928, 216.

[260] So auch schon auf der Photographie Montet 1929, Pl. cxxvi zu erkennen.

[261] Montet 1928, 216 zeichnet zwar einen langen, fast bis unter ‹Y› sich fortsetzenden Abstrich, doch ist der auch in seiner Photographie (Montet 1929, Pl. cxxvi) sichtbare Knick Indiz genug, in der Fortsetzung der Linie ebenso wie schräg darunter bei ‹H› eine Irregularität im Stein zu sehen.

[262] Montet 1929, Pl. cxxvi.

[263] Vincent 1925, Pl. viii.

[264] Dussaud 1924-b, 143, mit der abenteuerlich anmutenden Sinn-

Zeile 2 (#G2)

Das ‹H› in der typischen, archaischen ∃-Form liegt zusammen mit dem folgenden ‹N› in einer leichten Mulde des Gesteins. Seine obere Ecke ist scharfkantig, unten ist sie leicht gerundet (Tafel 16c).[260] Der untere ‚Zinken' des Buchstabens geht in der Verlängerung nach links heraus in eine auffällig tiefe Verwitterung des Gesteins über. ‹N› ist mit dem stark nach links verzogenen Stamm ungewöhnlich und auffällig, entspricht aber in ‚Kopf' und ‚Schulter' dem Standard etwa auch in #A1 auf dem Sarkophag. Der nach links verzogene Abstrich paßt sich auch hier zunächst, wie bei ‹H›, der Struktur des Gesteins an, findet aber nach zwei massiven Löchern im Stein keine Fortsetzung weiter nach links, sondern geht in eine auch schon 1924 sichtbare Schichterosion des Steins über. Der Abstrich ist also nicht länger als der Kopfstrich,[261] die Schulter ist nach rechts gerundet.

‹Y›, nur dreimal im B-Text des Sarkophags und einmal hier in der Schachtinschrift vorkommend, ist rechts oben deutlich gerundet, die Basishorizontale knickt unten rechtwinklig in nur 5° Steigung auf der Schreibebene ab. Die beiden Kopfstriche sind parallel und, soweit sich dies beurteilen läßt, gleich lang. Eine Abwärtsrundung des mittleren – so bei MONTET[262] – oder des oberen Kopfstrichs (so bei VINCENT[263]) konnte nicht bestätigt werden und wird auf Irritation durch Schattenwurf auf Photographien zurückzuführen sein (Tafel 16a.b).

Das nächste Graphem vermeinten DUSSAUD, MONTET und ihnen folgend andere noch als ‹B› lesen zu können.[264] Schon mit VINCENT hatte sich jedoch rasch die *communis opinio* einer Lesung als ‹P› durchgesetzt, die bis heute nicht mehr hinterfragt wurde.[265] Jedoch hätten schon von der Form her beide Lesungen, wenn man die Schachtinschrift auch nur grob im zeitlichen Kontext des Sarkophagtextes sehen wollte, gar nicht in die nähere Erwägung gezogen werden dürfen. ‹B› ist hier – genau wie im letzten Wort der Sarkophaginschrift (#A23) – nicht möglich, weil der in einer so frühen Form, wie es die Schachtinschrift nach Ausweis des ‹H› ist, noch obligatorische und stets deutlich ausgeführte Linksknick des Stammes fehlt. Doch auch die alternativ für vermeintliches ‹P› angesetzte umgedrehte Hakenform taucht jedenfalls in Byblos so früh nicht auf, und der Sarkophagtext selbst hat ‹P› mehrfach und damit eindeutig in der Form einer schliessenden Klammer (vgl. jeweils den Katalog Teil III).

Beide Lesungen erweisen sich aber nach erneuter Autopsie auch als *materialiter* unmöglich und beruhen auf Mißinterpretation von Schatten und Erosionsspuren in der publizierten Photographie. Eine – auch photographisch dokumentierte (Tafel 8b. 16a) – Schrägansicht der betreffenden Stelle im spitzen Winkel von unten macht den wahren Charakter der auf den alten Photographien sichtbaren Linien und des hier wirklich zu lesenden Buchstabens deutlich: Was MONTET, VINCENT und andere für den Abstrich eines ‹B› oder ‹P› halten wollten, ist eine längliche, in der nach links fallenden Schichtung des Gesteins verlaufende Verwitterung. Parallel dazu verläuft nur wenig tiefer eine weitere, weniger starke und auf der Tafel bei MONTET (noch?) nicht sichtbare Erosionslinie. Dazwischen, unterhalb des Buchstabens, verläuft somit eine leichte Wulst. Diese Wulst ist – in der frontalen Aufsicht nicht erkennbar und nicht darstellbar – unterbrochen durch den fast senkrechten Abstrich eines ‹Q›, der sich nach oben hin durch den Kopf des Buchstabens fortsetzt *(Abb. 17)*. Auch dies konnte wegen der Schwierigkeit, im Schacht Streiflicht von der Seite zu bekommen, bisher nicht dargestellt werden und ist den meisten Interpreten der Schachtinschrift entgangen.[266] Der Kopf dieses ‹Q› ist nicht so perfekt rund wie ‹ᶜ›, etwas größer und oben in der Mitte, wo der Stamm ansetzt, leicht ‚eingeknickt', was auch auf MONTETS Photographie

gebung des Lexems *bdl* als „exclure, expulser" im Vorgang einer Exkommunikation; MONTET 1928, 216f. liest und übersetzt „Avis, voici, ta perte [est] ci-dessous" (vgl. aber unten Anm. 266), BAUER 1925, 136 dagegen ‹*B DLK*›, arabisch abgeleitet als „Siehe, ich liege im Staube hier unten" (Zeichnung: DUSSAUD 1924-b):

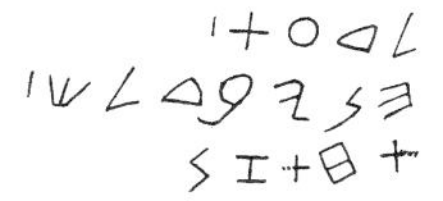

[265] VINCENT 1925, 189 Anm. 1, und auch noch in ^{5}*KAI*. Sie zielt auf die mühsame Deutung von einer nordwestsemitisch nur dürftig belegbaren Wurzel *pwd* oder *pyd* (zu hebr. פיד), bei VINCENT noch als Verb einer supponierten „racine primitive" יפד (zu arab. *fāda* und mit der etwas banalen Übersetzung „Avis! Prends garde à toi, la-dessous"), bei ALBRIGHT 1947, 156 Anm. 30 dann direkt als Nomen („Attention! Behold, thou shalt come to grief below here"), vgl. ^{2}*KAI* z. St. und *DNWSI* 902f.

[266] Bezeichnenderweise aber hatten sowohl MONTET 1928 (216f.) als auch schon VINCENT 1925 (Pl. VIII), welche beide die Inschrift noch im Original sahen, ein durch ‹B› bzw. ‹P› überschriebenes oder ‚verbessertes' ‹Q› in Erwägung gezogen (Zeichnung: MONTET):

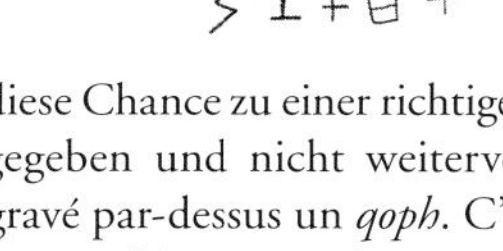

Freilich wurde diese Chance zu einer richtigen Lesung ohne Not vorschnell aufgegeben und nicht weiterverfolgt: „On dirait qu'un *bet* à été gravé par-dessus un *qoph*. C'est probablement le *bet* qui est le bon signe" (MONTET *l.c.*).

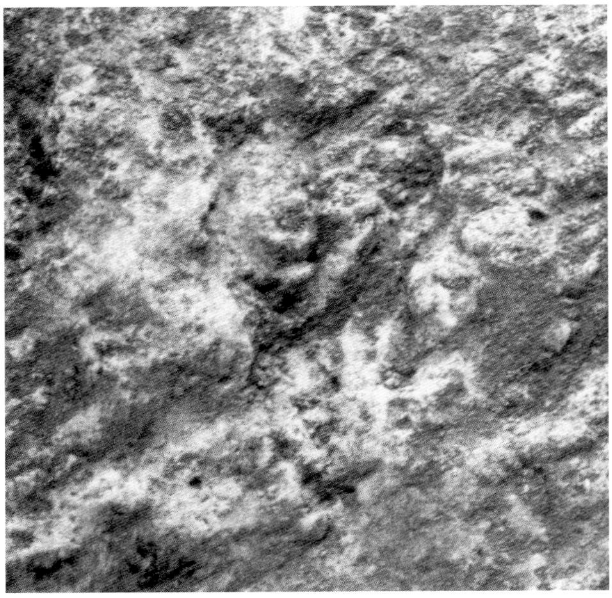

Abb. 17 ‹Q› in #G2

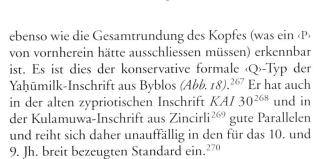

Abb. 18 Zweimal ‹Q› in KAI 4:6.7

ebenso wie die Gesamtrundung des Kopfes (was ein ‹P› von vornherein hätte ausschliessen müssen) erkennbar ist. Es ist dies der konservative formale ‹Q›-Typ der Yaḥūmilk-Inschrift aus Byblos *(Abb. 18)*.[267] Er hat auch in der alten zypriotischen Inschrift *KAI* 30[268] und in der Kulamuwa-Inschrift aus Zincirli[269] gute Parallelen und reiht sich daher unauffällig in den für das 10. und 9. Jh. breit bezeugten Standard ein.[270]

‹D› in #G2 hat ausgeprägte, spitze Ecken. Wie in #G1 ist es unten rechts nahezu rechtwinkelig, der rechte Schenkel steigt dann allerdings in leichtem Bogen aufwärts. Der Buchstabe liegt hier mit –10° Basiswinkel erheblich flacher als in #G1. ‹L› ist deutlich und tief inzisiert, mit einem harten oberen Abschluß. Der Basisstrich scheint ungewöhnlich lang zu sein, wahrscheinlicher aber täuscht hier am Ende ein Loch im Fels.[271] ‹K› ist in einem völlig verwitterten Bereich des Gesteins nur noch schwach zu erkennen. In Form und Neigung gleicht es dem ‹K› auf dem Sarkophag, insbesondere von #A5. Danach folgt ein ebenso verwittertes, aber anscheinend recht langes Trennzeichen.[272]

Zeile 3 (#G3)

Die dritte Zeile hat auffallend wenig Abstand zu #G2 und, besonders am Anfang, kleinere Buchstaben.

‹T›$_1$ erscheint als kleines, gedrungenes und in der Horizontalen anscheinend breit ausgeschlagenes Kreuz, während die Vertikale nach unten nur sehr kurz ausläuft. Es ähnelt darin der Form des Sarkophags von #B11-1. ‹Ḥ› liegt in der Dreistrichform und ohne oder ohne wesentliche Überstände vor. Auffällig ist der nach links unten ‚absackende' nicht nur mittlere, sondern auch obere Balken. ‹T›$_2$ ist noch kleiner als ‹T›$_1$, vom Typus aber ähnlich wie dieses und von #G1 deutlich unterschieden.

267 *KAI* 4:5 (*qdšm*), 4:6 (*ṣdq*) und 4:7 (*q[dš]*), vielleicht nur durch die Zeilenregister hier etwas kurzstämmiger.

268 Honeyman: *Iraq* 6 (1939) 104–108. Pl. xix: 3.

269 Tropper 1993, 167.339.342 und eigener Augenschein / eigene Photographien.

270 Die Linksneigung von ca. –16° (auf die Schreibebene bezogen, absolut: –4°), die sonst nur noch in der altzyprischen Inschrift *KAI* 30 und vereinzelt in der Kulamuwa-Inschrift vorkommt, sollte hier indes nicht überbewertet werden. Es ist nicht unbedingt damit zu rechnen, daß sich bei den steigenden Schreibebenen der Schachtinschrift wirklich typische Neigungswinkel finden. Insbesondere dort, wo es sich um Linksneigungen, also negative Stammwinkel, handelt, dürfte der subjektive Eindruck der bereits geneigten Schreiblinie die typische Neigung eines Buchstabens im Zweifelsfall konterkariert haben. – Zur generellen zeitlichen und regionalen Stellung des geneigten ‹Q›, das sich auch früh aramäisch findet, vgl. Athas 2003, 127–129.159f.168f.173.

271 Vgl. das Photo Montet 1929, Pl. cxxvi. Auch unterhalb des Buchstabens ist hier inzwischen ein tiefes, senkrecht nach unten weisendes Loch.

272 Eine sich daran anschliessende, wie ein großes ‹N› aussehende Struktur beruht auf Erosion im Aderverlauf des Gesteins, deren Anfänge schon bei Montet 1929, Pl. cxxvi zu erkennen sind.

273 Montet 1929, Pl. cxxvi; Vincent 1925, Pl. viii,b.

274 Cf. Zuckerman 2003, 107, vgl. o. Anm. 72.

‹Z›: Auf der alten Photographie hat es den Anschein, als wenn beide Horizontalen, besonders aber die obere, sehr weit nach rechts gingen, so daß also die Stammvertikale nicht genau in der Mitte liegt.[273] Bei dem heutigen Zustand wage ich dies nicht mehr sicher zu beurteilen – wirklich sicher erkennbare Einzelheiten gibt es davon kaum noch. Jedoch scheint die obere Horizontale auf der linken, die untere auf der rechten Seite kürzer zu sein. ‹N› als das letzte Zeichen der dritten Zeile ist mit seinem Kopfstrich nach oben stark gegen eine Gesteinswulst eingetieft. Der Abstrich ist nicht länger als der Kopfstrich, folgt aber einer Verwitterung in der Gesteinsschichtung, deren Anfänge schon auf den alten Photographien erkennbar sind. Die rechte Schulter ist auf ihrer Innenseite deutlich ausgerundet.

Wie die Inschrift des Aḥīrōm-Sarkophags, so trägt auch die Schachtinschrift mit der Rundung des ‹Y›-Kopfes und vor allem der ‹N›-Schulter Merkmale, die auf Anlehnung an einen kalligraphisch geprägten Schreibstil hinweisen, wie er für ‚flache' Schreibung, z. B. auf Papyrus oder Ostrakon, typisch ist.[274] Dennoch ist die Schachtinschrift gegenüber der Sarkophaginschrift als typologisch älter, vermutlich durchaus noch in das 11. Jh., einzustufen. Dies zeigen insbesondere die noch archaische Ǝ-Form des ‹H› ohne nach unten auslaufenden Stamm[275] und das gedrungene ‹Ḥ› ohne Überstände[276] und vielleicht auch der Umstand, daß zwar die Sarkophaginschrift immerhin schon – aus bislang nicht bekannten Gründen nur in einem Einzelfall – ein ×-förmiges ‹T› kennt, was aber in allen drei Belegen der Schachtinschrift jedenfalls nicht der Fall ist. Lediglich die spitze ∠-Form des ‹L› (gegenüber der gerundeten Form des Sarkophagtexts) scheint auf eine umgekehrte Folge zu deuten. Jedoch kann dies steinmetztechnisch durch ein gröberes Werkzeug bedingt sein, beide Formen sind im kanaanäischen Bereich noch bis ins 8. Jh. hinein nebeneinander möglich.[277]

Auch im Einsatz der Trennzeichen hebt sich die Schachtinschrift deutlich vom Sarkophagtext dadurch ab, daß davon nur am Ende der ersten und zweiten Zeile Gebrauch gemacht wurde. Die Trennzeichenschreibung ist also sicher nicht lexemtrennend, sondern phrasengliedernd und somit auch funktional von der des Sarkophagtexts unterschieden.[278]

Schachtinschrift G

1 *LDᶜT•*

2 *HNYQDLK•*

3 *TḤTZN*

II.3 Philologische Deutung

Die Erwartung, von der die meisten Interpreten der Schachtinschrift bisher nahezu selbstverständlich ausgingen, war die, daß es sich dabei um eine Warnung an Grabräuber oder Plünderer handeln müsse.[279] Doch ungeachtet ihres Wortlautes und der Tatsache, daß sie

[275] Dieses ‹H› ist m.W. bisher nur noch auf den Pfeilspitzen Cross Nr. 24 (Cross 1992, 205: *ḥṣšmdᶜbnyšbᶜ||ʾššpṭḥṣr*) und D./H. 1995, Nr. 45 (*ḥṣmhrn||bnᶜbdy* – bei zweimal invertiertem ‹B›) und auf einer im 19. Jh. auf Zypern erworbenen Steatitflasche belegt, die Masson / Sznycer 1972, 128–130 (Fig. 7 und pl. xxii), vgl. auch Guzzo Amadasi / Karageorghis 1977, 185f. (Abb. pl. xvi,2), in das 11. Jh. datieren, sehr skeptisch dagegen Sass 1988, 105 (Abb. Nr. 287). Auch die zyprische Zuordnung ist strittig, Lipiński vermutet wegen des wohl luwischen Namens *ḫḫḫ* eine Herkunft aus Anatolien (Lipiński, *Itineraria Phoenicia* 2004, 110–113). In dextrograder Schreibung erscheint das Ǝ-förmige ‹H› außerdem in der Inschrift von ʿIzbet Ṣarṭah (Kochavi 1977; Sass 1988, 115 und fig. 175.177).

[276] Ein solches ‹Ḥ› erscheint ganz ähnlich auch in Nora II (CIS I, 145), vgl. Röllig 1983-c, 127. Die Beurteilung vielleicht ähnlicher Formen im (israelitischen?) Gezer-Kalender ist schwierig, vgl. Renz *HAE* II/1, 141ff., 145.

[277] Vgl. ³*PPG*, Taf. i und insbes. die Ausführungen von Renz, *HAE* II/1, 164ff.167–168.

[278] Zu phrasengliedernden Systemen der Trennzeichen- bzw. Spatienschreibung in phönizischen Texten aus Byblos s. demnächst Reinhard G. Lehmann, Space-Syntax and Metre in the Inscription of Yaḥawmilk, King of Byblos, in: O. Al-Ghul, A. Ziyadeh (ed.), *Proceedings of Yarmouk Second Annual Colloquium on Epigraphy and Ancient Writings. Irbid, October 7th–9th, 2003*, Faculty of Archaeology Publications 4, Yarmouk University, Irbid 2005. Eine ähnliche nur phrasengliedernde Funktion von vertikalen Strichen als Trennzeichen findet sich z. B. in der (israelitischen?) Inschrift des sogenannten Gezer‚kalenders' AHI 10.001 = HAE Gez(10):1 aus dem 10. Jh. in den Zeilen 1–3, von Trennpunkten in der Silwan-Inschrift aus Jerusalem AHI 4.401 = HAE Jer(7):2, vgl. auch Renz, *HAE* I, 262 (aber wohl früher als 7. Jh.).

[279] Dussaud 1924-b; Montet 1928, 217; zögerlich Torrey 277f.; Röllig in ²*KAI* II, 5: „Mit dem Graffito scheint eine Warnung an einen Eindringling in das Grab beabsichtigt zu sein, noch bevor dieser sich am Sarkophag selbst vergreifen konnte, an dem sich eine ausführlichere Fluchformel […] befindet." Wenig überzeugende Abweichungen von dieser Erwartung finden sich bei Aimé-Giron 1943, 324–327 (als Warnung an den Architekten, die an Grab IX angrenzende Südwand nicht zu durchbrechen [??]) und Krahmalkov *PPD* 206, vgl. Krahmalkov *PPG* 208 (als eine Art ‚Inhaltsangabe': „Be aware: I, your king, am at the bottom of this <shaft>", allerdings basierend auf der unmöglichen Lesung von Zeile 2 als ‹*HNY BᶜLK*›).

typologisch älter ist als die Inschrift des Aḥīrōm-Sarkphags, sie sich in diesem Falle also auf den unbeschrifteten Sarg beziehen müsste, ist die Schachtinschrift schon an sich und an ihrem Platz als eine solche Warnung wenig plausibel, da schwerlich davon ausgegangen werden kann und konnte, daß eventuelle Grabräuber den Schacht in seiner ganzen Breite sauber aufgraben würden. Und selbst dann wäre keineswegs sichergestellt gewesen, daß eine von Erdreich verkrustete Inschrift sich ohne weiteres hätte lesen lassen. Auch hätte sich, wer so weit gegangen war, den Schacht bis in diese Tiefe aufzugraben, schwerlich durch eine warnende Inschrift von der Fortsetzung seines Tuns abschrecken lassen – falls er überhaupt lesen konnte! Man kann und muß daher fragen, ob die allzu zuversichtliche Erwartung, daß es sich um eine Warnung an Grabräuber handeln müsse, wirklich so plausibel ist, wie sie zunächst scheint, und ob sie nicht sogar den Blick auf eine bessere Lesung und Interpretation auf lange Zeit hin verstellt hatte.

Der hier vorgelegte Versuch einer Neuinterpretation nimmt zwar die Unwahrscheinlichkeit einer solchen Warninschrift auf, vor allem aber beruht sie auf einer *materialiter* nachweisbaren neuen Lesung, die zudem erstmals eine Gesamtdeutung der Grabanlage ermöglicht.

‹*LD*^{c}*T*•› ist sicher als Präposition *l-* (**la-*), verbunden entweder mit Infinitiv G der Wurzel *yd*^{c} als „um zu erkennen" oder mit Nomen gleicher Wurzel als „in Bezug auf Erkenntnis" zu verstehen. Die Verbindung ist phönizisch sonst nicht belegt, hebräisch aber ist לָדַעַת als verbaler Infinitiv mit Präposition hinlänglich bekannt. Zur „Umschreibung eines Gebots bzw. Verbots" – und dann hier als „Achtung! (zu wissen)"[280] – dient der Ausdruck jedoch keinesfalls. Überzeugende Parallelen für einen solchen Gebrauch können nicht beigebracht werden, er wäre hier, bei dem einzigen phönizischen Beleg von *ld*^{c}*t*, eine singuläre Erscheinung innerhalb des gesamten kanaanäischen Sprachbereichs. Funktion und Bedeutung von *ld*^{c}*t* sind hier vielmehr ebenso im Kontext der Erkenntnisaussage bzw. Erkenntnisgewinnung zu suchen, wie sie sich in zahlreichen hebräischen Beispielen finden,[281] eine finale Übersetzung „in Bezug auf / hinsichtlich Erkennen(s) / Erkenntnis" ist daher vorzuziehen. Da insgesamt die Position am Textanfang, die höchstwahrscheinlich phrasengliedernde Trennzeichensetzung und die Zeileneinteilung, sowie folgendes *hny* satzsemantisch eine Einbettung überhaupt nicht und eine intentional, instruktional oder admissional verknüpfende Funktion der Präposition nur unter der Maßgabe einer Breviloquenz oder Ellipse zulassen,[282] ist hier auch kaum mit einem (funktionalen) Infinitiv zu rechnen und wird *d*^{c}*t* höchst wahrscheinlich Nomen sein.[283]

‹*HN*› ist ugaritisch, hebräisch und phönizisch in vielfältigen geprägten Verwendungsweisen als deiktische Interjektion *hn*, הֵן, הִנֵּה „siehe"[284], aber auch als Lokal-Adverb *hn*, הֵנָּה „hier / hierher" gut bekannt.[285] Folgendes ‹Y› war ursprünglich in gewundener Interpretation als Verbalpräformativ zum nächsten Wort gezogen worden,[286] mit der neuen Lesung ist dies aber weniger sinnvoll denn je. Vielmehr trägt das Lokal-Adverb *hn* hier als *hny* die aus dem Ugaritischen bekannte enklitische Partikel *-ya*, die allgemein als „Marker der wörtlichen Rede" an deren erstem Wort – auch ohne einleitende *verba dicendi* – fungiert und so hier erstmals auch für das (Byblisch-) Phönizische nachgewiesen werden kann.[287] An *hn* (bzw. *hnn*) in der Form *hnny* ist die Partikel zwar auch ugaritisch bisher nur in Briefen belegt, ihre stereotype Verwendung lehrt hier aber, daß sie zugleich als „Strukturierungsmarker" zur Anzeige des Beginns neuer Satzeinheiten dient.[288] Dies deckt sich mit der Position von *hny* am Anfang von Z. 2 der Schachtinschrift.

[280] So die allgemein verbreitete Übersetzung nach ^{3}*PPG* 194 (§ 268,3), dort unter – fälschlicher – Berufung auf das Hebräische und die Grammatik von Emil KAUTZSCH. Eine solche Semantik käme doch viel eher allgemein (und speziell dem in der nächsten Zeile folgenden!) *hn* bzw. *hnh*, vgl. hebr. הִנֵּה, zu. Doch KRAHMALKOV *PPG* 2001 macht hieraus sogar einen DIREKTIV („know!" S. 202 bzw. „Be aware" S. 208 mit allerding abwegiger Lesung und Gesamtdeutung der Schachtinschrift), während er alle anderen belegten phönizischen Infinitive auch als (finale) Infinitive übersetzt.

[281] Prv 1:2; Dtn 29:3; Jes 32:4; Ps 73:16 etc.

[282] Zur Strukturierung der Verwendungsformen von *lamed cum infinitivo* vgl. Ernst JENNI, *Die hebräischen Präpositionen. Bd. 3: Die Präposition Lamed*, Stuttgart 2000, 149ff.154f.

[283] דַּעַת als Nomen mit Präposition בּ Ex 31:3; 35:31; Jes 53:11; Hi 34:35; Prv 3:20; 11:9; 13:6 24:4; Qoh 2:21; mit עַל Hi 10:7; mit כּ Hi 13:2; mit מִן Jer 10:14; 51:17; die nominalen Fälle mit לְ sind von finalen Infinitiven kaum scharf abzugrenzen, eindeutig ist Prv 22:17.

[284] *HAL* 242, KRAHMALKOV *PPD* 160f; *DUL* 342; *DNWSI* 285ff.289.

[285] *HAL* 241, KRAHMALKOV *PPG* 260f; KRAHMALKOV *PPD* 160f; *DUL* 342f.; vgl. *DNWSI* 285ff.

[286] Vgl. oben Anm. 265.

[287] TROPPER 2000, 833 (§ 89.3), vgl. AARTUN 1974, 44–47. – Wichtige Anregungen und Hinweise für diese Deutung verdanke ich der Diskussion des Textes mit Josef Tropper (Berlin).

[288] TROPPER 2000, 834 (§ 89.33); vgl. auch 738 (§ 81.11 c). Für das Phönizische hat KRAHMALKOV *PPG* 260f die Partikel ‹*HN*› *hinnō, hen* zutreffend als „sentence-initial demonstrative locative" beschrieben und von einem seiner Meinung nach nur spärlich belegten Lokaladverb ‹*HN*› *henna* abgesetzt. Seine Interpretation des affigierten ‹Y› an ‹HNY› bleibt jedoch völlig unklar, die (irrtümliche?) Behandlung der Stelle bei den selbständigen Per-

Die folgende Graphie ‹QDLK•›[289] kann als Einheit nicht gedeutet werden und muß daher in die Wörter ‹QD› und ‹LK› aufgeteilt werden. Da ‹LK› nur entweder als Präposition mit Suffix 2 sing. m. *la-kā* oder als Imperativ sing. m. *lek* „geh!" gedeutet werden kann, muß ‹QD› als eine an der 2. Person orientierte Form aufgefaßt werden. In seiner zweiradikaligen Kürze ist es also sicher Imperativ G sing. masc. */qodd/* des zwar bislang noch nicht phönizisch, aber aus dem Hebräischen und Akkadischen bekannten Verbs *qdd* „sich beugen". Da *qadādu(m)* schon altakkadisch und altbabylonisch gut bezeugt ist, hebräisches קדד aber nur noch in fester Einbindung in eine wohl zum Hofzeremoniell gehörende Huldigungsformel erscheint, die „mindestens in der ersten Hälfte des 2. Jt., vielleicht noch etwas früher, entstanden sein wird"[290], handelt es sich um ein sehr altes nordsemitisches Verb. Seine Verwendung im altbyblischen Phönizisch, zumal als Aufforderung in einem höchstwahrscheinlich kultisch-zeremoniellen Kontext (s. u.), ist daher nicht überraschend.

Eine – morphologisch mögliche – Deutung des folgenden ‹LK› als Imperativ „geh!" von *hlk* ist hier syntaktisch sehr unwahrscheinlich. Zusammen mit dem vorangehenden */qodd/* läge hier dann nämlich eine asyndetische Imperativkette mit einem semantisch stärker spezialisierten Vorbereitungsverb (*qdd* gegenüber *hlk*) in erster Position vor, die damit ein höchstwahrscheinlich ‚falsches' Wertigkeitsgefälle hätte.[291] Die Fortsetzung in Z. 3 mit ‹*TḤTZN*› würde hier dann schon ein deutlich spezialisiertes Verb der Bewegung wie z. B. *yrd* ‚herabsteigen' und eben gerade nicht allgemeines *hlk* ‚gehen' erwarten lassen. ‹LK› ist also weiterhin wie bisher morphologisch als Präposition mit Suffix 2 sing. m. zu verstehen. Morphosyntaktisch ist die Wendung *qod(d) la-kā* aber die herkömmlich so genannte Konstruktion des ‚*dativus ethicus*', wie sie auch aus der klassischen hebräischen Grammatik bekannt,[292] phönizisch aber aufgrund des beschränkten Textmaterials bisher anscheinend nicht belegt ist. Allerdings hat Ernst Jenni für das Hebräische überzeugend gezeigt, daß in derartigen Imperativen transitiver Verben mit nachfolgender suffigierter Präposition *l-* (wie Gen 12,1 oder eben auch hier *qod(d) la-kā*)[293] die Präposition „nicht Näherbestimmung zum Verbum, sondern Aktualisation des Subjekts (‚du da / du hier und jetzt / du an deinem Ort')" ist. Das Subjekt wird damit „als in einer unmittelbaren Entscheidung stehend situiert."[294] Mit dem durch *hny* markierten Anfang[295] ist

sonalpronomina und seine Übersetzung „Know: I, your king, am here, at the bottom of this ‹shaft›" (falsche Lesung … *hny bʿlk …*) Krahmalkov *PPD* 206 und Krahmalkov *PPG* 43 (vgl. 208) deuten auf Mißinterpretation als Suffix der 1. Ps.

289 Die bisher allgemein vertretene Graphie ‹YPDLK•› ist, wie bereits dargelegt, aus paläographischen Gründen aufzugeben!

290 Kreuzer 1985, 59, vgl. 46. – Im Hebräischen tritt קדד morphologisch immer mit progressiver Gemination (sog. ‚aramaisierende' Bildung) und in der Regel als Vorbereitungsverb zu Formen von חוה im Št-Stamm auf (z. B. וַיִּקֹּד הָאִישׁ וַיִּשְׁתַּחוּ Gen 24:26, vgl. weiter Gen 24:48; 43:28 Ex 4:31; 12:27; 34:8 Num 22:31 1Sam 24:9; 28:14 1Reg 1:16.31 Neh 8:6 1 Chr 29:20; 2 Chr 29:30), etwas anders nur 2 Chr 20:18 (וַיִּקֹּד יְהוֹשָׁפָט אַפַּיִם אָרְצָה וְכָל־יְהוּדָה וְיֹשְׁבֵי יְרוּשָׁלַםִ נָפְלוּ לִפְנֵי יְהוָה לְהִשְׁתַּחֲוֺת לַיהוָה). Die Verteilung der Belege ist auffällig, das Verb scheint vor allem in den (nördlich-kanaanäisch geprägten) Bereich des Hofzeremoniells zu gehören, zugleich aber scheint die Formel schon so weit rituell obsolet geworden zu sein, daß sie literarisch auch in nicht-höfische Kontexte eingebunden werden konnte. Eine Lösung des Verbs קדד von der formelhaften Bindung an חוה *Hišt.* dagegen war im Hebräischen offenbar schon nicht mehr möglich.

291 Jedenfalls gilt das deutlich so für das Althebräische. Das Wertigkeitsgefälle in reinen Imperativketten ist hier immer so angelegt, daß der letzte Imperativ den Ton trägt, oder es liegen manchmal gleichwertige Imperative vor. Aber nie trägt der erste Imperativ den Ton einer Äußerung! Vgl. Diehl 2000 und jetzt die ausführlichere Untersuchung von Johannes F. Diehl, *Die Fortführung des Imperativs im Biblischen Hebräisch*, Münster 2004 (AOAT 286), hier 62–97, bes. 62–83.

292 *GKB* 398; Waltke / O'Connor, *An Introduction to Biblical Hebrew Syntax*, Winona Lake 1990, 208; kritisch schon Joüon / Muraoka, *A Grammar of Biblical Hebrew*, Rom 1991, 488 (§ 133d).

293 Gen 12:1 לֶךְ־לְךָ מֵאַרְצְךָ וּמִמּוֹלַדְתְּךָ וּמִבֵּית אָבִיךָ; weitere hebräische Parallelen Gen 22:2 וְלֶךְ־לְךָ אֶל־אֶרֶץ הַמֹּרִיָּה, Jos 17:15 אִם־עַם־רַב אַתָּה עֲלֵה לְךָ הַיַּעְרָה; Jos 22:19 עִבְרוּ לָכֶם אֶל־אֶרֶץ אֲחֻזַּת יְהוָה; Am 7:12 חֹזֶה לֵךְ בְּרַח־לְךָ אֶל־אֶרֶץ יְהוּדָה; 2 Sam 2:22 סוּר לְךָ מֵאַחֲרָי; Jes 40:9 עַל הַר־גָּבֹהַ עֲלִי־לָךְ מְבַשֶּׂרֶת צִיּוֹן; Ctc 2:10 קוּמִי לָךְ רַעְיָתִי יָפָתִי וּלְכִי־לָךְ, vgl. Ctc 2:13; u. ö., s. auch Anm. 295.

294 Jenni 2000, 48–53.49.51. Bei zweiwertig intransitiven Ortsveränderungsverben seien weitere Ergänzungen „valenzmäßig nicht gefordert. Insbesondere sind hier keine direkten, indirekten und präpositionalen Objekte möglich, folglich auch keine echt reflexiven Konstruktionen." Gerade weil aber die suffigierte Präposition „nicht als von einem Bewegungsverb abhängig verstanden werden kann, ist dieser Ausdruck als Revaluation des Subjekts überhaupt möglich und erkennbar" (48f). Vom so genannten *dativus ethicus* sollte daher Jenni zufolge auch nicht mehr die Rede sein (52).

295 Auch im Hebräischen sind solche Konstruktionen mit verdeutlichendem Lokaladverb, mit dem auf „unverzügliche Erfüllung" (Hermann Gunkel zu Gen 21:23) gedrungen wird, möglich. Allerdings anscheinend nur in nachgestellter Position, mit dem Lokaladverb הֵנָּה Gen 21:23 (וְעַתָּה הִשָּׁבְעָה לִּי בֵאלֹהִים הֵנָּה); mit dem Lokaladverb הֲלֹם Jdc 20:7 (הָבוּ לָכֶם דָּבָר וְעֵצָה הֲלֹם), mit dem Lokaladverb פֹּה Gen 22:5 (שְׁבוּ־לָכֶם פֹּה עִם־הַחֲמוֹר); auch mit einem desemantisierten Vorbereitungsverb (vgl. Diehl 2000) Gen 27:43 (וְקוּם בְּרַח־לְךָ אֶל־לָבָן אָחִי), Deut 1:7 (פְּנוּ וּסְעוּ לָכֶם וּבֹאוּ הַר הָאֱמֹרִי); auch mit Temporaladverb Num 14:25 (מָחָר פְּנוּ וּסְעוּ לָכֶם הַמִּדְבָּר דֶּרֶךְ יַם־סוּף), Num 24:11 (וְעַתָּה בְּרַח־לְךָ אֶל־מְקוֹמֶךָ); mit beidem Deut 2:13 (עַתָּה קֻמוּ וְעִבְרוּ לָכֶם); Jos 22:4 (וְעַתָּה פְּנוּ וּלְכוּ לָכֶם לְאָהֳלֵיכֶם).

die Zeile also als nachdrückliche Aufforderung zu verstehen, sich an dieser Stelle (auf dieser Zwischenplattform) stehend oder von hier ausgehend zu beugen, niederzuwerfen, sich zu demütigen.

‹ZN› in #G3 ist attributives Demonstrativpronomen sg. m. wie in der Sarkophaginschrift #B10. ‹*TḤT*› wird meistens in der verbreiteten Bedeutung als Präposition „unter" genommen, also *tḥt zn* als „darunter", „unter diesem" o. ä.[296] Der ungewöhnlichen Verbindung einer Präposition mit folgendem Demonstrativum hielt jedoch CECCHINI unter Verweis auf *ʾrn zn* (#B10)[297] die Erwartung entgegen, daß *zn* attributiv zu einem vorangehenden Nomen zu stehen habe, und verstand *tḥt* hier als „la parte inferiore", „ciò che sta sotto."[298] Die Phrase *tḥt zn* sei demnach auch hier als „questo sotteraneo" zu übersetzen.[299] Auch im Hebräischen ist die Nisbe *תַּחְתִּי in der Bedeutung *Stockwerk* möglich,[300] wie auch die Verbindung mit אֶרֶץ als Grab.[301] Nun kann aber, wie in II.1 gezeigt, nicht mehr länger einfach zwischen ‚oberhalb' und ‚unterhalb' eines einzigen Zwischenbodens geschieden werden, ein einfaches „unter diesem" o. ä. für *tḥt zn* ist also auch sachlich nicht geboten. Vielmehr weist schon die bei der Grabungspublikation vergessene, hier erstmals dokumentierte zweite, weiter unten gelegene Balkenlagerreihe auf einen zweiten Zwischenboden hin, wodurch ein echtes zweites, tiefergelegenes ‚Stockwerk' (im ureigensten Sinne des Wortes) entstand. Die Phrase *tḥt zn* hat also in der von CECCHINI vorgeschlagenen Lesung einen konkreten Bezug auf eine konkrete Plattform des Schachtes – vermutlich diejenige, oberhalb derer die Inschrift sichtbar ist, s. u. – und ist auch daher einem vagen „unter diesem" vorzuziehen. *tḥt* ist also als *nomen concretum*, etwa ‚Untergeschoß', im adverbiellen Akkusativ des Ortes (*taḥta*) zu verstehen.[302]

In einer versuchsweisen Vokalisierung lautete die Schachtinschrift also etwa:

la-daᶜ(a)ti
hinnōyya qod(d) la-kā
taḥta zena

II.4 DEUTUNG DER INSCHRIFT IM ENSEMBLE DES SCHACHTS

Schon die Tatsache allein, daß die Inschrift an der Wand des Schachts von Grab V etwa mannshoch, also in guter Sichthöhe, über der oberen Zwischendecke angebracht war, unterstützt den bereits beschriebenen Befund, daß hier eine Grabanlage für *sukzessive Mehrfachbelegung*[303] und somit für einen gegenüber den Gräbern I–IV und VI–IX besonderen Zweck angelegt worden war. Eine in 3 m Tiefe an der Wand eines Grabschachtes angebrachte Inschrift gleich welchen Inhalts hat keine Plausibilität, wenn der Schacht nach Belegung zugeschüttet wurde. Die Schachtinschrift ist also an einer Stelle angebracht gewesen, bis zu der das Grab V jedenfalls in der Antike und in seiner ursprünglichen Intention noch relativ unkompliziert zugänglich war.[304]

Da die Schachtinschrift, wie sich gezeigt hat, typologisch älter als die Inschrift des Sarkophags V_2 – also des Aḥīrōmsarkophags – ist, muß ihre Anbringung spätestens kurz nach Einbringung von V_2 aber *vor*

[296] RÖLLIG *KAI*; GIBSON *TSSI*; ³*PPG* 204 (§ 285,1); u. ö.

[297] Vgl. auch die Phrasen der deutlich jüngeren Yaḥawmilk-Inschrift *KAI* 10:4.5.12 (*ptḥ ḥrṣ-zn*), 10:4 (*hmzbḥ-nḥšt zn*), 10:11f (*mzbḥ zn*), 10:6.12 (*whᶜrpt zʾ*), 10:14 (*mlʾkt zʾ*). Allerdings ist auch absoluter Gebrauch von *tḥt* möglich, wie gerade der in seiner Bildsprache vielleicht phönizisch / nordkanaanäisch beeinflusste Vers Amos 2:9 zeigt, s. dazu zuletzt R. G. LEHMANN, Syntaxfragen im Anschluss an die Israelstrophe Am 2,6–10, in: Franz Sedlmeier (Hg.), *Gottes Wege suchend* (Festschrift für Rudolf Mosis), Würzburg 2003, 183–199.

[298] S. M. CECCHINI, *TḤT* in KAI 2,3 e in KTU 1.161:22ss: *UF* 13 (1981) 27–31.28; vgl. *DUL* 865f.

[299] CECCHINI *l. c.*

[300] Im Plural Gen 6:16 תַּחְתִּיִּם שְׁנִיִּם וּשְׁלִשִׁים תַּעֲשֶׂהָ *als ein unteres, zweites und drittes (sc. Stockwerk, Deck) sollst du sie machen*. Der Pl. masc. תחתים ist hier sicher auf die קִנִּים von v.14 bezogen, doch kann die Form sicher auch für sich allein stehen, wie die Gegenstücke עֲלִיָּה *Oberkammer* 1Reg 17:23 u. ö. und (aramäisch) עִלִּית Dan 6:11 in freilich stets feminin-abstrakter Morphologie zeigen.

[301] Eine „spezifisches Prägung Ezechiels" (Walther ZIMMERLI, *Ezechiel*, 1979, 621), entweder Plural (אֶרֶץ תַּחְתִּיּוֹת) Ez 26:20; 32:18.24 oder Singular (אֶרֶץ תַּחְתִּית) Ez 31:14.16.18 als sachliche Ausweitung der „Grube der tiefuntersten Räume" (H. GUNKEL) von Ps 88:7 (בּוֹר תַּחְתִּיּוֹת, auch Thr 3:55). In ארץ תחתיות sei „der unheimliche Tiefenbereich als ein eigenes, in sich ganzes ‚Land' gesehen" (ZIMMERLI), dagegen anders und weniger spezialisiert Ps 63:10 תַּחְתִּיּוֹת הָאָרֶץ und Jes 44:23 Ps 139:15.

[302] Zum Gebrauch des adverbiellen Ortsakkusativs vgl. ³*PPG* 198 (§ 280); KRAHMALKOV *PPG* 138f.

[303] Mehrfachbelegung ist an sich nicht singulär und auch für Grab III und IX nachweisbar bzw. anzunehmen. Anders als bei Grab V gibt es dort jedoch keine Indizien für *sukzessive* Belegung.

[304] Schon CIASCA 1988, 144 dachte bei der ihr nur bekannten oberen Plattform an einen „wooden floor" für „funerary rites".

[305] Vgl. die vorläufigen Berichte NOVÁK / PFÄLZNER, Ausgrabungen im bronzezeitlichen Palast von Tall *Mišrife* – Qaṭna 2002: *MDOG* 135 (2003) 131–165 und Michel AL-MAQDISSI / Heike DOHMANN-PFÄLZNER / Peter PFÄLZNER / Antoine SULEIMAN, Das königliche Hypogäum von Qaṭna. Bericht über die syrisch-

seiner Beschriftung erfolgt sein. Die Schachtinschrift bezog sich also – besonders mit *tḫt zn* der dritten Zeile – deutlich auf ein mindestens bis zur Anbringung der Aḥīrōminschrift, wohl eher noch bis zur Einbringung von Sarkophag V_3 *offenes*, grundsätzlich begehbares Grab.

Auch die Existenz von Zwischenböden oder gar einer Treppenhauskonstruktion im Schacht – jedenfalls, wie auch immer, seiner offenbar intendierten Dreigliederung – und des damit verbundenen Konstruktionsaufwands scheint mir nur dann sinnvoll zu sein, wenn eine über einen längern Zeitraum andauernde Begehbarkeit und Nutzbarkeit sichergestellt werden musste. Dies ist mehr als ein Offenhalten der Anlage allein nur für sukzessive Mehrfachbelegung. Hierfür wären einfache Steighilfen an einer Wand o. ä. vollkommen ausreichend gewesen.

Das gezielte Offenhalten der Begräbnisstätte weist vielmehr auf eine ständig wiederkehrende rituelle Nutzung hin, wie dies durch das jüngst entdeckte, in seiner Anlage und Funktion in Vorderasien bislang einzigartige, ständig (sicher aber nicht beliebig) begehbare Hypogäum von Qaṭna nun sehr anschaulich geworden ist.[305] Aber auch ein alttestamentlicher Text wie Jes 65:4, der das Übernachten in Gräbern und Höhlen und weitere kultische Verunreinigungen nebeneinander nennt, setzt die prinzipielle Offenheit und Begehbarkeit, ja Bewohnbarkeit von Gräbern voraus und weist auf dergleichen Zusammenhänge hin.[306] Während man aber das Hypogäum von Qaṭna im Zusammenhang mit der Totenpflege im *kispum*-Ritual[307] sieht, scheint mir dies für das Grab V der Königsnekropole von Byblos wegen der Inschrift und speziell ihres Beginnes (*la-daᶜat*…) zu wenig zu sein.

Auf den ersten Blick verlockend ist eine Deutung des Schachts als ‚Installation' zur Totenbefragung. Altorientalische Rituale und die exemplarische und für diese Fragestellung recht ergiebige alttestamentliche Erzählung von Saul und der Totenbeschwörerin von Endor (1 Sam 28) zeigen, daß dafür offenbar eine quasi-technische ‚Installation' als ‚Zugang zur Totenwelt' angenommen werden muß.[308] Immerhin auch ist 1 Sam 28:14b eines der raren Vorkommen des Verbums קדד im Alten Testament; Saul beugt sich (קדד) und huldigt (חוה *Hišt*), nachdem er erkannt (ידע) hatte, daß der beschworene Totengeist wirklich Samuel sei: *Da erkannte Saul, daß er Samuel war, und da beugte er seine Nase zur Erde und huldigte* (וַיֵּדַע שָׁאוּל כִּי־שְׁמוּאֵל הוּא וַיִּקֹּד אַפַּיִם אַרְצָה וַיִּשְׁתָּחוּ). Aber die *narratio* ist mit dem unübersehbaren Direktiv *qod*(*d*) *la-kā* der Schachtinschrift und seinem die Inschrift eröffnenden Handlungsziel doch nur schwer in Einklang zu bringen. Das mit *la-daᶜat* final angesprochene Handlungs*ziel* wie die konkrete Ansprache mit *qod*(*d*) *la-kā* im Imperativ deuten doch eher darauf hin, daß hier ein konkretes, zu einem persönlichen Erkenntniszweck auf einem Weg ‚nach unten' (*tḫt zn*) sich bewegendes personales Agens direkt angesprochen ist.

Ich interpretiere die Inschrift daher als einer (Neben-) Funktion der Schachtanlage des Grabes V als kultischem Initiationsraum zugehörig. Ihr Inhalt selbst legt dies nahe: Das finale angestrebte Ziel ‚Erkennen' (*la-daᶜat*) und die hierzu nötige *actio* des ‚Beugens' oder ‚Demütigens' (*qodd*), das Ganze quasi *hic et nunc* (*hinnōyya* und *la-kā*) an dieser Stelle (dort, wo die Inschrift angebracht ist, nämlich oberhalb des ersten Zwischenbodens) und darunter (*tḫt zn*), machen es m. E. sehr wahrscheinlich, daß in diesem Schacht im Ausgang des 2. Jahrtausends v. Chr. und also noch vor der endgültigen Grablegung des Aḥīrōm Initiationsrituale vollzogen wurden, die phänomenologisch ihren ritualisierten Ausdruck im *descensus ad inferos*, vielleicht

deutsche Ausgrabung im November-Dezember 2002: *MDOG* 135 (2003) 189–218, sowie Peter PFÄLZNER, Die Politik und der Tod im Königtum von Qatna. Die Entdeckung eines Archivs und königlicher Grüfte in einem bronzezeitlichen Palast Syriens: *Nürnberger Blätter zur Archäologie* 19 (2002/03) 85–102; Heike DOHMANN-PFÄLZNER / Mirko NOVÁK / Peter PFÄLZNER, Der Gang in die Unterwelt von Qatna: *Alter Orient aktuell* 4: 2003, 14–17.

306 Jes 65:4 הַיֹּשְׁבִים בַּקְּבָרִים וּבַנְּצוּרִים יָלִינוּ הָאֹכְלִים בְּשַׂר הַחֲזִיר וּפְרַק פִּגֻּלִים כְּלֵיהֶם *Die sitzen in Gräbern und in Felshöhlen nächtigen, die Schweinefleisch essen und haben eklige Brühe in ihren Töpfen*. Eindeutiger noch die griechische Version (LXX): καὶ ἐν τοῖς μνήμασιν καὶ ἐν τοῖς σπηλαίοις κοιμῶνται δι' ἐνύπνια οἱ ἔσθοντες κρέα ὕεια καὶ ζωμὸν θυσιῶν μεμολυμμένα πάντα τὰ σκεύη αὐτῶν. Gedeutet wird dieser Text meistens auf die Totenbefragung, z. B. schon Bernhard DUHM, *Das Buch Jesaja*, Göttingen 1922, 475; BLENKINSOPP 2003, 271f. (Totenbefragung im Sinne von Jes. 8:19). Dagegen dachte Paul VOLZ, *Jesaia II*, Leipzig 1932, 280 sogar an (hellenistische) Mysterienkulte: „sie treiben allerlei geheime, an das Mysterienwesen und den Okkultismus erinnernde Bräuche". Mir scheint allerdings eine Deutung von Jes 65:4 als auch in Israel noch in persischer Zeit mindestens gelegentlich und von gewissen Kreisen ausgeübtes *kispum*-Ritual (s. u.) naheliegender.

307 Akio TSUKIMOTO, *Untersuchungen zur Totenpflege* (kispum) *im alten Mesopotamien*, 1985 (AOAT 216).

308 H. A. HOFFNER, אוֹב, in *ThWAT* I, 1973, 141–145; Helga WEIPPERT, *Opfer und Kult im alttestamentlichen Israel*, Stuttgart 1993, 51ff.; eine Analyse der Erzählung im Kontext von Nekromantie bei Th. J. LEWIS, *Cults of the Dead in Ancient Israel and Ugarit*, Atlanta 1989, 104–117. Zur Etymologie und Religionsgeschichte von אוֹב vgl. neuerdings Oswald LORETZ: *UF* 34 (2002 [2003]) 481–519.

auch *regressus ad uterum* oder ‚Initiationstod' und in der παλινγεννησία fanden.[309] Auch die Dreizahl der durch die beiden Zwischenböden im Schacht entstehenden Kammern, in deren oberster sich in Augenhöhe die Inschrift befand, könnte von symbolischem Wert gewesen sein und auf eine derartige rituelle Nutzung hinweisen.[310] Von hier aus wird ein Neophyt, angeleitet von den in der Inschrift ‚materialisierten' mahnenden Worten, seine symbolische Reise in die Unterwelt bzw. in die der Initiation vorausgehenden ‚Erfahrung des eigenen Todes' angetreten haben.

Der ἱερὸς λόγος dessen, was hier in Byblos geschah, ist uns nicht bekannt. Daß er mit dem in Byblos verwurzelten Adonis-Baʿalat-Kult[311] zusammenhängt, kann nur vermutet werden. Ebenso kann hier, im mit Ägypten eng verbundenen Byblos[312], an einen Zusammenhang mit Formen von Osiris- oder Isismysterien gedacht werden, die den ‚freiwilligen Tod' zum Zwecke geistiger Wiedergeburt und höherer Erkenntnis rituell und auch unterirdisch, in Gräbern oder Krypten, zelebriert zu haben scheinen,[313] zumal sowohl die Gleichsetzung des Adonis mit Osiris als auch die der Baʿalat von Byblos mit Hathor-Isis in Byblos spätestens von der Mitte des 1. Jahrtausends v. Chr. an bezeugt ist.[314]

Über das δρώμενον dieser Initiation wissen wir nichts. Aber die Vermutung liegt nahe, daß es ein Ritus gewesen ist, der in seiner *Grundstruktur* etwa dem entsprach, was erst ein Jahrtausend später mit den berühmten Worten des Apuleius von Madaurus in auch nur dunklen Andeutungen die Decke des Arkanums durchstiess:

> *Accessi confinium mortis et calcato Proserpinae limine per omnia uectus elementa remeaui, nocte media uidi solem candido coruscantem lumine, deos inferos et deos superos accessi coram et adoraui de proxumo.*[315]

309 Vgl. Mircea Eliade, *Das Mysterium der Wiedergeburt. Versuch über einige Initiationstypen*, Frankfurt a. M. 1988 [*Birth and Rebirth*, 1958], 66ff.207f.234f. *et passim.*; Ders., *Die Sehnsucht nach dem Ursprung. Von den Quellen der Humanität*, 1973, 155ff [*The Quest*, 1969]; Hans Peter Duerr, *Sedna oder die Liebe zum Leben*, Frankfurt 1984, 209ff. In einer spekulativen Zusammenschau deutet auch Wendel: *Almogaren* 5/6 (1974/75) [1976] 294–299 eiszeitliche und altägyptische Sanktuare, darunter das Osireion von Abydos, als „Orte einer Wiedergeburts-Religion". – Der *locus classicus* hierfür in der griechisch-römischen Antike ist immer noch das ‚Isisbuch' des Apuleius Madaurensis (ca. 125–170 n. Chr.). Als Teil der priesterlichen *admonitio* im Vorfeld der Einweihung in die Isismysterien heißt es hier (*Metam.* XI 21): *nam et inferum claustra et salutis tutelam in deae manu posita ipsamque traditionem ad* ***instar uoluntariae mortis*** *et precariae salutis celebrari, quippe cum transactis uitae temporibus iam in ipso finitae lucis limine constitutos, quis tamen tuto possint magna religionis committi silentia, numen deae soleat eligere et sua prouidentia quodam modo renatos ad nouae reponere rursus salutis curricula.* (Griffiths 283:4–9). Vgl. weiter u. Anm. 315.

310 Vgl. z. B. die drei großen Türen des Eingangslabyrinths im Acheron Necromanteion (Sotirios Dakaris, *The Antiquity of Epirus. The Acheron Necromanteion*, Athen 1973). – Wiederum ist in diesem Zusammenhang nun auf das Hypogäum von Qaṭna zu verweisen. Dessen bemerkenswert aufwendiges, 60 m langes Zugangsensemble schloß einen 40 m langen, sich nach unten hin verjüngenden abschüssigen Gang ein, der durch hölzerne Türen in drei Abschnitte geteilt war und an einem 5 Meter tiefen senkrechten Schacht mündete, von dessen Sohle aus erst durch eine niedrige Öffnung das eigentliche Hypogäum betreten werden konnte. Hierzu schreiben die Ausgräber: „Der niedrig gedeckte, dunkle Gang muss mit seinem nach unten gerichteten, in der Dunkelheit sich verlierenden Fluchtpunkt auf den ihn durchschreitenden Besucher einen Ehrfurcht einflößenden Eindruck hinterlassen haben. Vergegenwärtigt man sich zudem die Beschwerlichkeit des abschüssigen Weges, insbesondere beim Abstieg in die 5 m tiefere Vorkammer am Ende des langen Korridors, führt dies zu dem Schluss, die Erbauer der Anlage hätten absichtlich die Mühen des beschwerlichen Ganges in die Unterwelt zu verdeutlichen und dem Eintretenden zu vermitteln versucht". (Novák / Pfälzner 2003, 148). Ein ähnlich niedriger, enger Gang (δρόμος) führt in die Krypta des Sarapis / Isis-Heiligtums von Thessalonika (Wild 1981, 190ff.). – Eine *Dreiteilung* von ‚Stockwerken' fordert auch, unter Verwendung der gleichen, in der Schachtinschrift verwendeten Wurzel *tḥt*, die Bauanweisung für die Arche Gen 6,16: תַּחְתִּיִּם שְׁנִיִּם וּשְׁלִשִׁים תַּעֲשֶׂהָ.

311 Vgl. Lukian von Samosata, *De Syria Dea* 6: Εἶδον δὲ καὶ ἐν Βύβλῳ μέγα ἱερὸν Ἀφροδίτης Βυβλίης, ἐν τῷ καὶ τὰ ὄργια ἐς Ἄδωνιν ἐπιτελέουσιν „Auch habe ich in Byblos ein großes Heiligtum der Aphrodite Byblia gesehen, in dem man auch Riten für Adonis vollzieht" (vgl. zum Ganzen Brigitte Soyez, *Byblos et la fête des Adonies*, Leiden 1977, hier 12ff).

312 Vgl. die zusammenfassende Darstellung von G. Scandone, Les sources égyptiennes, in: Véronique Krings (Hg.), *La civilisation phénicienne et punique. Manuel de recherche*, Leiden 1995 (HdO I,20), 57–63; Chéhab 1968; Leclant 1968.

313 Vgl. Jan Assmann, Tod und Initiation im altägyptischen Totenglauben, in: *Sehnsucht nach dem Ursprung. Zu Mircea Eliade*, hg. von Hans Peter Duerr, Frankfurt 1983, 336–359, bes. 350f.; Ders., *Tod und Jenseits im Alten Ägypten*, München 2001, 273–284; Ders., Pythagoras und Lucius: zwei Formen „ägyptischer Mysterien", in: J. Assmann / M. Bommas (Hg.), *Ägyptische Mysterien?*, München 2002, 59–75; vgl. auch Joachim Friedrich Quack, Königsweihe, Priesterweihe, Isisweihe, in: ebd. S. 95–108. Vgl. auch L. Vidman, Isis und Sarapis, in: M. J. Vermaseren (Hg.), *Die Orientalischen Religionen im Römerreich*, 1981, 121–156, bes. 141ff. und R. A. Wild, *Water in the Cultic Worship of Isis and Sarapis*, 1981, *passim*; Marion Giebel, *Das Geheimnis der Mysterien*, 1990, 149–194, bes. 154ff. Auch auf ein auf Malta gefundenes Totenamulett mit phönizischem Papyrusbändchen und Isisdarstellung ist in diesem Zusammenhang hinzuweisen, s. H.-P. Müller, Ein phönizischer Totenpapyrus aus Malta: *JSS* 46 (2001) 251–265.

Abb. 19 Sarkophag V_3 mit sekundärem, perforiertem Deckel

In diesem Sinne als ein *memento mori*, schlage ich daher als neue Übersetzung der Schachtinschrift vor:

„*In Bezug auf Erkenntnis:*
Hier nun demütige dich jetzt
‹in› diesem Untergeschoß!"

Die paläographische Analyse hatte schon ergeben, daß die Schachtinschrift älter als die Inschrift des (Aḥīrōm-)Sarkophags V_2 ist. Die ‚Belegungsgeschichte' des Grabes V kann daher nach dem Befund der Schachtinschrift und im Zusammenhang mit der Geschichte des (Aḥīrōm-) Sargs V_2 und seiner Inschrift etwa folgendermaßen rekonstruiert werden:

1. *Erstellung der Schachtanlage und Einbringung von Sarkophag V_1 (Mitte 2. Jahrtausend?).*

[314] Vgl. Soyez 1977 *passim*, Lipiński 1995, 90–105 und 70–79 und wieder Lukian, *De Syria Dea* 7: Εἰσὶ δὲ ἔνιοι Βυβλίων οἵ λέγουσι παρὰ σφίσι τεθάφθαι τὸν Ὄσιριν τὸν Αἰγύπτιον, καὶ τὰ πένθεα καὶ τὰ ὄργια οὐκ ἐς τὸν Ἄδωνιν ἀλλ' ἐς τὸν Ὄσιριν πάντα πρήσσεσθαι „Es gibt aber andere Byblier, die behaupten, der ägyptische Osiris sei bei ihnen begraben, und daß die Trauerfeste und die Riten nicht dem Adonis, sondern dem Osiris gelten."

[315] *Metam.* XI:23 (Griffiths 285:11–14): „Ich erreichte die Grenzen des Todes und trat über Proserpinas Schwelle. Ich wurde durch alle Elemente getragen und kehrte zurück. Um Mitternacht sah ich die Sonne hell aufstrahlen. Den unteren und den oberen Göttern näherte ich mich und huldigte ihnen von Angesicht zu Angesicht". Daß es sich dabei um ein Arkanum handelt und Apuleius (in der Rolle des Lucius) hier auch auf das δρώμενον nur verschlüsselt anspielt, geht aus der Rahmung der zitierten Formel deutlich hervor. Einleitend heißt es: *Quaeras forsitan satis anxie, studiose lector, quid deinde dictum, quid factum; dicerem, si dicere liceret, cognosceres, si liceret audire. sed parem noxam contraherent et aures et linguae illae temerariae curiositatis. nec te tamen desiderio forsitan religioso suspensum angore diutino cruciabo*, und schließlich, auf das tiefere Wissen eines möglicherweise ebenfalls Initiierten anspielend: *igitur audi, sed crede, quae uera sunt* (Griffiths 285:7–11): „Also höre nun, aber glaube, was wahr ist". In der Ausleitung versichert sich Apuleius dann nochmals selbst der Einhaltung des Arkanums: *ecce tibi rettuli, quae, quamuis audita, ignores tamen necesse est. ergo quod solum potest sine piaculo ad profanorum intellegentias enuntiari, referam* (285:14–17); vgl. Wittmann 1938, 111ff und die ausführlichen Kommentare bei Griffiths 1975, 294–308. Wenngleich derartige Zeugnisse bedeutend jünger sind als die Inschrift des Aḥīrōm-Schachts, so muß doch gerade wegen ihres an eine Initiation gebundenen Arkanums mit weit in das 2. Jahrtausend v. Chr. hinabreichenden Wurzeln derartiger und ähnlicher religiöser Ausdrucksformen gerechnet werden.

2. *Einbringung des dekorierten Sarkophag V_2 und*

   Beginn der rituellen Nutzung der Schachtanlage für Initiationen. Anbringung der Balkenlager und Installation von Zwischenböden (13./12. Jh.?).

3. *Anbringung der Schachtinschrift*
   in sachlichem (nicht zeitlichem!) Zusammenhang mit 2., da das Dekor von V_2 möglicherweise auf rituelle Vorgänge verweist, die sich über ihre Todes- und Trauermotivik mit der Schachtinschrift in Verbindung bringen lassen.

4. *Einbringung des Sarkophags V_3.*
   Zunächst weitergehende rituelle Nutzung.

5. *Sekundärbelegung von V_2 mit Aḥīrōm und Beschriftung des Sarkophags, Sekundärbelegung von V_3 und Aufgabe der rituellen Nutzung.*
   Es kann zwar nicht ausgeschlossen werden, daß V_3 erst in zeitlichem Abstand zur Umwidmung des Sarkophags V_2 auf Aḥīrōm eingebracht wurde, jedoch halte ich eine Gleichzeitigkeit für wahrscheinlicher. Die Gemeinsamkeit zwischen den Sarkophagen V_2 und V_3 scheint ja zu sein, daß sie – mit einer gewissen Wahrscheinlichkeit sogar unter Neukonstruktion bzw. Ersatz des Deckels – im Status der Zweitnutzung vorliegen. Die Wiederverwertung von V_3 leitet sich ebenso aus seiner ‚äußeren' Position in der Gruft wie auch von dem aus deutlich hellerem Gestein gefertigten und über die dunkle Wanne überkragenden, daher ebenfalls sekundären bzw. fremden Deckel her *(Abb. 19)*.[316] Mit dieser Wiederverwertung der Särge V_2 und V_3, die kaum früher als im 10. Jh. v. Chr. erfolgte, wird dann wohl auch die rituelle Nutzung des Schachts ihr Ende gefunden haben, wenn nicht anders die Person des Aḥīrōm aus einer uns nicht mehr bekannten Dignität heraus eine Fortsetzung der rituellen Nutzung begünstigte. Hier müssen noch etliche Fragen offen bleiben.[317]

6. *Beraubung der Anlage und Verfüllung des Schachts.*
   Eine Datierung muß hier vorläufig völlig offen bleiben. Eine intentionale Verfüllung des Schachts nach der Bestattung Aḥīrōms muß nicht zwingend angenommen werden, die Verfüllung des Schachts könnte ebensogut später erst, nach der Beraubung und evtl. in größerem zeitlichen Abstand dazu, aus allein dem einfachen Grund geschehen sein, das Gelände für eine andere Nutzung zu ebnen.[318]

Selbst wenn die Abfolge einzelner Phasen oder ihre zeitliche Nähe bzw. Distanz zueinander anders gewichtet würden[319], so ist doch deutlich, daß eine Nutzungs- und Belegungsgeschichte des Grabes V der Königsnekropole von Byblos über mehrere Jahrhunderte hinweg weder historisch noch paläographisch ein Problem darstellt.

[316] Die dunkelgraue Wanne von Sarkophag V_3 mißt am Boden 205 x 107 cm, am oberen Rand 214 x 101 cm und ist 76 cm hoch. Der jetzige (helle) Deckel dagegen ist 224 (mit Einschluß der Bossen 263) cm lang, 102 cm breit und 35 cm hoch und ist damit insgesamt 10 cm länger! Die Höhe des – ähnlich wie bei V_2 (Aḥīrōm) geformten, doch sorgfältiger ausgeführten – steilen Randes beträgt 19 cm. Im Abstand von 46 cm von der (nach heutiger Position) südlichen Kante des Deckels und nahe am westlichen Rand befindet sich ein ovales Loch von 25 x 36 cm. – Zur Situation des Deckels von V_2 (Aḥīrōm) s. o. Abschnitt I, 1.2.1.

[317] Vgl. insbesondere auch die merkwürdige Perforation des Deckels von Sarkophag V_3. Eine Beraubung durch dieses mit 25 x 36 cm recht enge Loch ist schwer vorstellbar. Eine alternative Interpretation wäre, daß V_3 direkt der rituelle Ort des Initiationstodes war (Scheinbestattung) und die Perforation des Deckels quasi den ‚Geburtskanal' einer ritualisierten παλινγεννησία symbolisierte. – Auch der Deckel des Sarkophags V_2 (Aḥīrōm) muß vor seiner Beschriftung mehrfach bewegt worden sein, dies zeigen die Beschädigungsspuren und Absplitterungen an Deckelunterkante und Wanne in den Bereichen #B18 und #B22/23, die offensichtlich durch das Einstemmen eines Hebels verursacht sind (vgl. Tafel 3). Die große, mit dem Ende von Text B überschriebene Aussplitterung des Abschnitts #B22-24 dürfte insgesamt auf diese Weise entstanden sein. Auch an der Ostseite finden sich drei solche Schäden an Wanne und Deckel (vgl. Tafel 2)! Die Südseite der Wanne hat ähnliche Schäden in den Abschnitten #A2/3 und #A9.

[318] Dem keramischen Verfüllungsbefund (Rehm 2004, 21f.) dürfte jedenfalls kaum ernsthaftes argumentatives Gewicht für eine Datierung des Sarges, des Grabes oder auch seiner Beraubung zukommen, vgl. Spiegelberg 1926, Aimé-Giron 1943, 287f., Mazar 1986, 243, besonders deutlich zuletzt Salles 1994, 65: „il faut complètement dissocier le sarcophage d'Ahiram du matériel archéologique recueilli dans le Tombeau V."

[319] Dies wäre insbesondere dann der Fall, wenn man Délivré 1978 darin zustimmen wollte, daß der Aḥīrōmsarkophag *samt Inschrift* schon gegen Ende des 13. Jh.s *in situ* aus einem bronzezeitlichen, einfachen und schmucklosen Sarkophag umgearbeitet worden sei. Schritt 4 entfiele damit und wäre mit 1. und 2. zusammenzusehen, Phase 5 wäre als Gesamt-Umarbeitung erheblich früher anzusetzen. Allerdings krankt auch Délivrés These an der schon eingangs beschriebenen Schwierigkeit, daß nach derzeitigem Kenntnisstand die Annahme einer Gleichzeitigkeit von Dekor und Inschrift mit erheblichen Schwierigkeiten behaftet ist. Auch die unter der Inschrift liegende Beschädigung des Deckels im Bereich der Textsegmente B#21–23 sowie die Beschädigungen der Deckelecken und des oberen Wannenrandes können m. E. nicht einfach mit Fahrlässigkeit bei der Umarbeitung erklärt werden.

TEIL III
DIE GRAPHE DES AḤĪRŌM-SARKOPHAGS A/B UND DER SCHACHTINSCHRIFT G

Geordnet nach Graphemtypen sind hier sämtliche Graphe (Einzelvorkommen eines Graphems) mit der Segmentnummer und dem einbettenden Wort, technischen Informationen über Größe, typische Winkel etc., einer Zeichnung und einem photographischen Ausschnitt dargestellt. Bei den Einzelaufnahmen zur Schachtinschrift G können sich dabei, bedingt durch die Aufnahmesituation, leichte perspektivische Verschiebungen ergeben.

Um der Versuchung ‚geschönter' Wiedergaben zu begegnen, ist hier in den Zeichnungen die ‚Skelettform' anhand der erkennbaren oder rekonstruierten Inzisionslinie wiedergegeben, die zugleich Rückschlüsse auf den handwerklichen Vorgang zuläßt. Dadurch bleibt die Andeutung variierender Dicken und Tiefen hier, anders als in den Handkopien (S. 70f), natürlich unberücksichtigt. Auch sind die Graphe hier in ihrer Größe dem zur Verfügung stehenden Raum angepaßt, d. h. ihre Darstellung erfolgt nicht in relativer Größe zueinander. Ihre Größe, insbesondere auch in Relation zu anderen Zeichen, muß also den Maßangaben entnommen werden.

Generell gelten für die technischen Angaben folgende Kürzel, davon abweichende oder darüber hinausgehende Einzelheiten sind bei den einzelnen Graphemen angegeben:

H = Höhe in mm (in Klammern die Breite). Angegeben sind die Maße des ausgemeisselten Bereichs, nicht der Inzisionslinie.

N = Stammneigung: die Neigung der dominierenden Vertikalen, bezogen auf die y-Achse (bei mehreren: von rechts nach links).

B = Basis: die Neigung der untersten bzw. dominierenden Horizonalen, bezogen auf die x-Achse (bei mehreren: von unten nach oben).

‹ʾ›

K_1/K_2: Winkel des oberen und unteren Horns bezogen auf Schreibebene.

A 1

ʾRN

H: 26 (28)
N: 7°
K_1: 19°
K_2: −19°

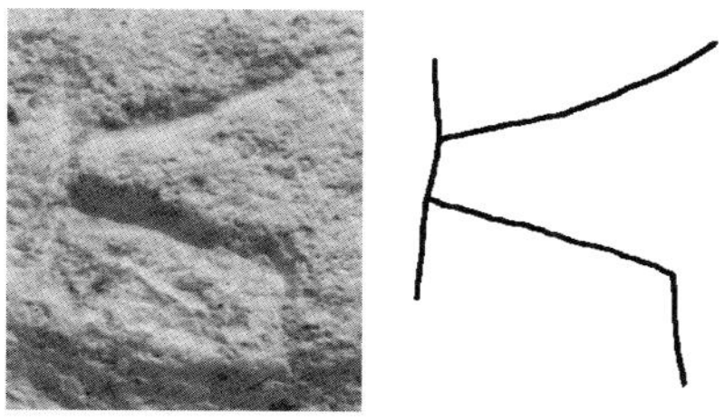

A 4

BNʾḤRM

H: 28 (19)
N: 11°
K_1: 36°
K_2: 21°

A 6

LʾḤRM

H: 26 (22)
N: 8°
K_1: ~14°
K_2: −13°

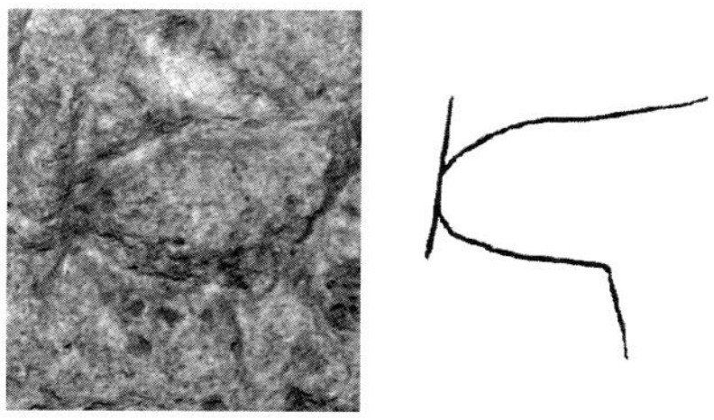

A 7

ʾBH

H: 29 (19)
N: 6°
K_1: 33°
K_2: −23°

B 1

WʾL

H: 29 (26)
N: 10°
K_1: 16°
K_2: −26°

B 6

WTMʾ

H: 21 (16)
N: −2°
K_1: 38°
K_2: −12°

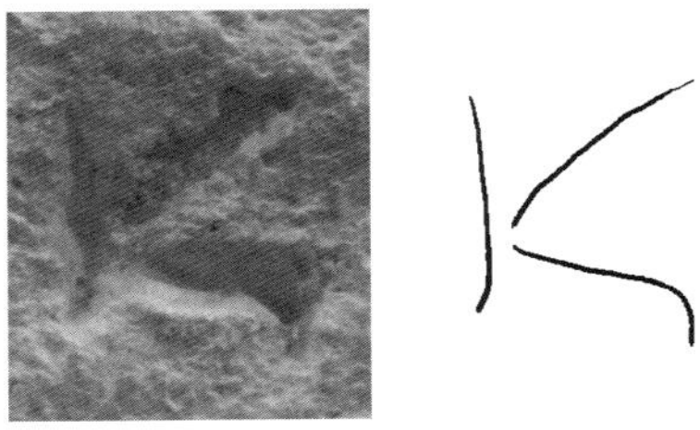

B 10

ʾRN

H: 26 (22)
N: 0°
K_1: 19°
K_2: −12°

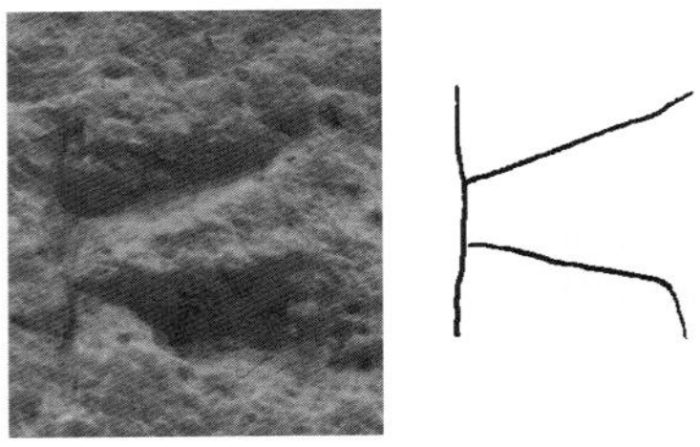

B 15

KSʾ

H: 21 (14)
N: 0°
K_1: 26°
K_2: −25°

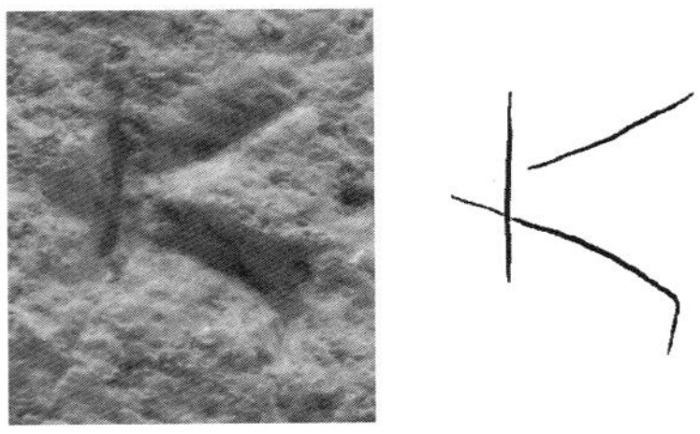

B 20

WHʾ

H: 22 (18)
N: 17°/−20°
K_1: ~21°
K_2: −10°

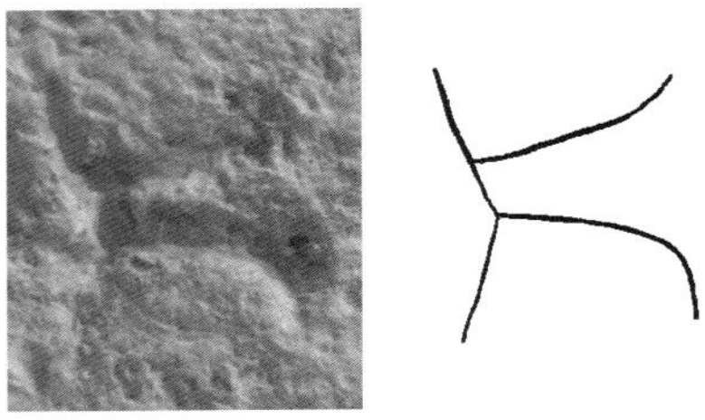

‹B›

K_1/K_2: Winkel der oberen und unteren Kopflinie bezogen auf Schreibebene.

A 3

…]T**B**ʿL

H: 23 (17)
N: 5°
B: −12°

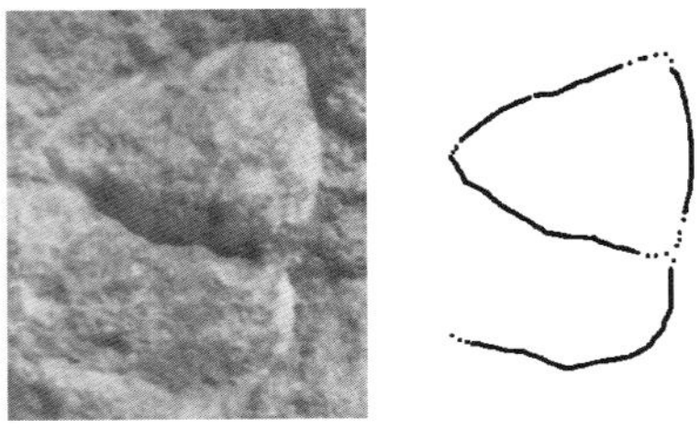

A 4

BNʾḤRM

H: 21 (12)
N: 7°
B: 0°
K_1: 39°
K_2: −20°

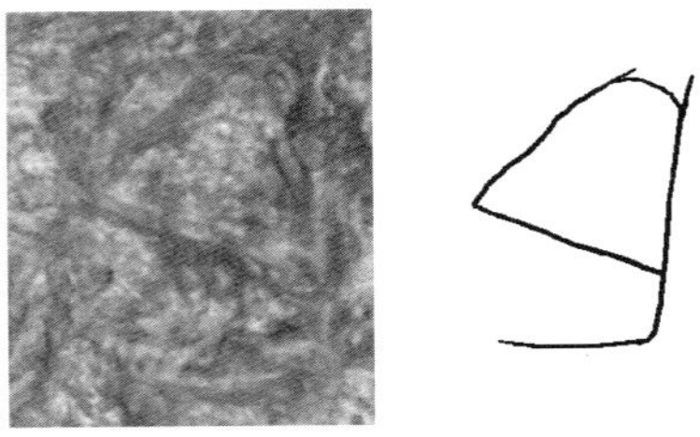

A 5

MLKG**B**L

H: 25 (13)
N: 7°
B: 4°
K_1: 37°
K_2: −37°/−4°

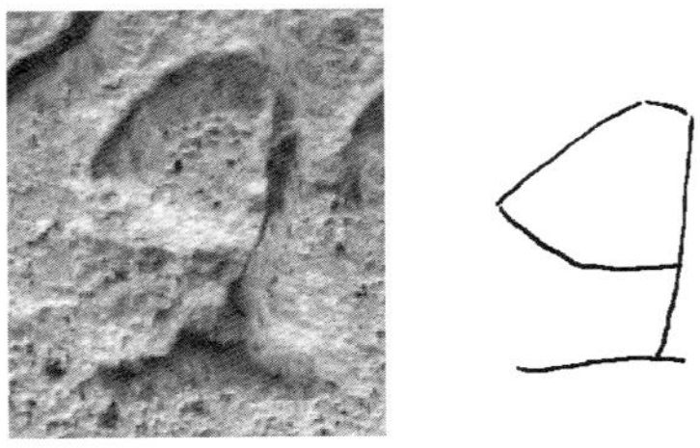

A 7

ʾ**B**H

H: 25 (17)
N: 23°
B: −11°

A 9

BʿLM

H: [23] ([16])
N: [27°]
B: −16°

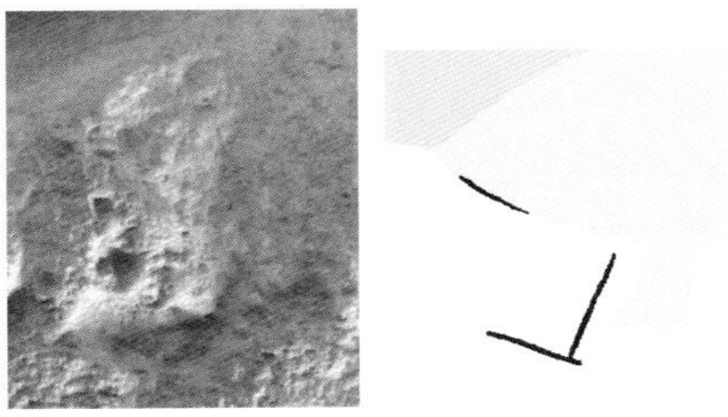

B 3

BMLKM

H: 22 (13)
N: 7°
B: 9°

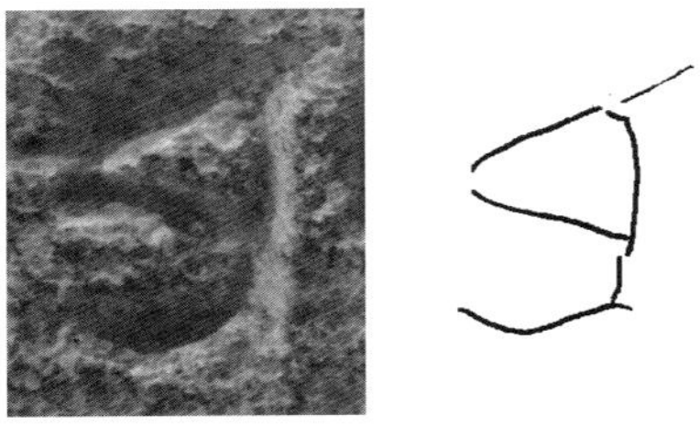

B 5

BSNM

H: 23 (14)
N: 0°
B: 7°
K_1: 24°
K_2: −15°

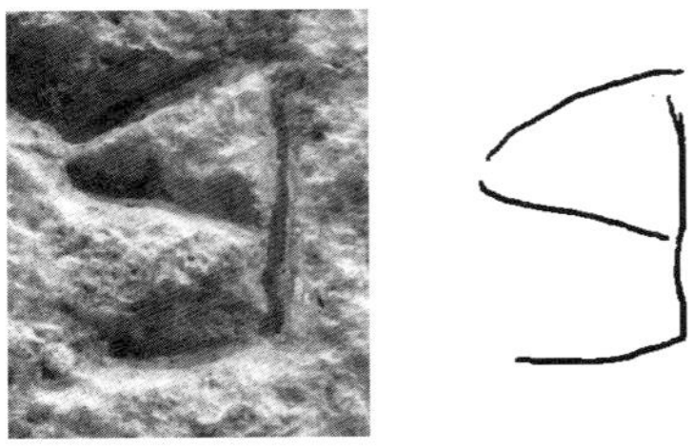

B 8

ʿLY•G**B**L

H: 26 (16)
N: −12°
B: 11°
K_1: 34°
K_2: −7°

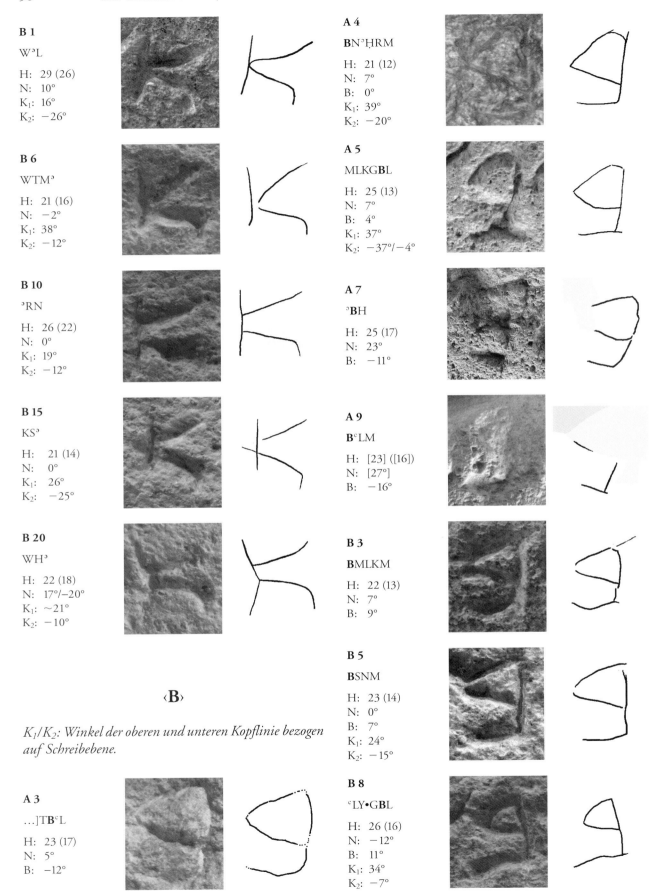

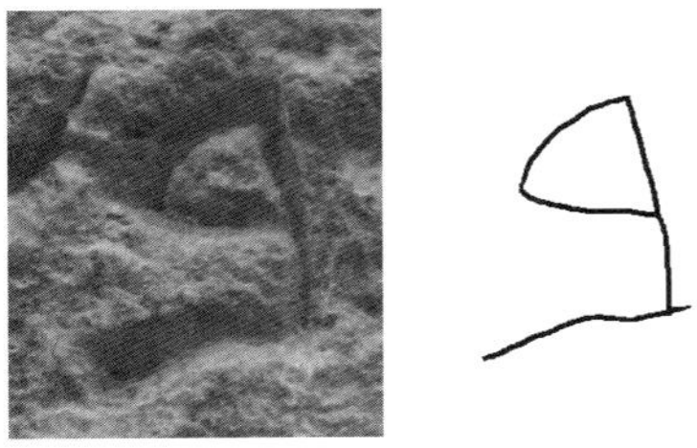

B 18

T**B**RḤ

H: 16 (13)
N: −1°
B: ~0°
K_1: 14°
K_2: −23°

B 19

^{c}L•G**B**L•

H: 19 (13)
N: 2°
B: 9°
K_1: ~19°
K_2: −21°

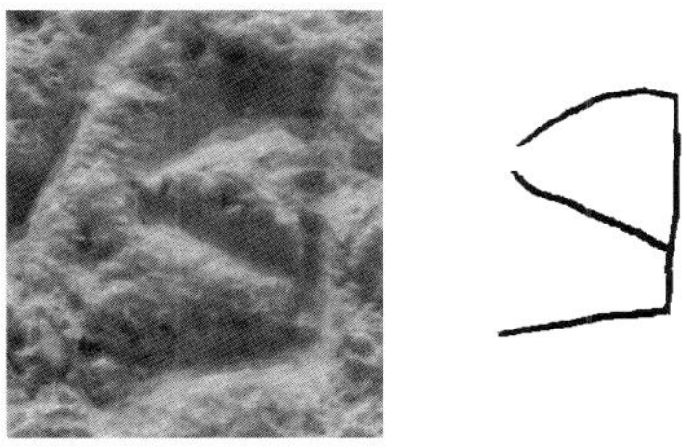

‹G›

A 5

MLK**G**BL

H: 30 (9)
N: 2°
K: 45°

B 8

^{c}LY•**G**BL
H: 29 (12)
N: −19°–(9°)
K: 34°

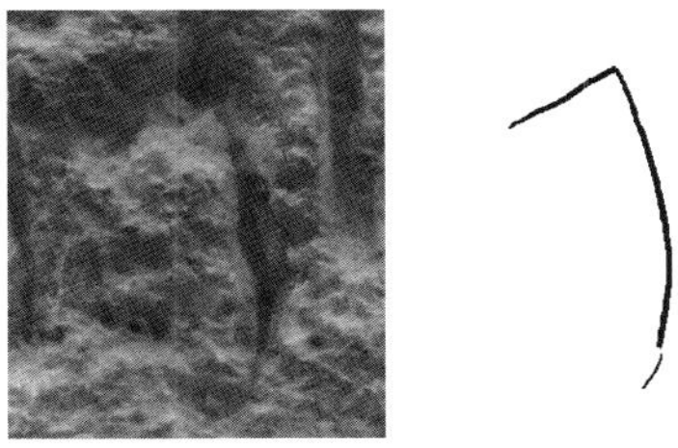

B 9

WY**G**L
H: 27 (12)
N: 2°
K: 31°

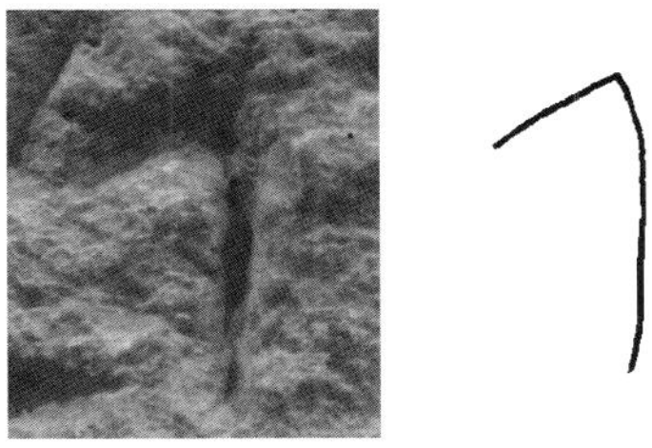

B 19

^{c}L•**G**BL

H: 23 (8)
N: 8°–(−10°)
B: 23°

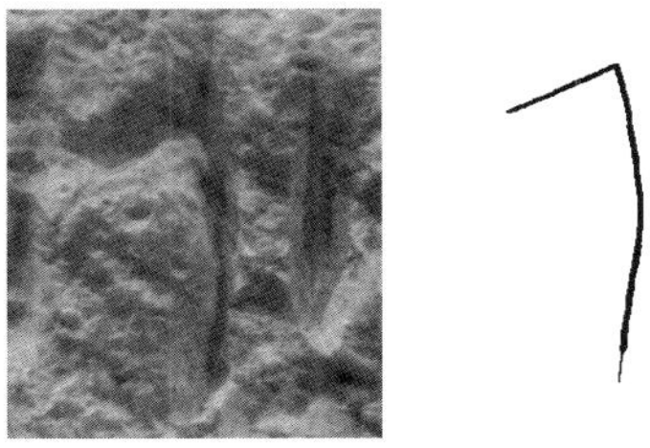

‹D›

N = rechter Schenkel
K = linker Schenkel

G 1

L**D**^{c}T

N: 22°
B: −30°
K: 12°

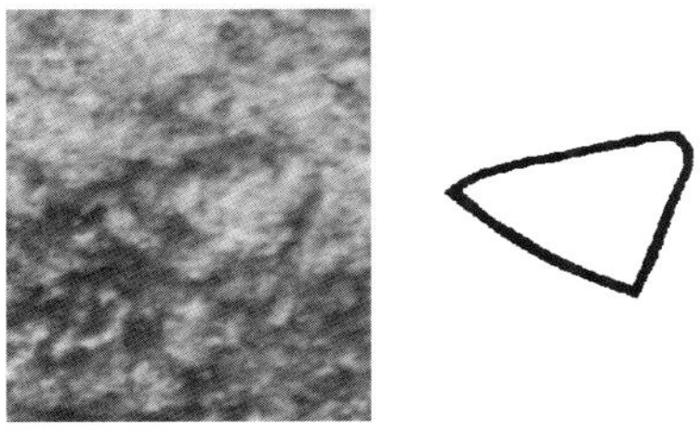

G 2

Q**D**

N: −3°
B: −10°
K: 35°

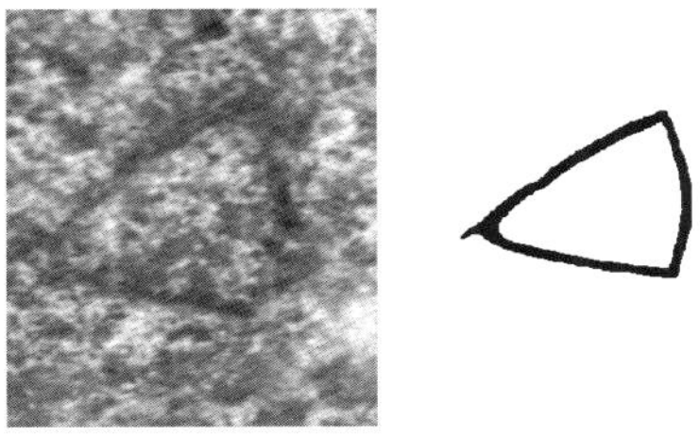

‹H›

Z = ‚Zinken' von unten nach oben

A 7

^{c}B**H**

H: [24] (15)
N: 24°
Z: 8°/9°/[?]

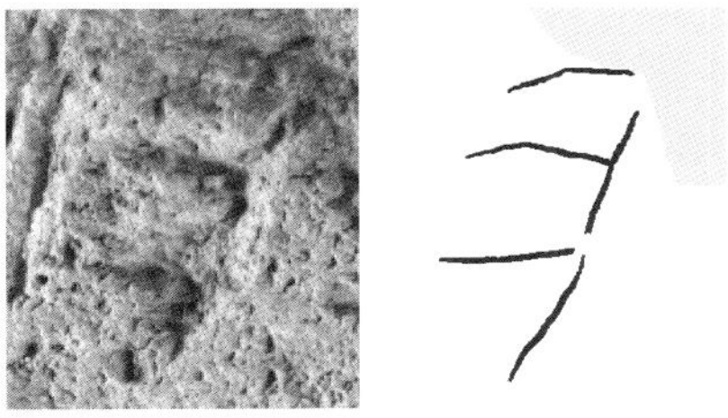

A 8

KŠT**H**

H: [?] ([15])
N: 23°
Z: −7°/[?]/[?]

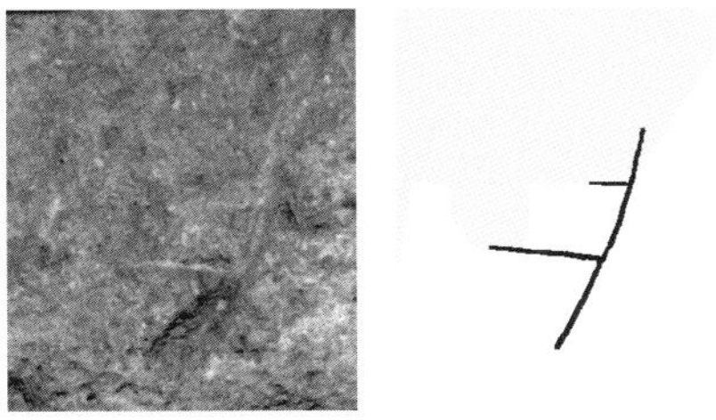

B 13

MŠPṬ**H**

H: 29 (21)
N: 2°
Z: 5°/4° + /12°

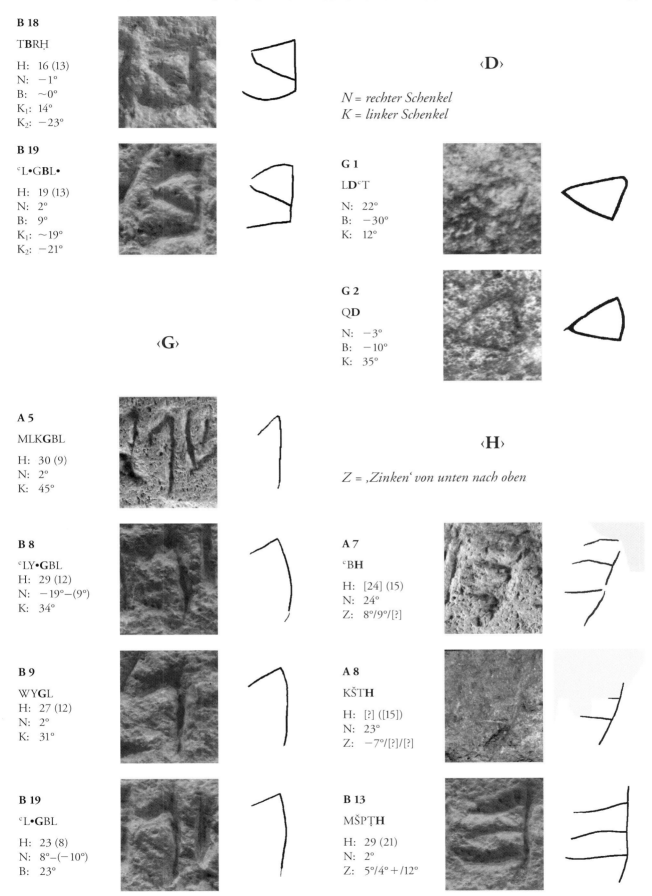

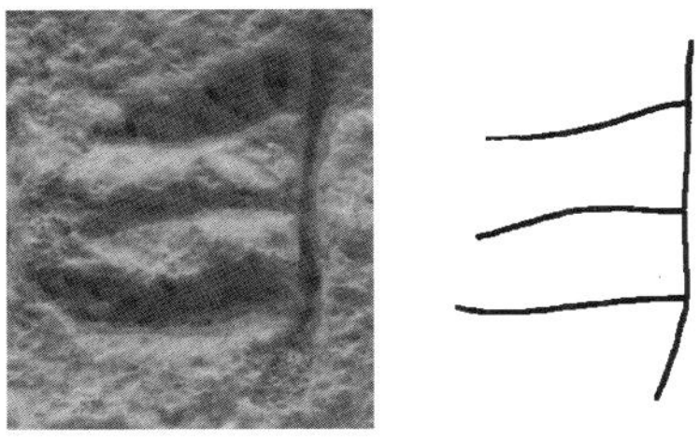

B 14

T**H**TPK

H: 27 (12)
N: −4°
Z: 0°/−3°/5°

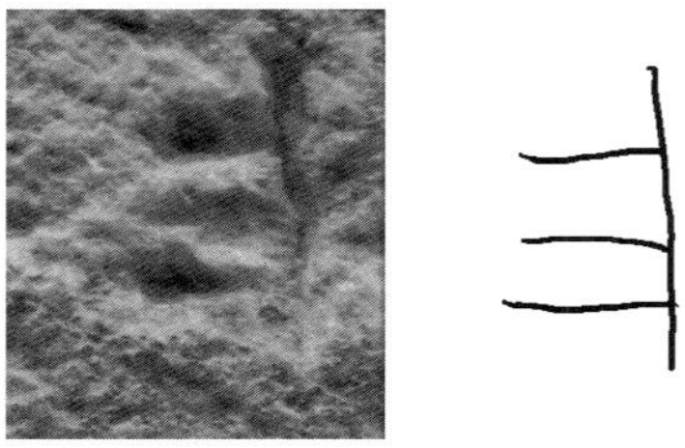

B 16

MLK**H**

H: 29 (13)
N: ~0°
Z: 0°/−2°/6°

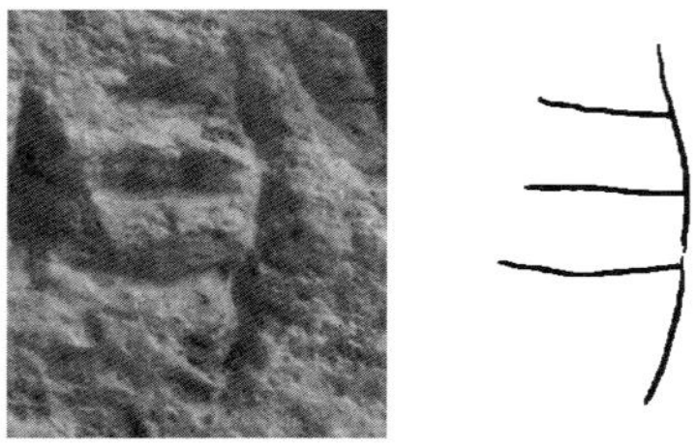

B 20

W**H**ᵓ

H: 22 (14)
N: 3°
Z: −2°/~7°/15°

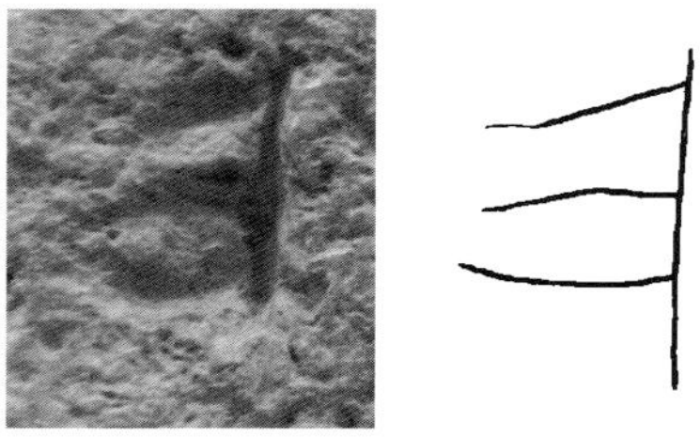

B 22

SPR**H**

H: 24 (17)
N: 26°/−9°
Z: ~0°/−2°/−3°

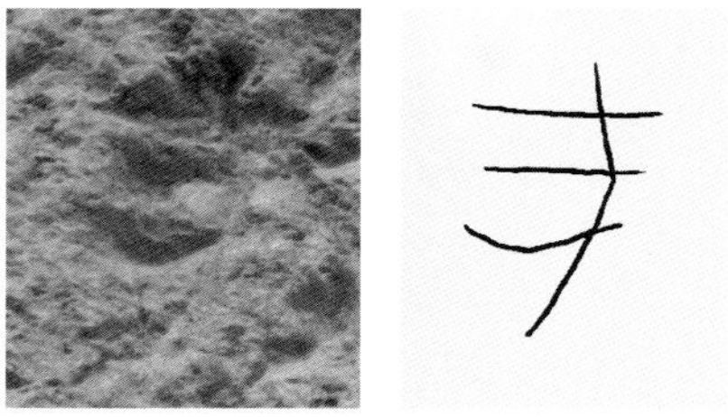

G 2

HN

N: −10°
Z: −26°/−20°/−9°

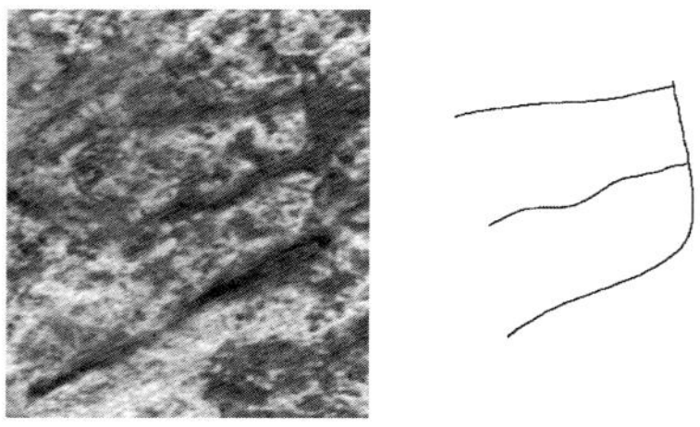

‹W›

K über obere Kopfenden

B 1

WᵓL

H: 27 (14)
N: 10°
K: 3°

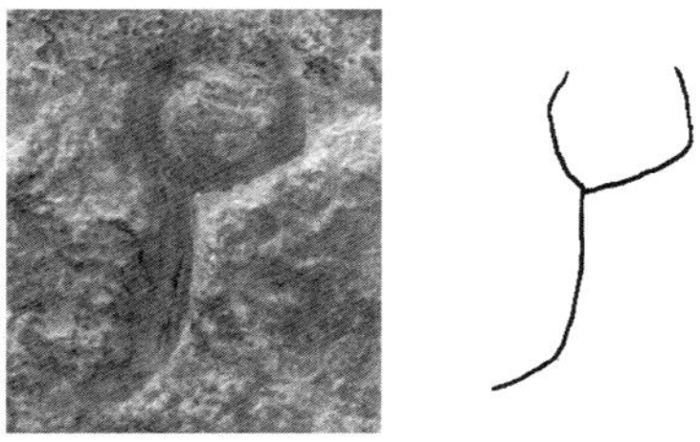

B 4

WSKN

H: 37 (16)
N: 5°/40°
K: −5°

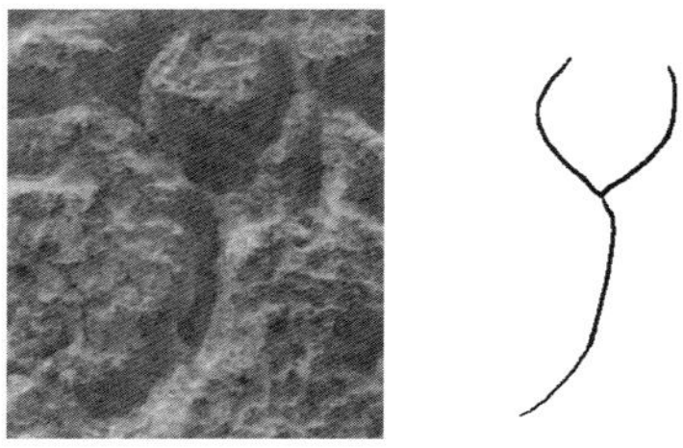

B 6

WTMᵓ

H: 26 (14)
N: 0–28°
K: 15°

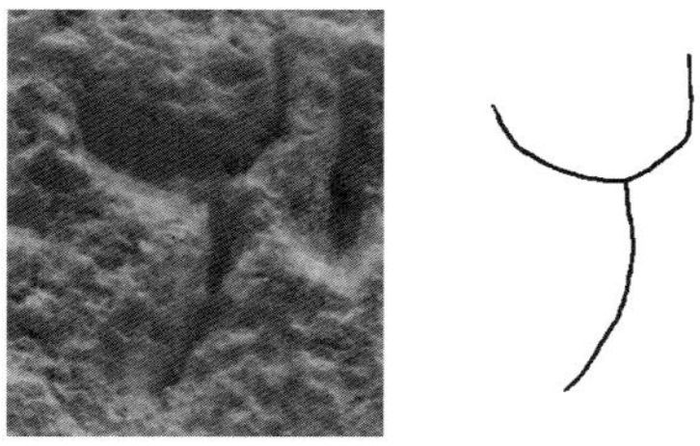

B 9

WYGL

H: 33 (18)
N: 1°
K: −2°

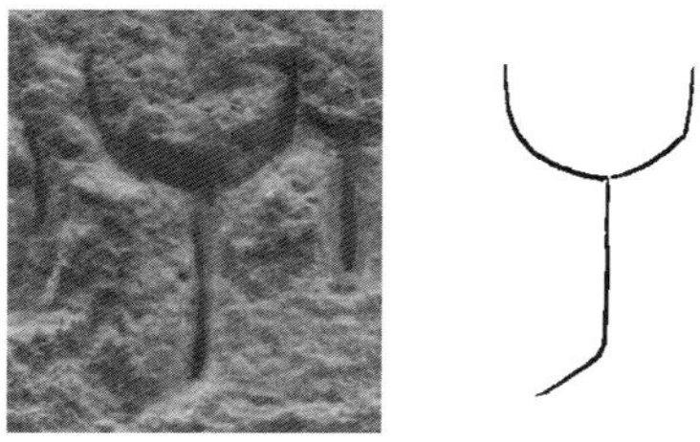

B 17

WNḤT

H: 24 (12)
N: 2°
K: −2°

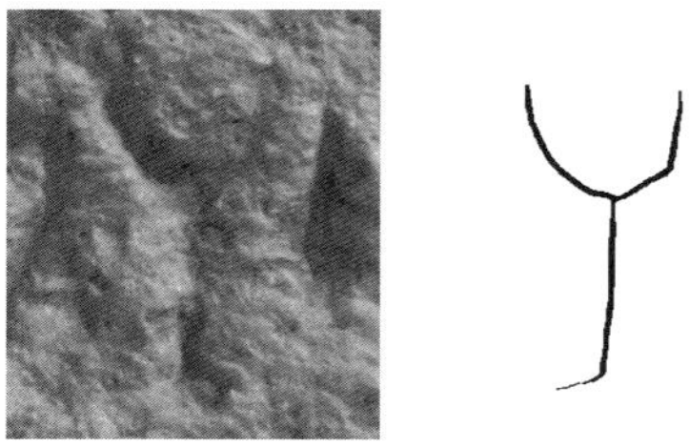

B 20

WHᵓ

H: 17 (12)
N: 3°
K: −4°

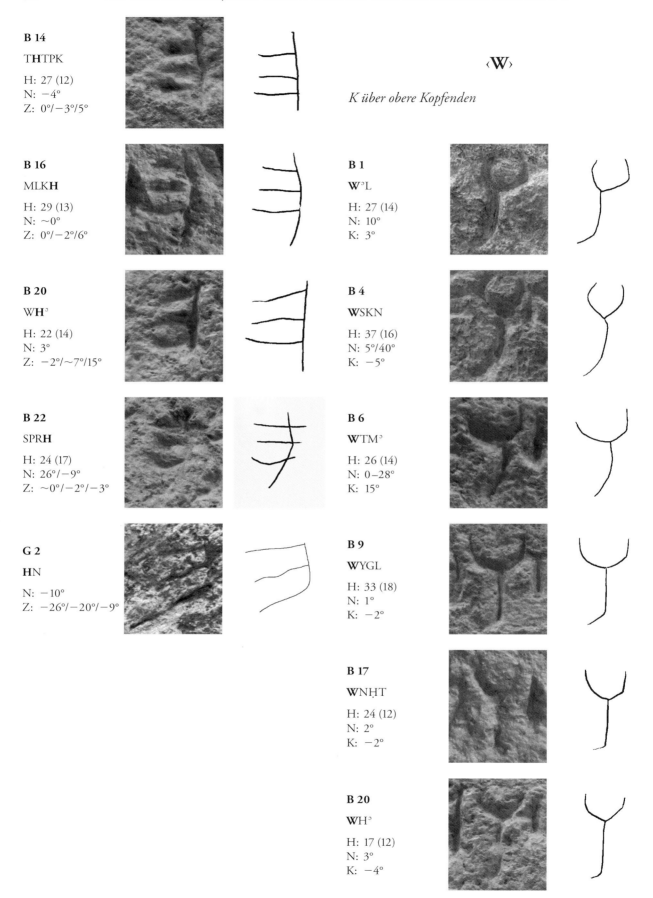

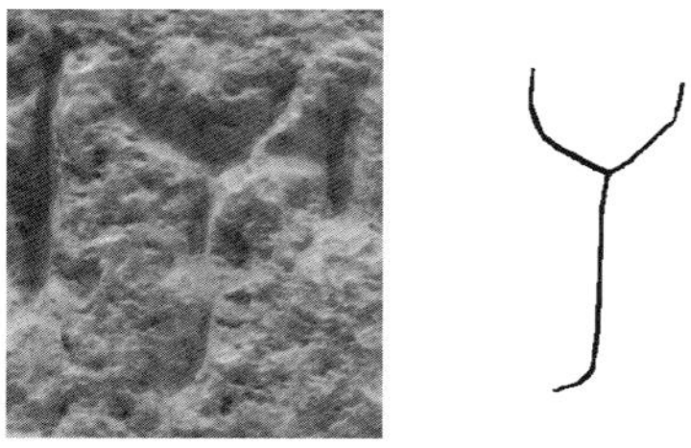

‹Z›

A 2
ZPʿL
H: 23 (17)
N: 1°
B: −17°
K: −14°

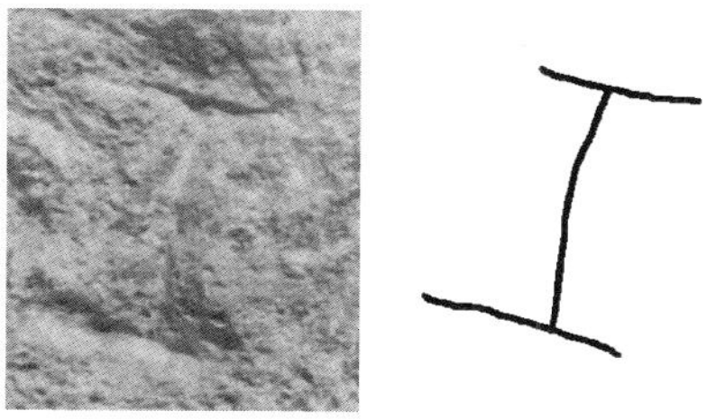

B 10
ZN
H: 21 (13)
N: −4°
B: 3°

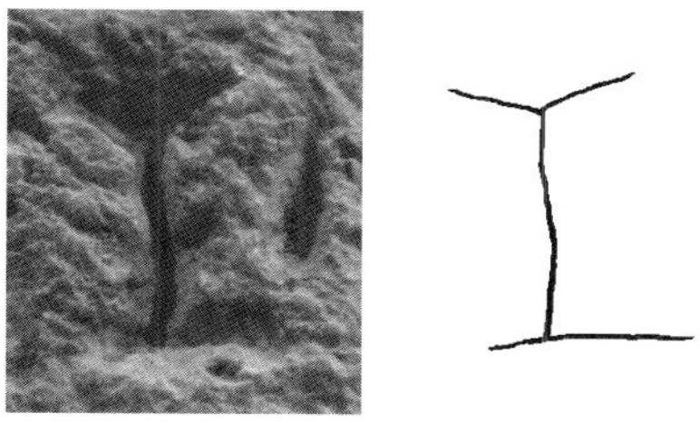

G 3
ZN
N: 8° ?
B: −9°
K: −6°

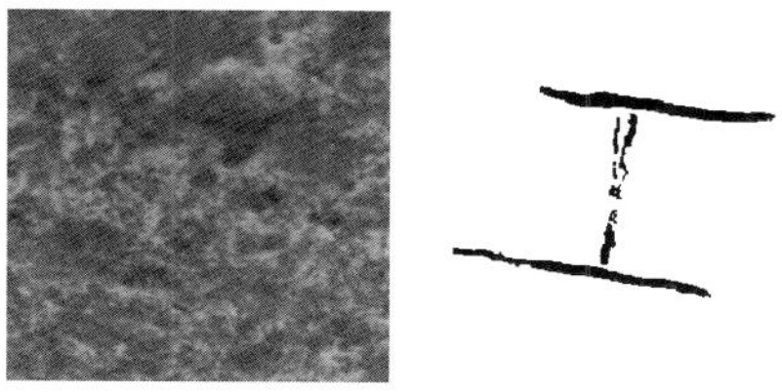

‹Ḥ›

N-Werte rechts / links
B-Werte unten / mitte / oben

A 4
BNʾḤRM
H: 25 (17)
N: 5°/4°
B: 17°/16°/15°

A 6
LʾḤRM
H: 35 (15)
N: 4°/3°
B: 8°/13°/17°

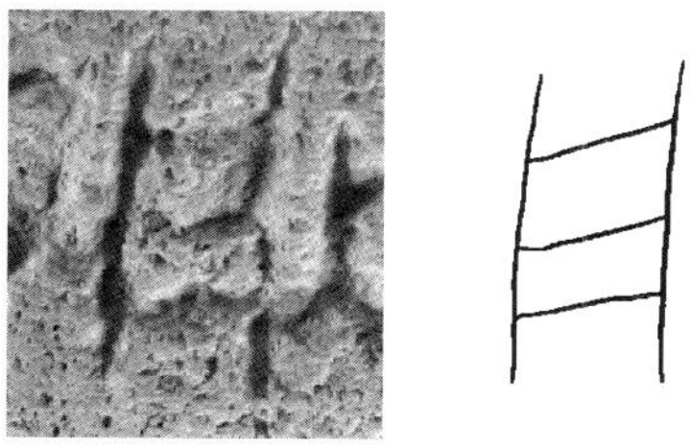

B 7
MḤNT
H: 26 (16)
N: 0°/1°
B: 7°/14°/22°

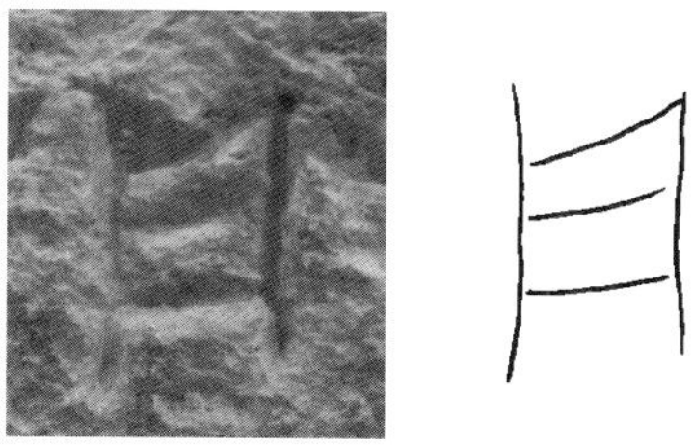

B 11
TḤTSP
H: 25 (14)
N: 0°/4°
B: 6°/14°/17°

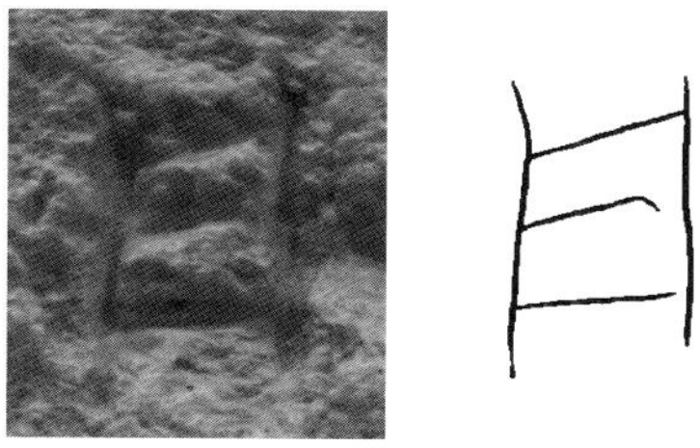

B 12
ḤTR
H: 23 (11)
N: 0°/−2°
B: 12°/12°/7°

B 17
WNḤT
H: 22 (13)
N: ~0°/−1°
B: 8°/11°/22°

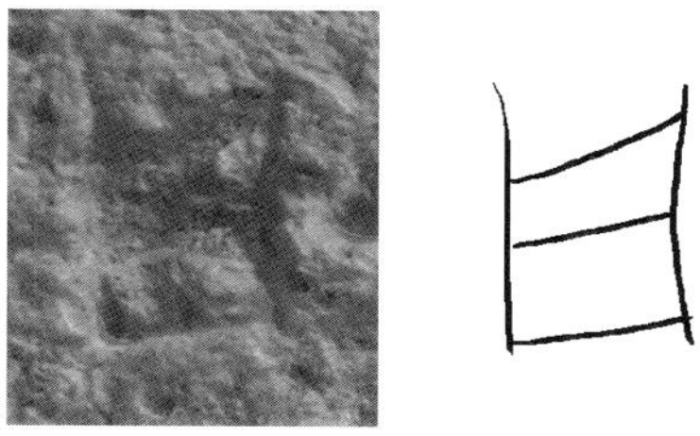

B 18
TBRḤ
H: 24 (14)
N: −8°/−6°
B: 18°/20°/22°

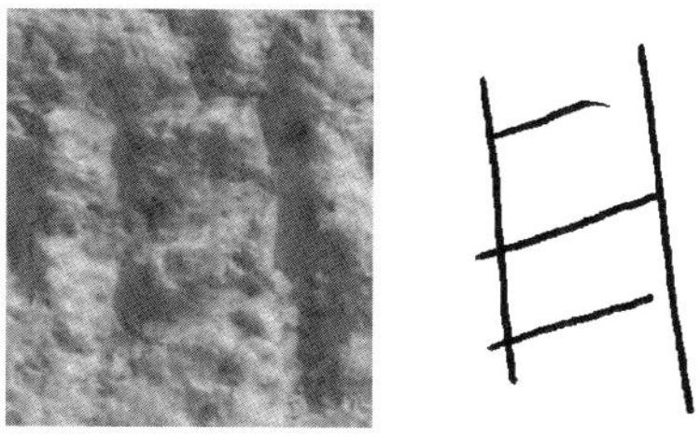

B 21
YMḤ
H: 21 (11)
N: 2°/0°
B: 13°/20°/16°

G 3
TḤT
N: 0°
B: 0°

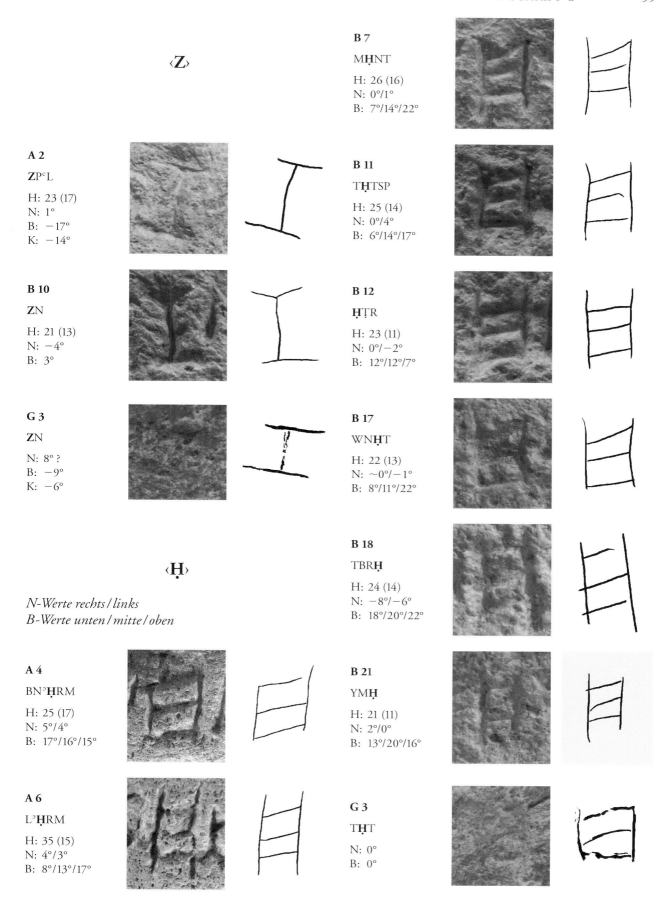

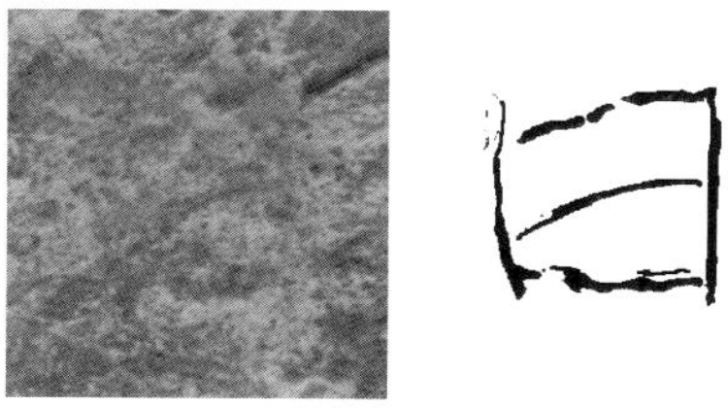

‹Ṭ›

B 12

ḤṬR

H: 20 (19)
N: −7°
B: 6°

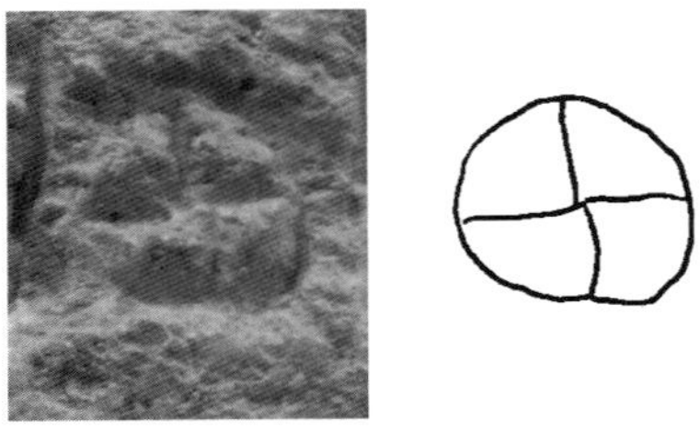

B 13

MŠPṬH

H: 19 (19)
N: ~4°
B: −7°

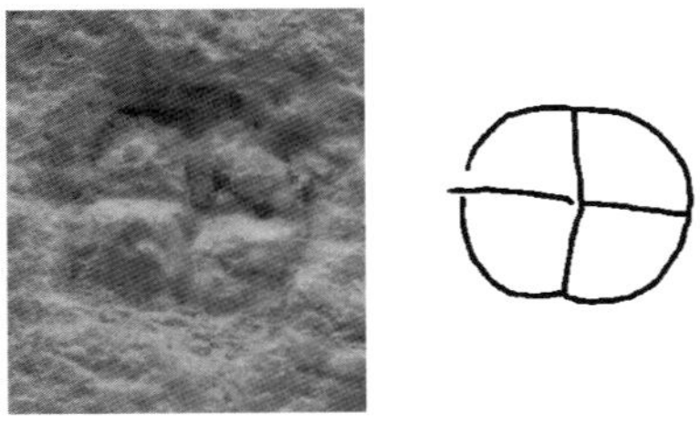

‹Y›

B_1 = Basislinie (unterste Horizontale)
B_2 = untere ‚Kopflinie' (Mittelstrich)
N_1 = Winkel des unteren Stammstrichs
N_2 = Winkel links über oberem Ende und unterer Ecke

B 8

ʿL**Y**

H: 23 (16)
N_1: 47°
N_2: ~16°
B_1: 2°
B_2: 2°

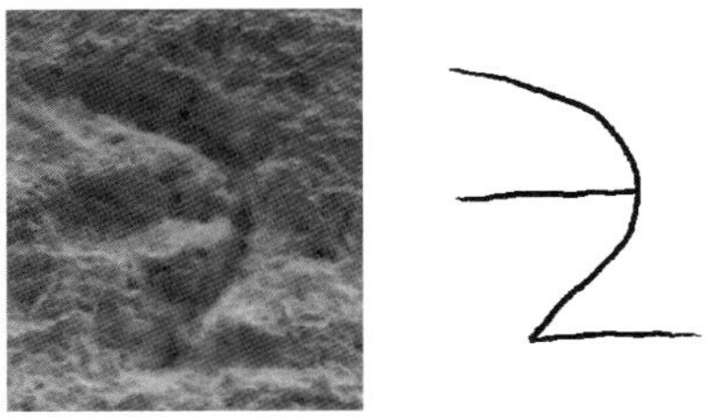

B 9

W**Y**GL

H: 22 (12)
N_1: 41°
N_2: −14°
B_1: 4°
B_2: 6°

B 21

YMḤ

H: 18 (21+)
N_1: ~15°
N_2: 42° (30°)
B_1: −15°
B_2: 0°

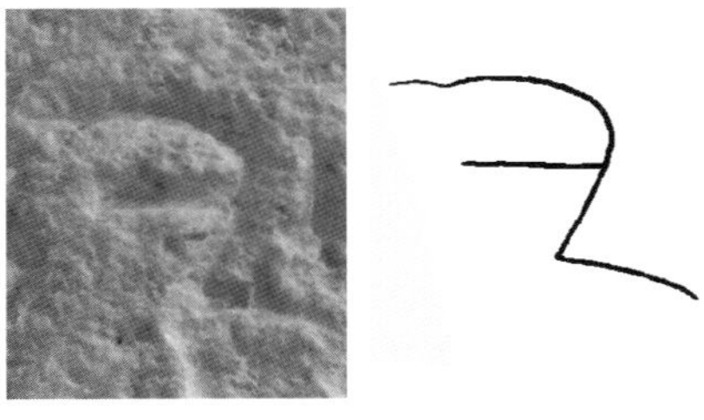

G 2

HN**Y**

N: 18°
B_1: −17°
B_2: 16°

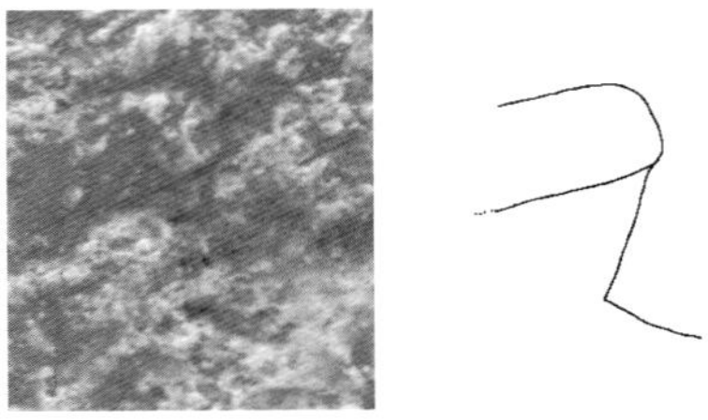

‹K›

N_1 – N_3: von rechts nach links

A 5

ML**K**GBL

H: 23 (18)
N_1: 44°
N_2: 15°
N_3: −8°

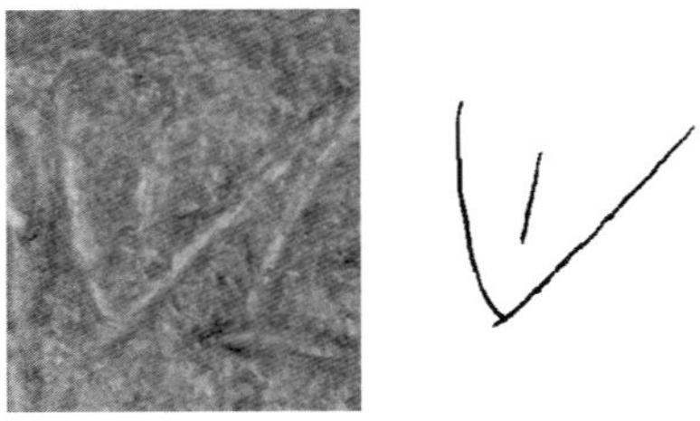

A 8

KŠTH

H: 23 (19)
N_1: 37°
N_2: 9°
N_3: −17°

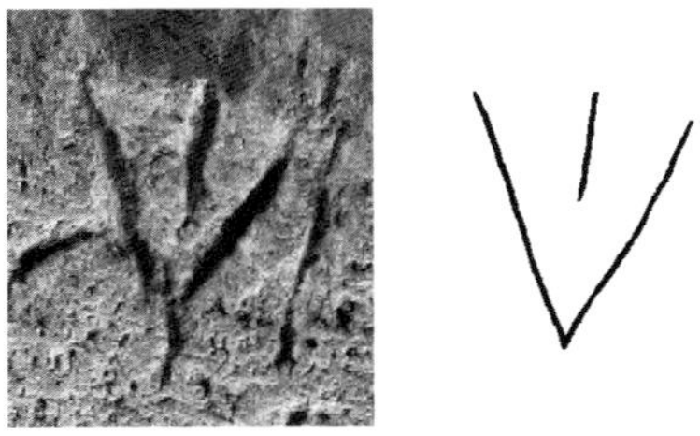

B 2

ML**K**

H: 23 (20)
N_1: 35°
N_2: 4°
N_3: −34°

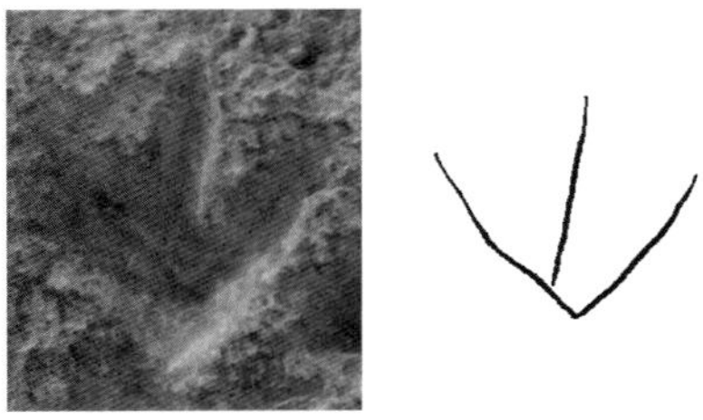

B 3

BML**K**M

H: 22 (24)
N_1: 50°
N_2: −4°
N_3: −34°

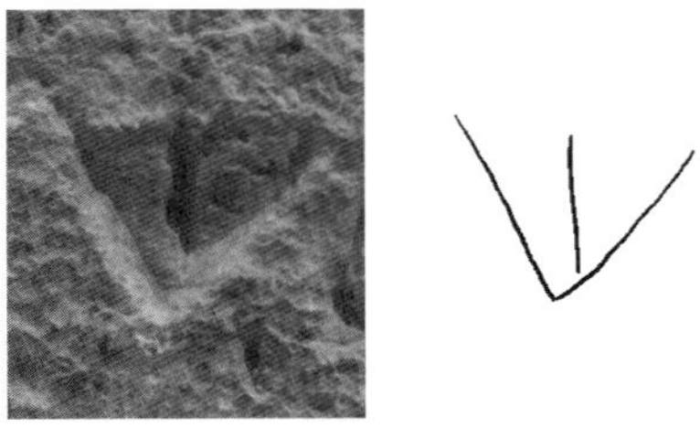

B 4

WS**K**N

H: 20 (22)
N_1: 40°
N_2: −5°
N_3: −24°

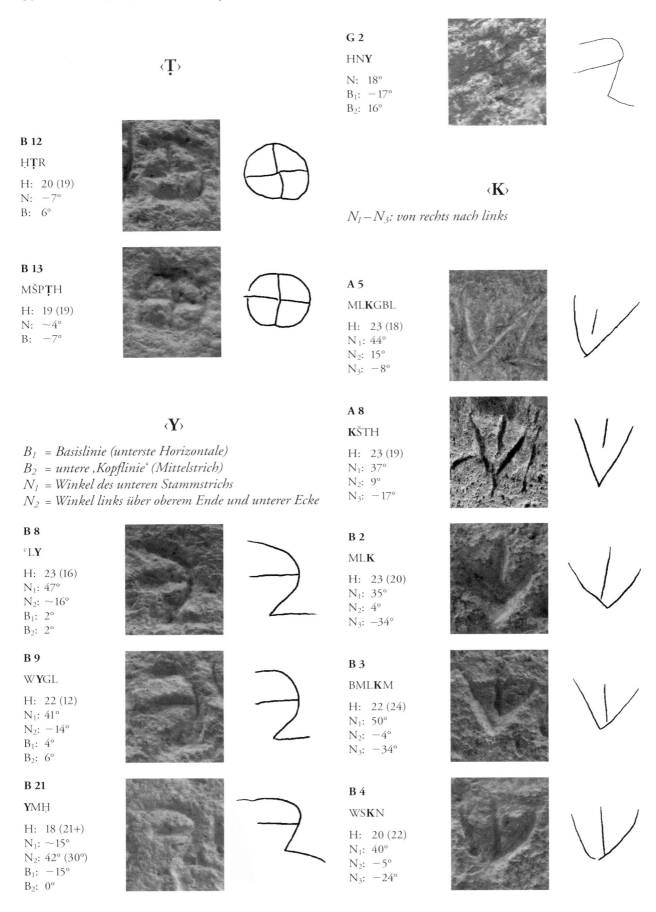

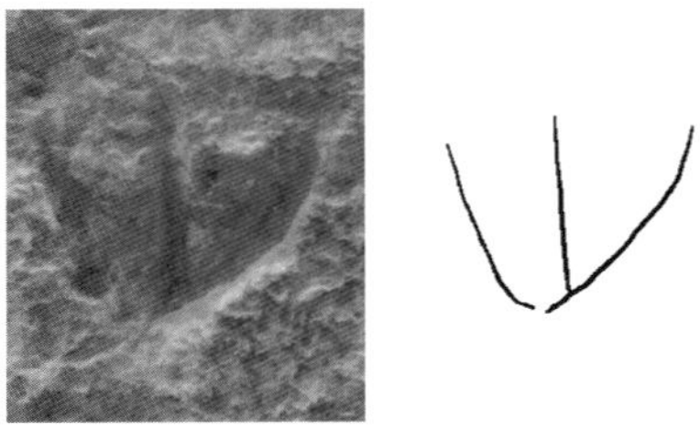

B 14

THTP**K**

H: 11 (13)
N_1: 53°/25°
N_2: −4°
N_3: −25°

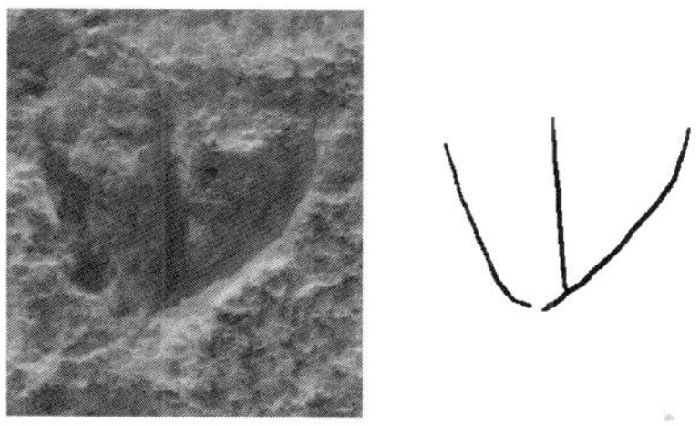

B 15

KSʾ

H: 15 (13)
N_1: 27°
N_2: −10°
N_3: −45°

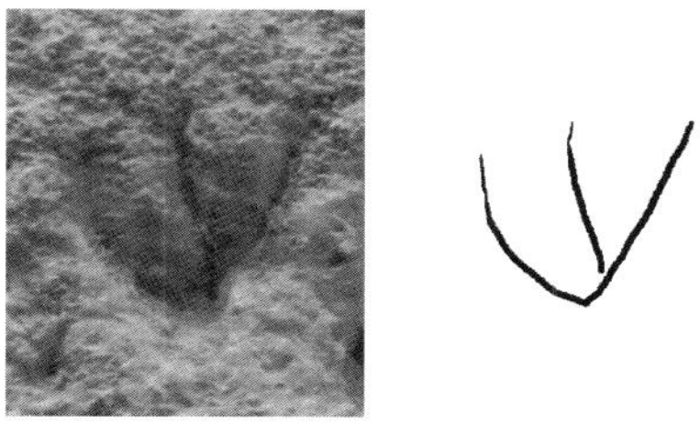

B 16

ML**K**H

H: 15 (17)
N_1: 43°
N_2: −10°
N_3: −30°

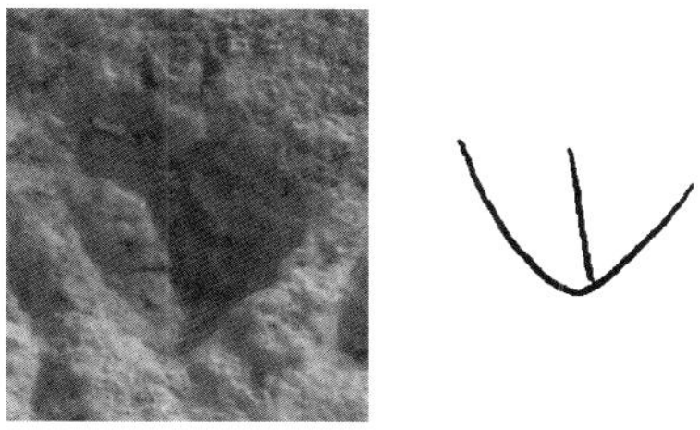

G 2

L**K**

N_1: 49°
N_2: 17°
N_3: −7°

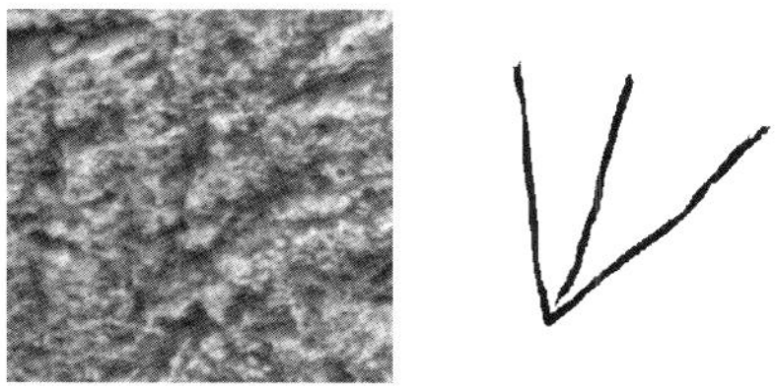

‹L›

Bei starker Krümmung gilt ggf. der erste Wert N für den oberen, der zweite für den unteren Abschnitt.

A 2

ZPʿ**L**

H: 25 (~20)
N: 52°
B: −8°

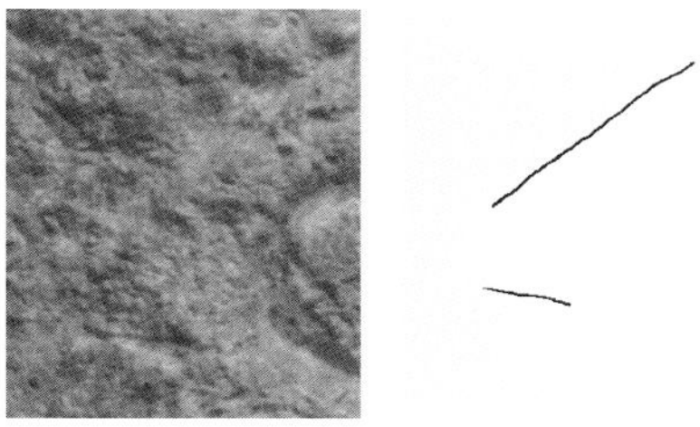

A 3

…]TBʿ**L**

H: 27 (19)
N: ~50°
B: ~2°

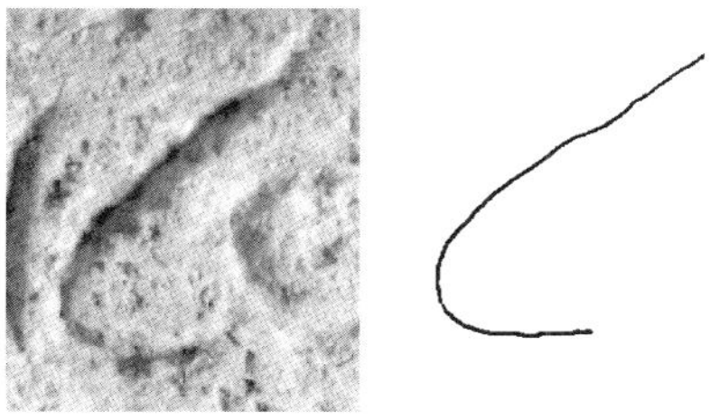

A 5-1

M**L**K

H: 29 (19)
N: 54°/23°
B: −9°

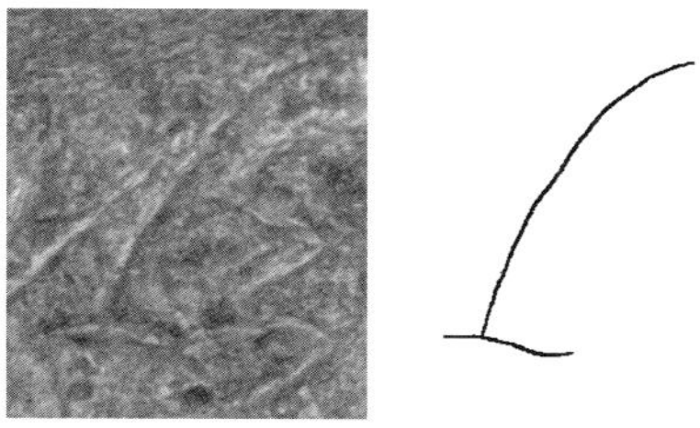

A 5-2

GB**L**

H: 29 (15)
N: 45°
B: 5°

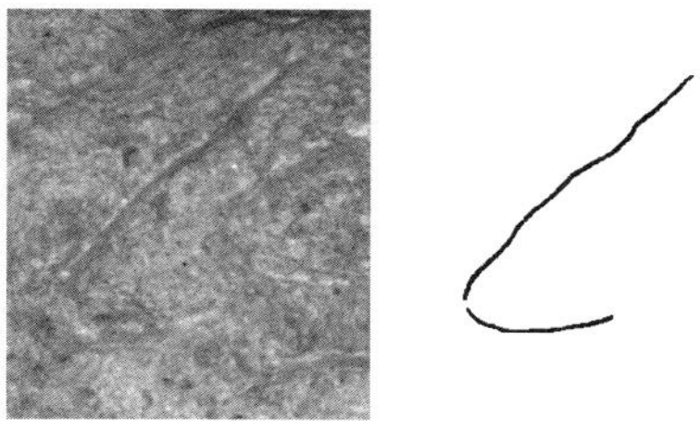

A 6

LʿḤRM

H: 30 (19)
N: 57°/34°
B: 25°

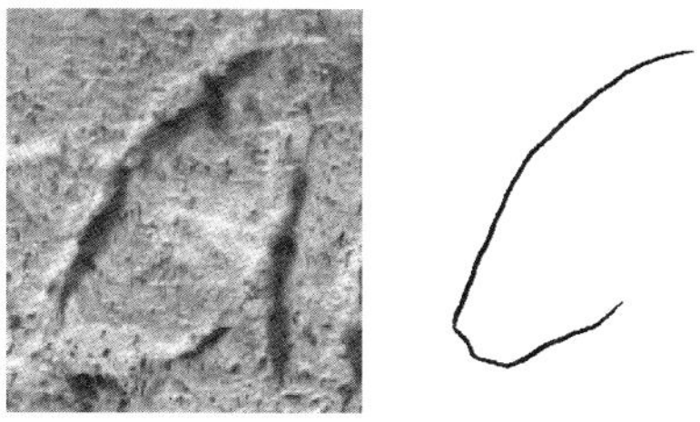

A 9

Bʿ**L**M

H: [>23] ([>14])
N: 17°
B: 6°

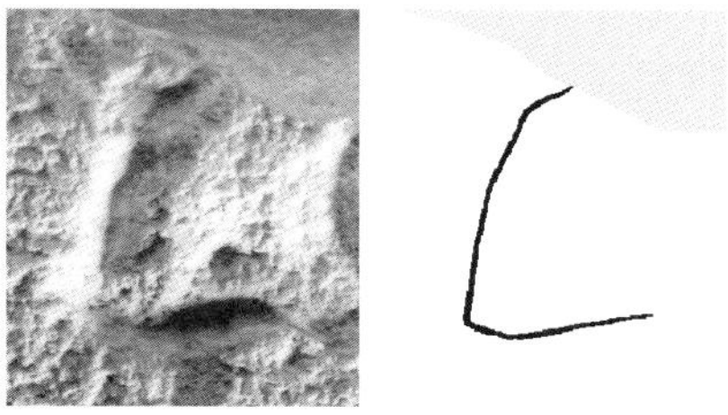

B 1

Wʾ**L**

H: 26 (20)
N: 34°
B: 7°

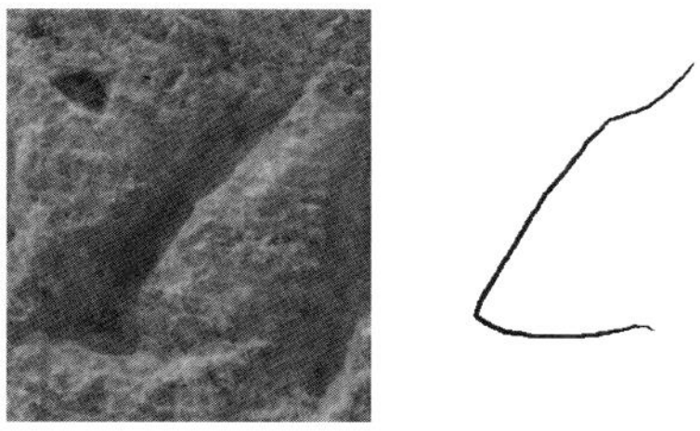

B 2

M**L**K

H: 30 (16)
N: 29°
B: 12°

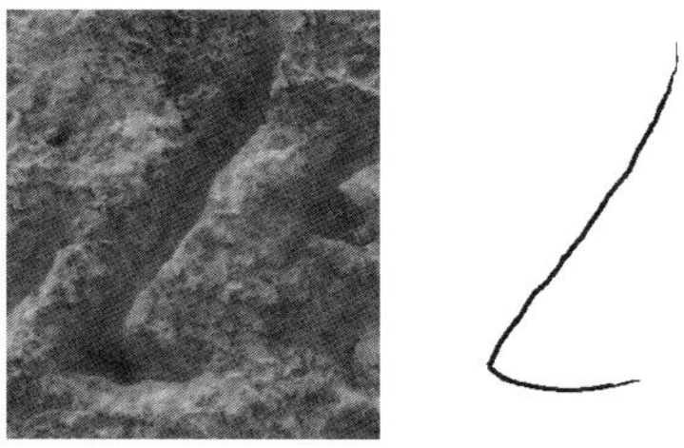

B 3

BM**L**KM

H: 29 (15)
N: 28°
B: 13°

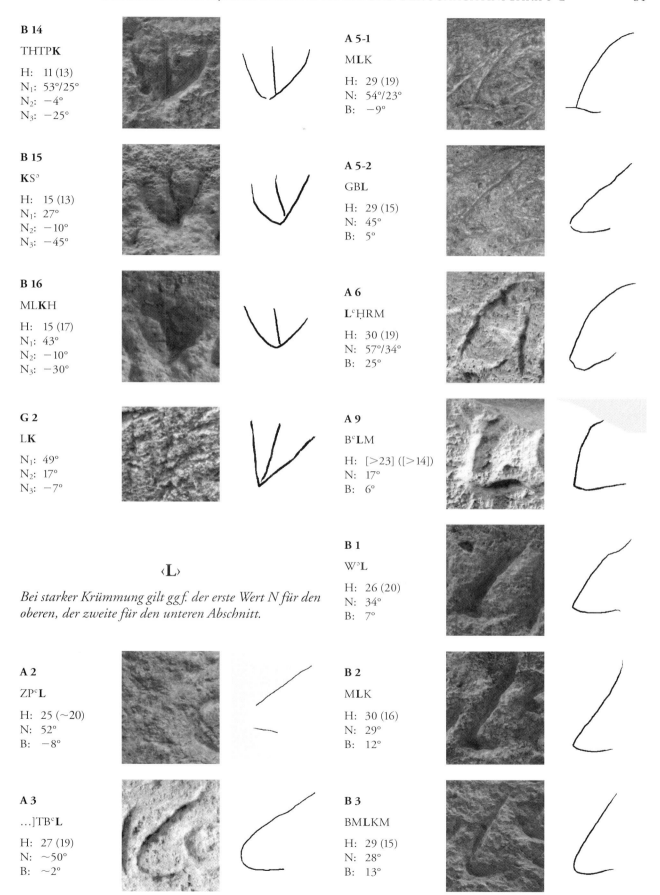

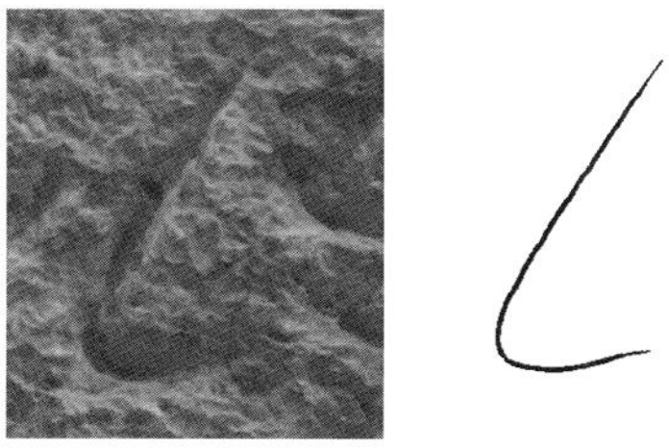

B 8-1

ᶜ**L**Y

H: 22 (17)
N: 46°/20°
B: 4°

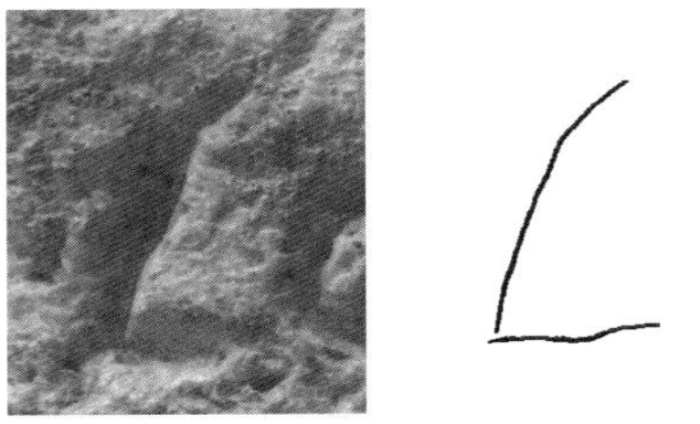

B 8-2

GB**L**

H: 24 (20)
N: 46°
B: −13°

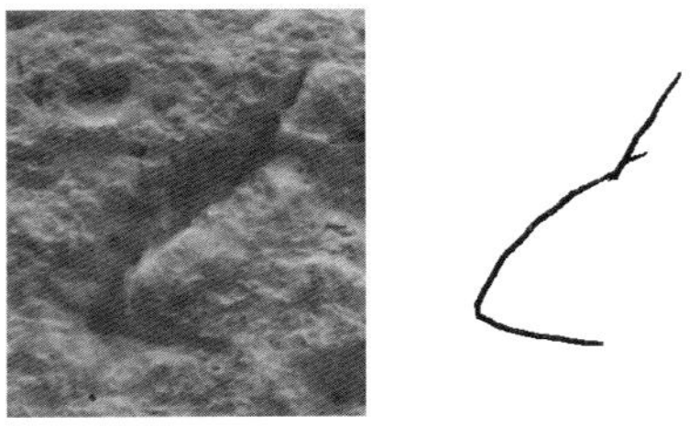

B 9

WYG**L**

H: 30 (17)
N: 33°
B: 0°

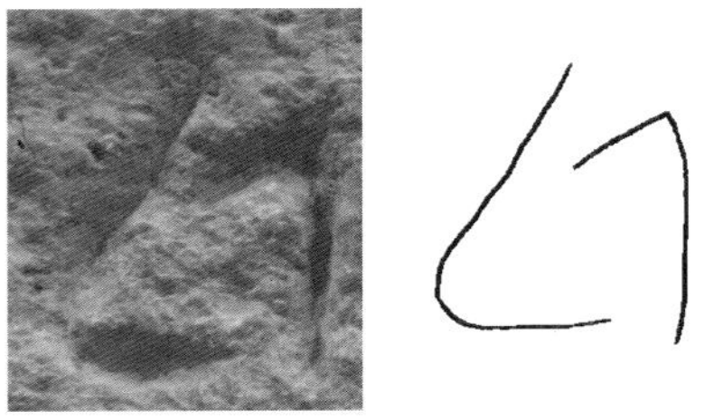

B 16

M**L**KH

H: 20 (9)
N: 29°
B: 5°

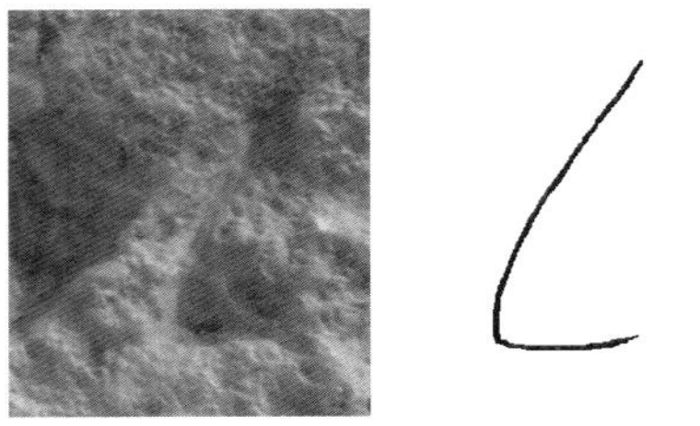

B 19-1

ᶜ**L**

H: 25 (17)
N: 33°
B: −17°

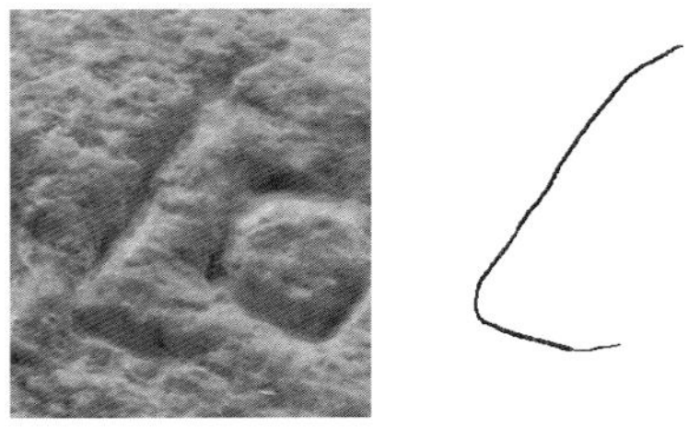

B 19-2

GB**L**

H: 24 (16)
N: 32°
B: ~−18°

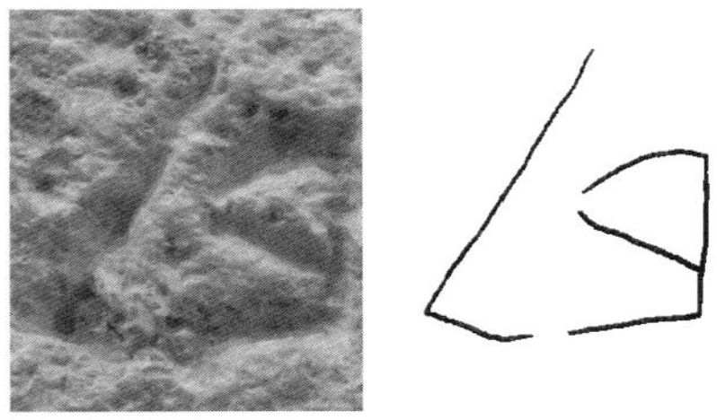

B 23-1

•**L**PP

H: 16 (12)
N: ~33°
B: ~15°

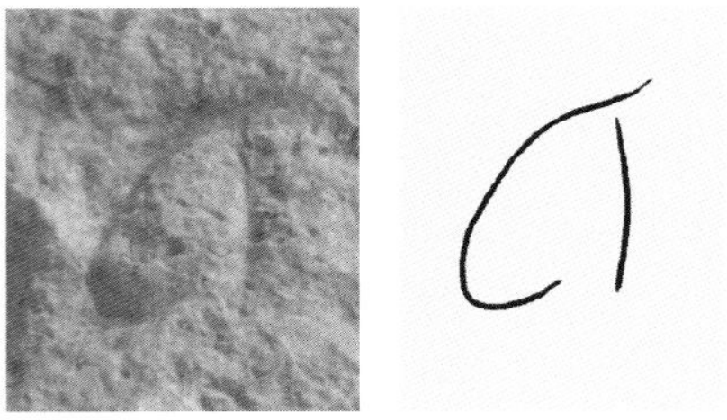

B 23-2

ŠR**L**

H: 13 (9)
N: ~24°
B: ~13°

G 1

LDᶜT

N: 33°
B: 13°

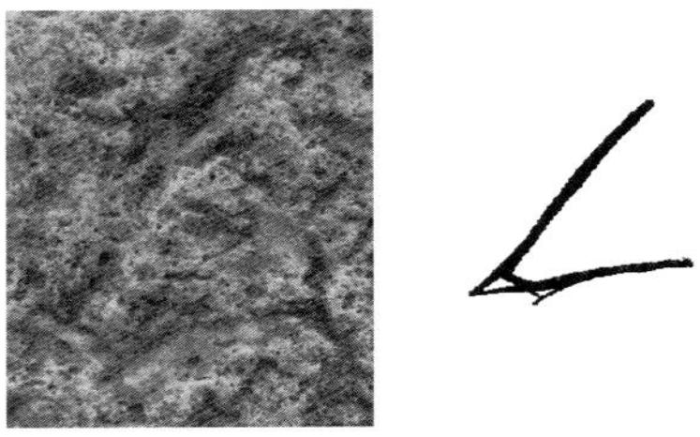

G 2

LK

N: 32°
B: 2°

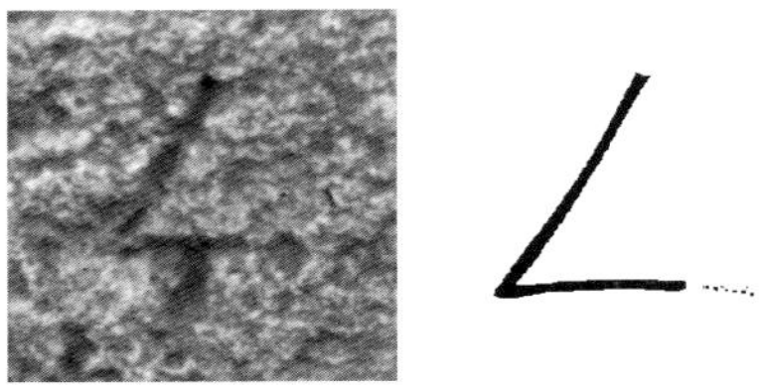

‹M›

Wert Nd: Ende links unten bis Spitze rechts oben (‚diagonal'); Wert Nr: unterste rechte Spitze bis Ende oben rechts (‚rechts'); Wert Nl: Ende links unten bis oberste linke Spitze (‚links')

A 4

BNᵓḤR**M**

H: 35 (11–15)
Nd: 27°
Nr: [0°]
Nl: 10°

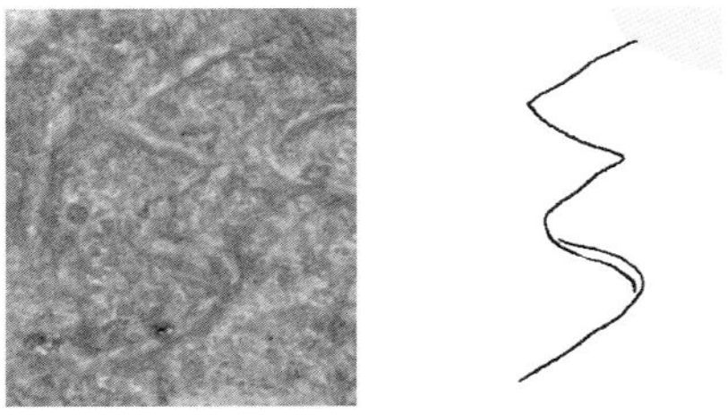

A 5

MLKGBL

H: 32 (12–17)
Nd: 25°
Nr: 0°
Nl: 18°

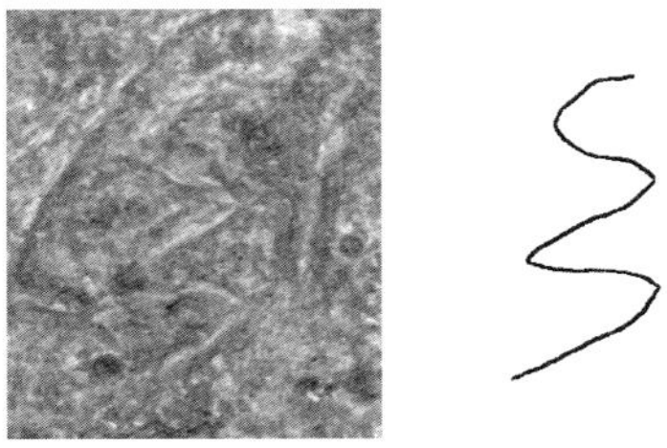

A 6

LᵓḤR**M**

H: 38 (14)
Nd: 27°
Nr: 10°
Nl: 8°

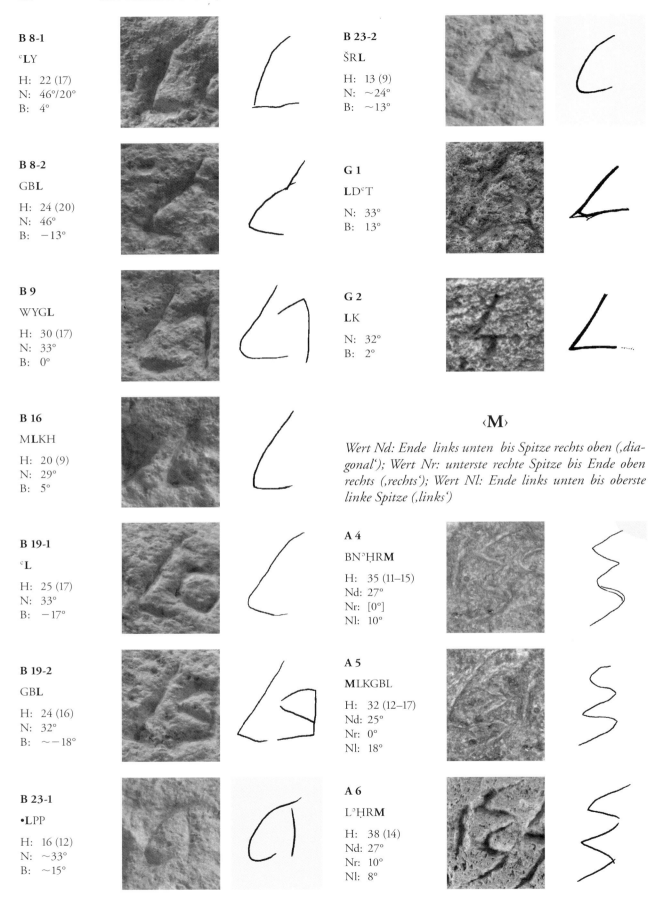

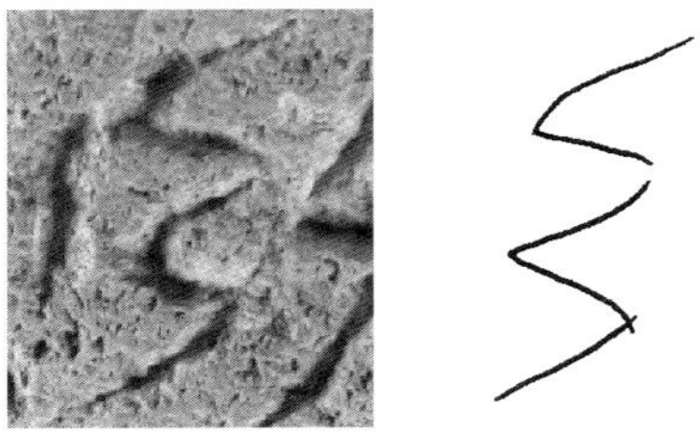

A 9

BʾL**M**

H: 34 (12–17)
Nd: 35°
Nr: 10°
Nl: 25°

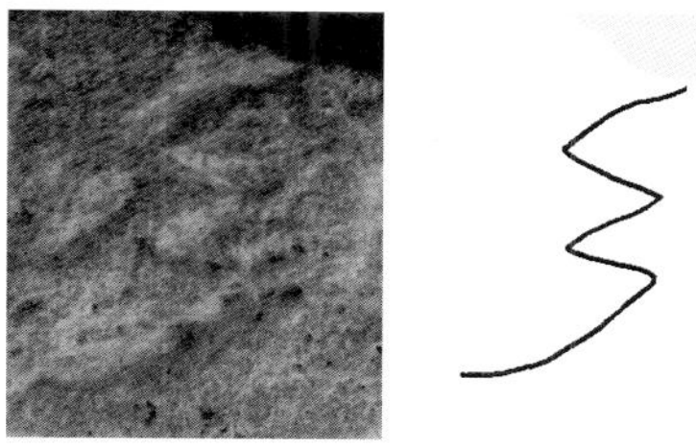

B 2

MLK

H: 42 (14)
Nd: 22°
Nr: 7°
Nl: 8°

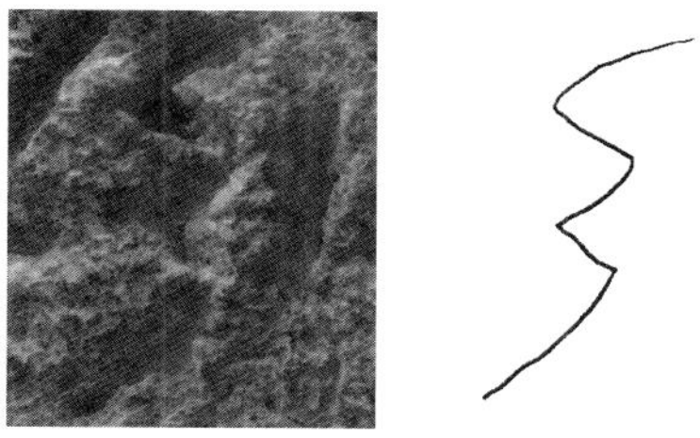

B 3-1

B**M**LKM

H: 44 (13)
Nd: 10°
Nr: −3°
Nl: −9°

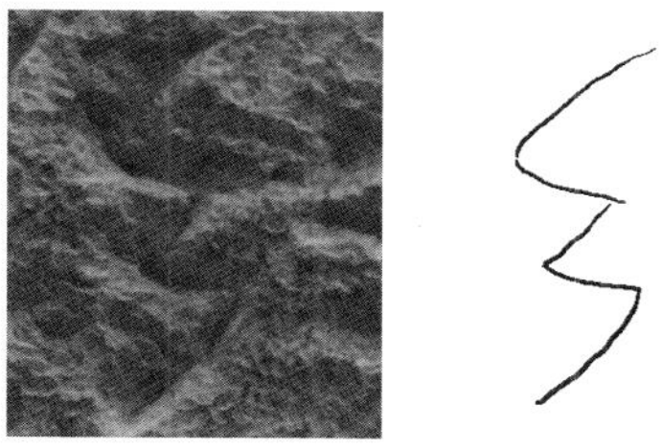

B 3-2

BMLK**M**

H: 35 (11)
Nd: 17°
Nr: 8°
Nl: 0°

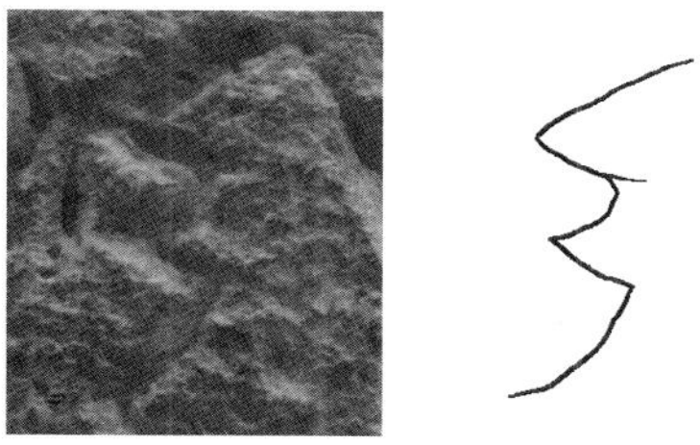

B 5

BSN**M**

H: 34 (9)
Nd: 16°
Nr: 3°
Nl: 1°

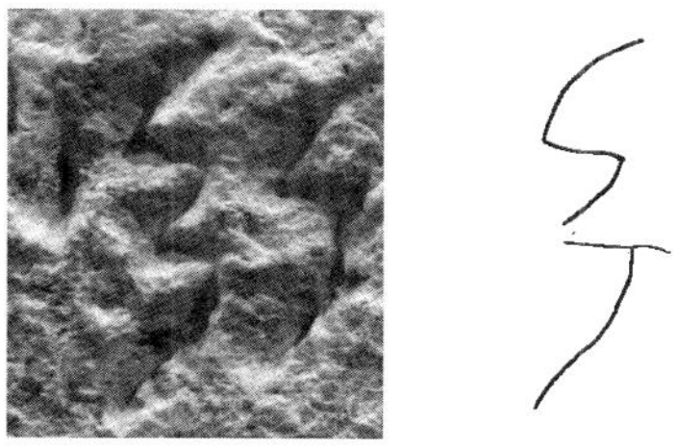

B 6

WT**M**ʾ

H: 38 (10)
Nd: 14°
Nr: 2°
Nl: −4°

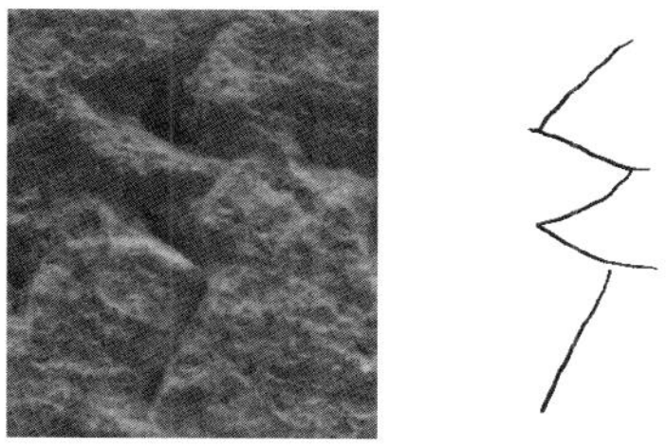

B 7

MḤNT

H: 33 (11)
Nd: 11°
Nr: 0°
Nl: −14°

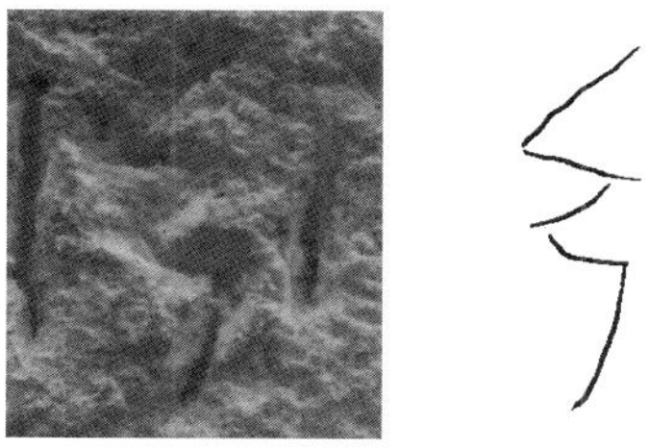

B 13

MŠPTH

H: 31 (15)
Nd: 34°
Nr: 27°
Nl: 0°

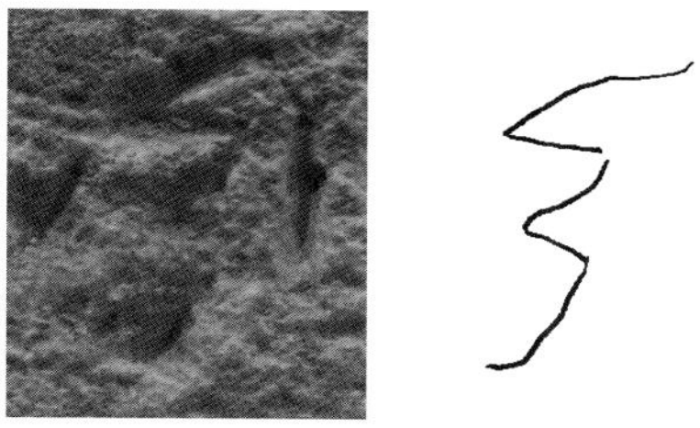

B 16

MLKH

H: 39 (8)
Nd: 16°
Nr: 11°
Nl: 4°

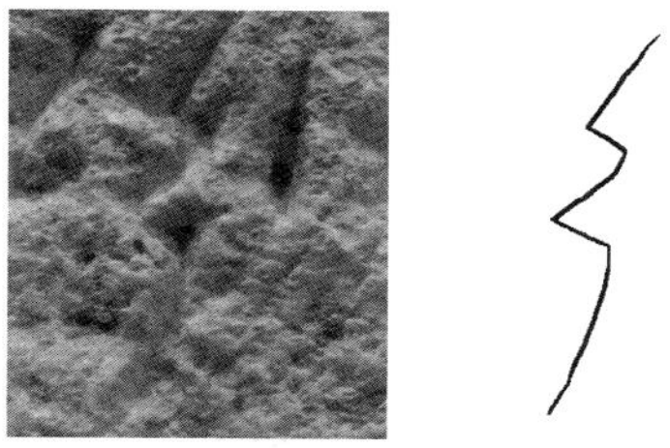

B 21

Y**M**Ḥ

H: 26 (10)
Nd: 12°
Nr: 0°
Nl: −7°

‹N›

N unterer (Stamm-) Neigungswinkel,
N_k Neigungswinkel im oberen (Kopf-) Bereich

A 1

ʾR**N**

H: 27 (12)
N: 49°
N_k: 52°
B: −30°

A 4

B**N**ʾḤRM

H: 25 (12)
N: 39°
N_k: 46°
B: −12°

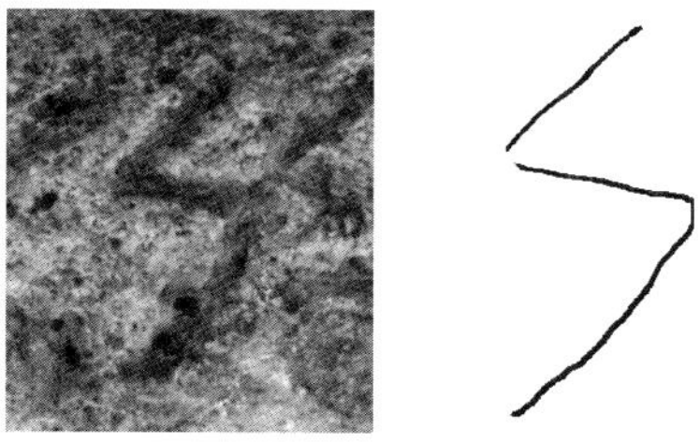

B 4

WSK**N**

H: 32 (16)
N: 17°
N_k: 43°
B: −17°

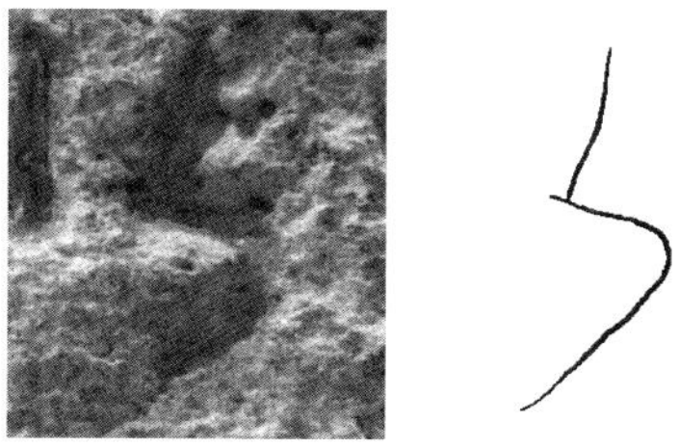

B 5

BS**N**M

H: 27 (11)
N: 36°
N_k: 10°/37°
B: −4°

B 7

MḤ**N**T

H: 29 (16)
N: 8°–50°
N_k: 61°
B: −10°

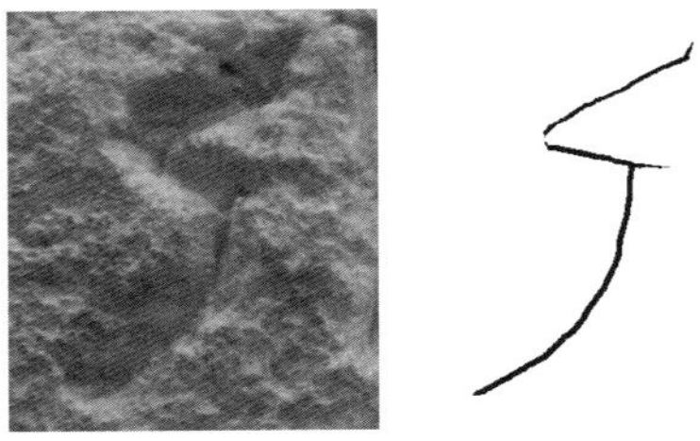

B 10-1

ʾR**N**

H: [29] (11)
N: 16°
N_k: 28°
B: 13°

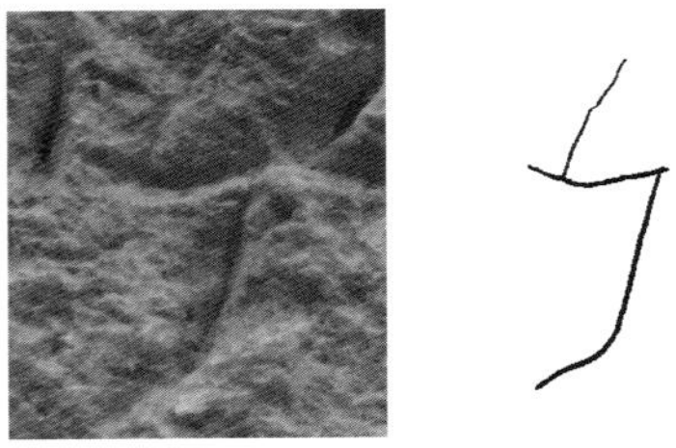

B 10-2

Z**N**

H: 28 (11)
N: 19°
N_k: 31°
B: 27°

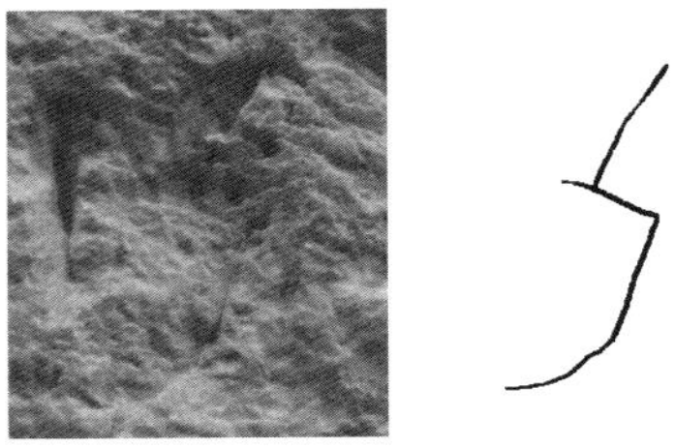

B 17

W**N**ḤT

H: 28 (8)
N: 30°
N_k: 36°
B: 4°

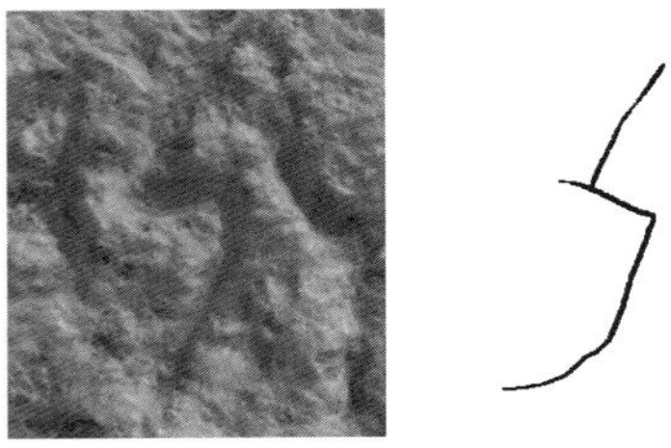

G 2

HN

N: 45°>
N_k: 50°
B: −25°

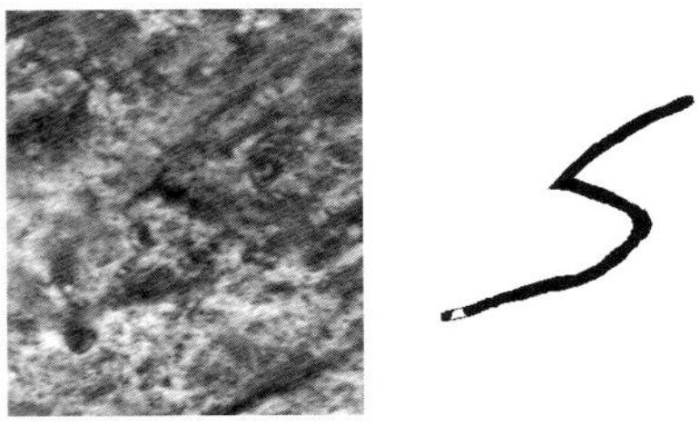

G 3

ZN

N: 30°
N_k: 32°
B: −33°

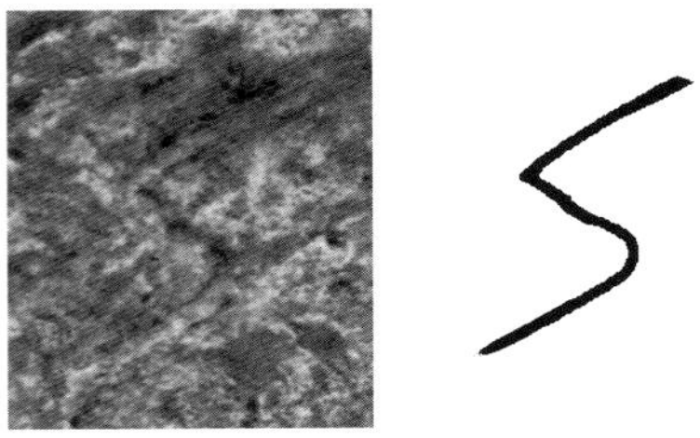

‹S›

B-Werte: Querstriche von unten nach oben

A 3 [?]

…]**S**BʿL

H: [>19] (13)
N: 5°
B: −15°

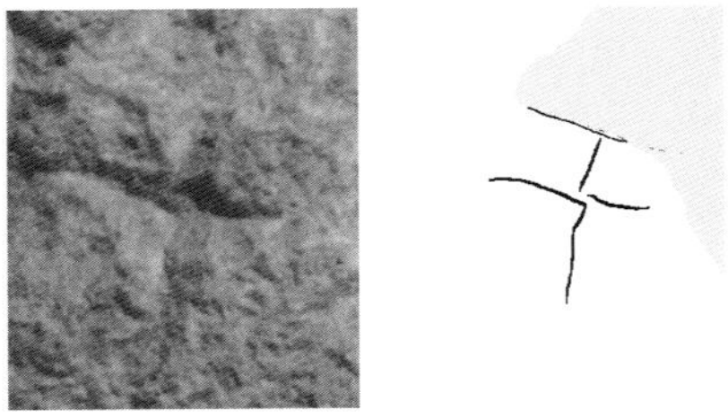

B 4

W**S**KN

H: 38 (22)
N: −7°
B: 3°/2°/2°

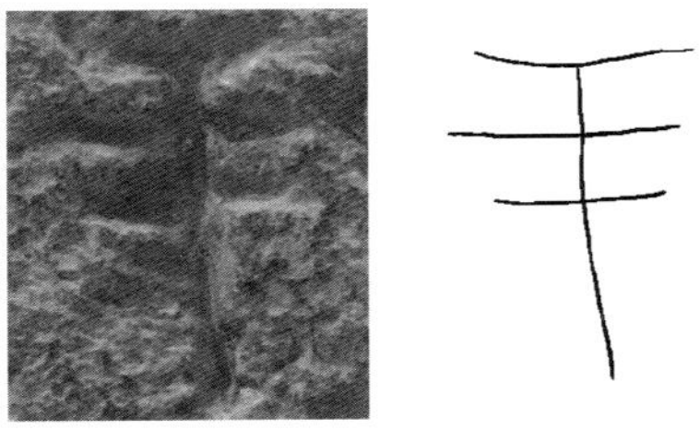

B 5

B**S**NM

H: 33 (20)
N: 0–2°
B: −4°/0°/−8°

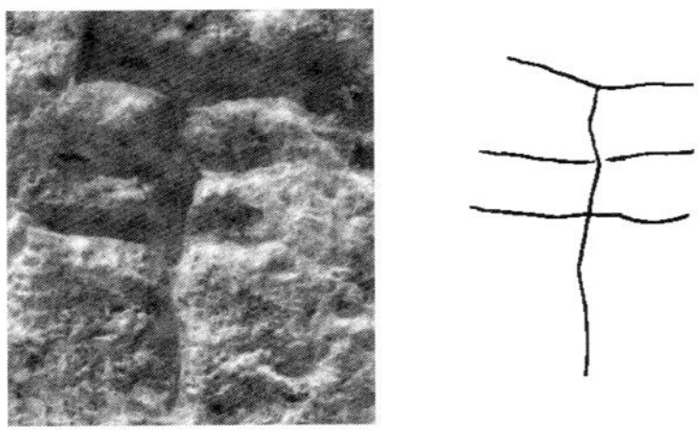

B 11

TḤT**S**P

H: 33 (20)
N: −7°
B: ~0°/2°/4°

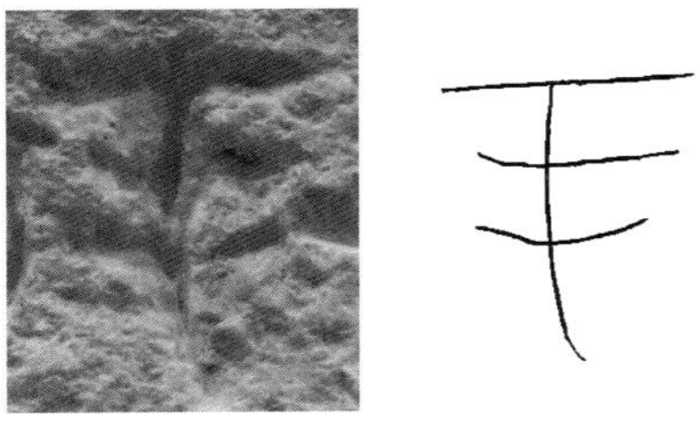

B 15

K**S**ʾ

H: 30 (19)
N: −4°
B: 7°/7°/5°

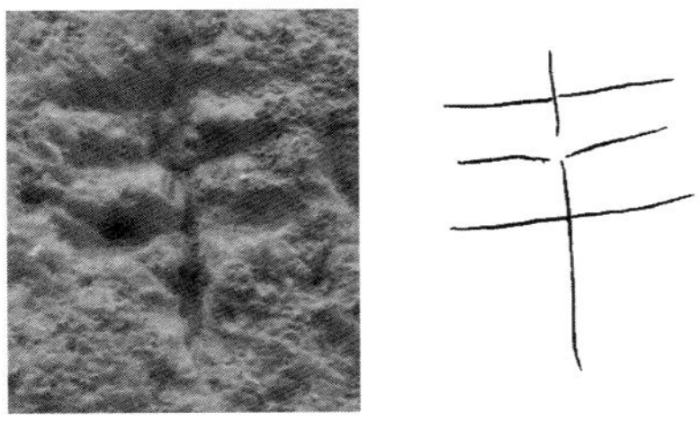

B 22

SPRH

H: 26 (10)
N: 3°
B: 15°/~7°/~−2°

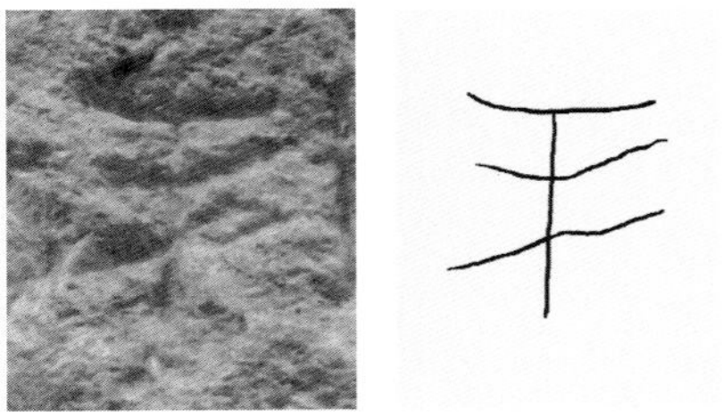

‹^{c}›

A 2
ZP^{c}L
∅: 15

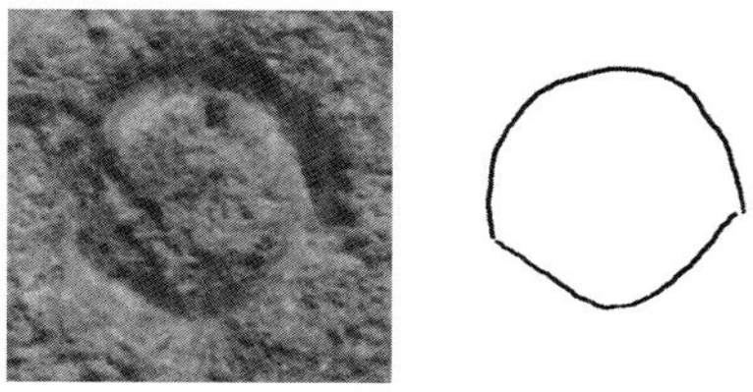

A 3
…]TB^{c}L
∅: 15

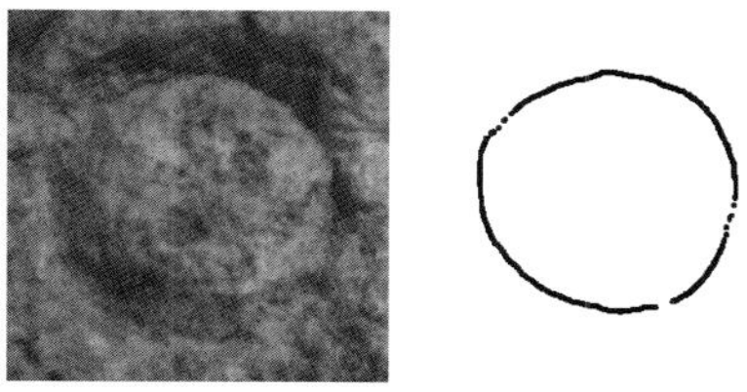

A 9
B^{c}LM
∅: 16

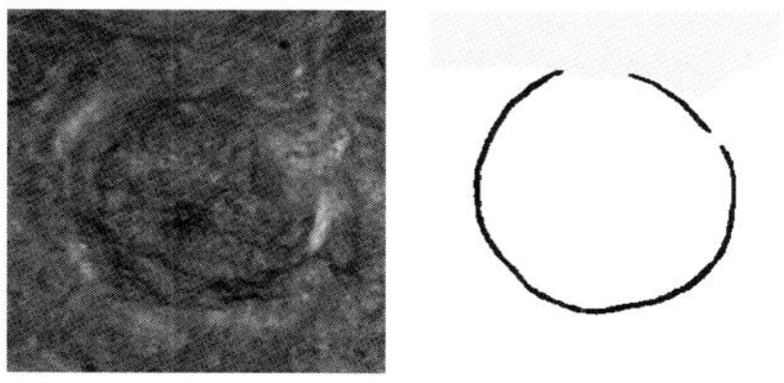

B 8
^{c}LY
∅: 15

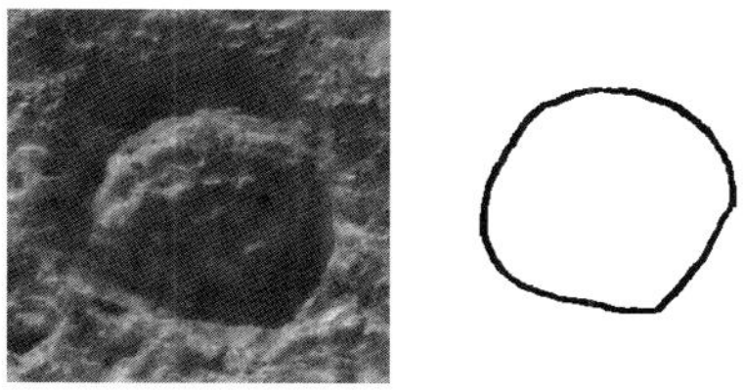

B 19
^{c}L•
∅: 12

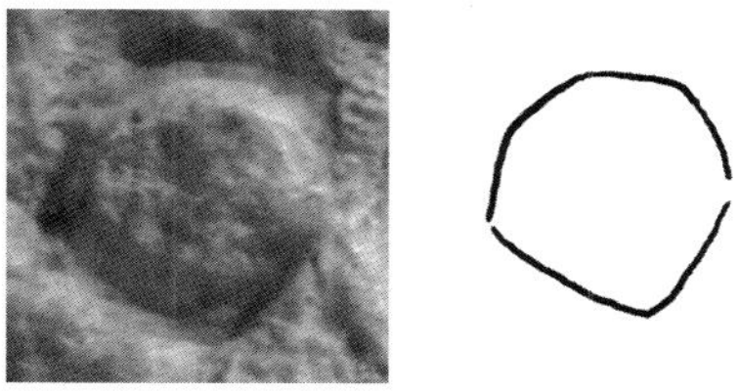

G 1
LD^{c}T

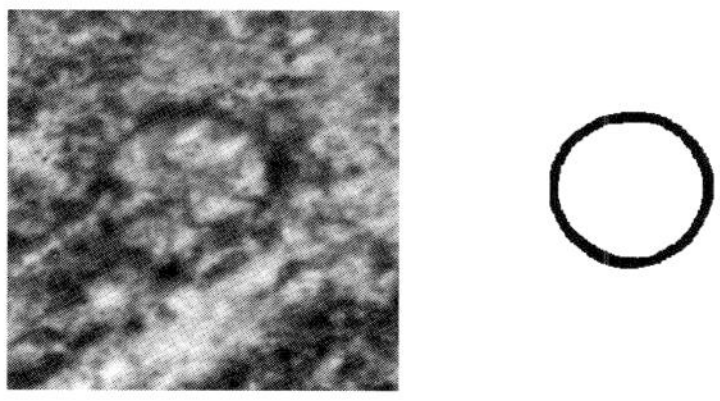

‹**P**›

N über oberem und unterem linken Ende

A 4
Z**P**^{c}L
H: 27 (16)
N: 14°

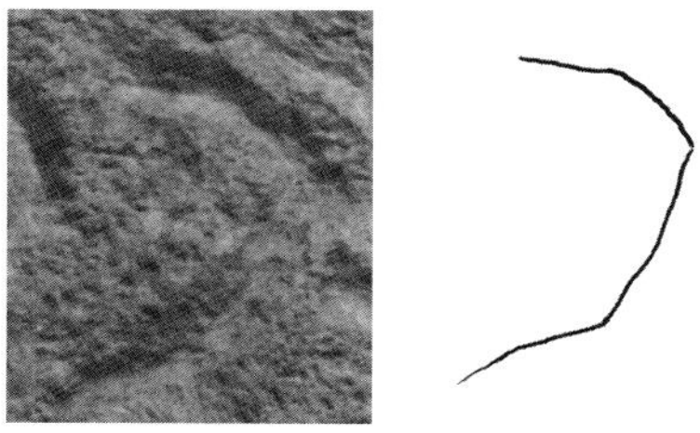

B 11
TḤTS**P**
H: 26 (11)
N: 11°

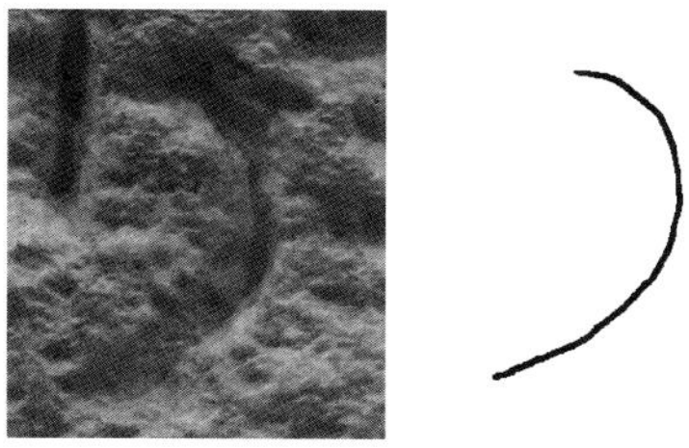

B 13
MŠ**P**ṬH
H: 27 (14)
N: 15°

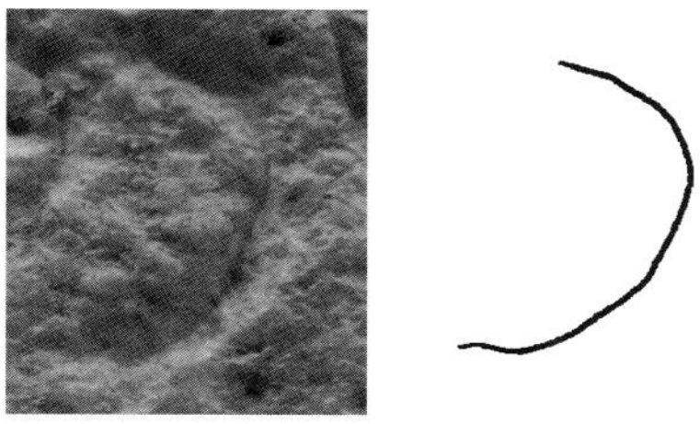

B 14
THT**P**K
H: 25 (11)
N: 6°

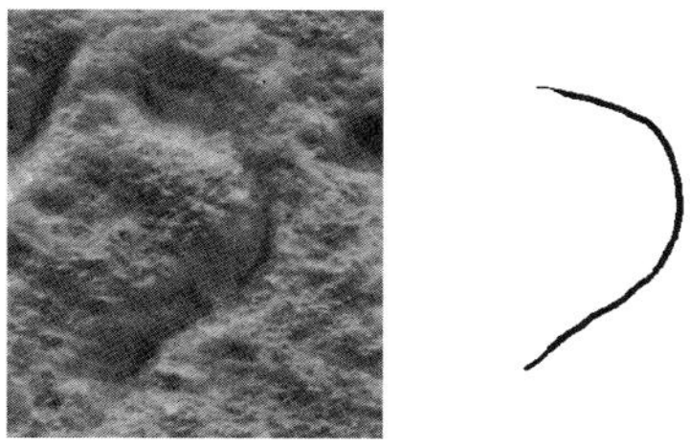

B 22
S**P**RH
H: 19 (10)
N: −9°

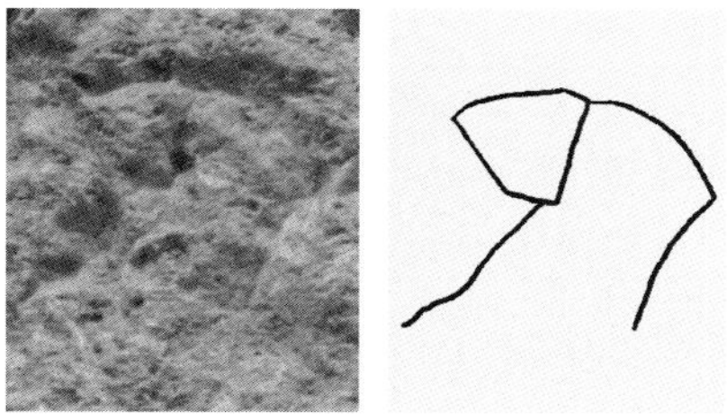

B 23-1/2
L**PP**
H: 26/27
N: 0°/24°

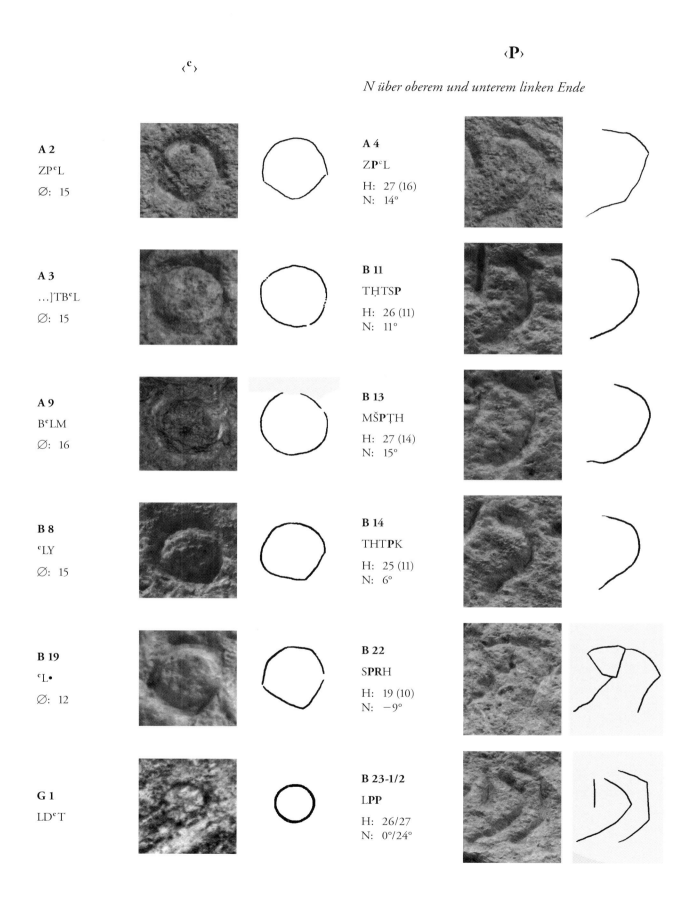

‹**Q**›

G 2

QD

N: −7°

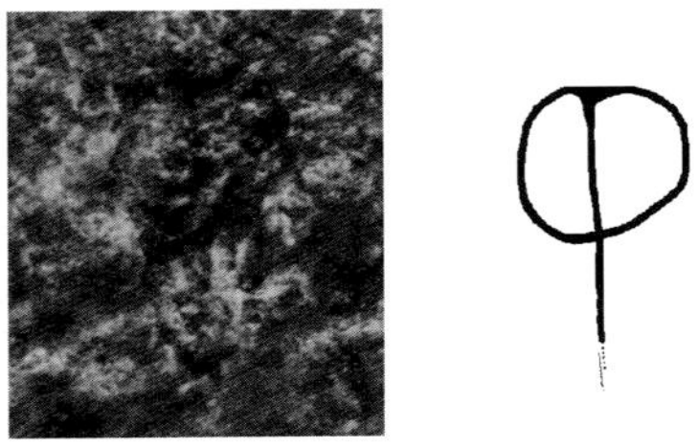

‹**R**›

Bei zwei N-Werten bezieht sich der erste in ( ) ggf. auf den oberen ‚Stamm'teil im Kopfbereich, der zweite auf den unteren, eigentlichen Stamm.

A 1

ʾ**R**N

H: 29 (20)
N: ~30°
B: −17°

A 4

BNʾḤ**R**M

H: 29 (15)
N: 11°/27°
B: −16°

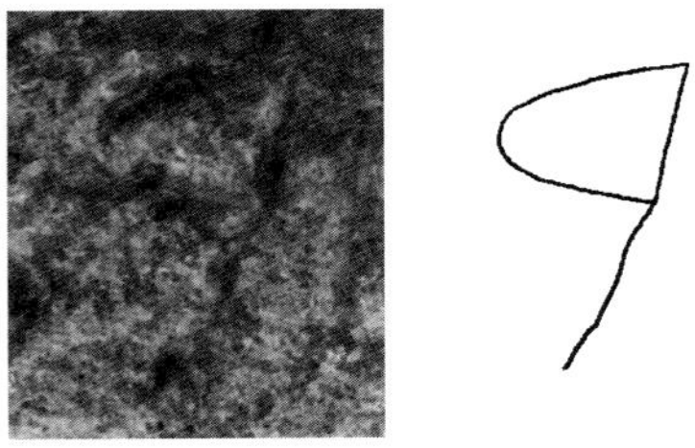

A 6

LʾḤ**R**M

H: 34 (14)
N: (8°) 33°
B: −16°

B 10

ʾ**R**N•ZN

H: 35 (17)
N: (−2°) 19°
B: −16°

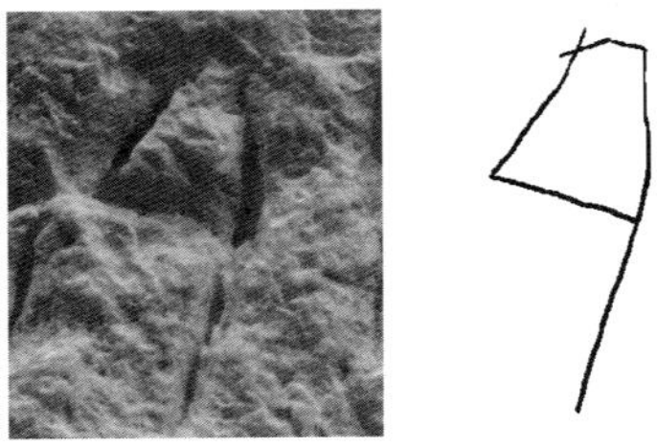

B 12

ḤṬ**R**

H: 29 (12)
N: (0°) 12°+
B: −8°

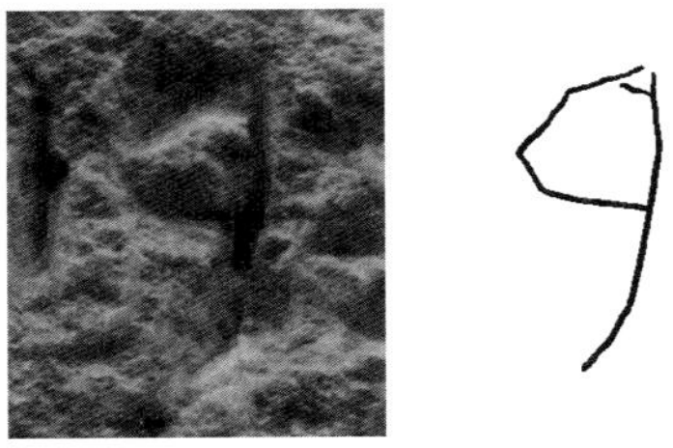

B 18

TB**R**Ḥ

H: 28 (11)
N: (11°) 17°
B: −27°

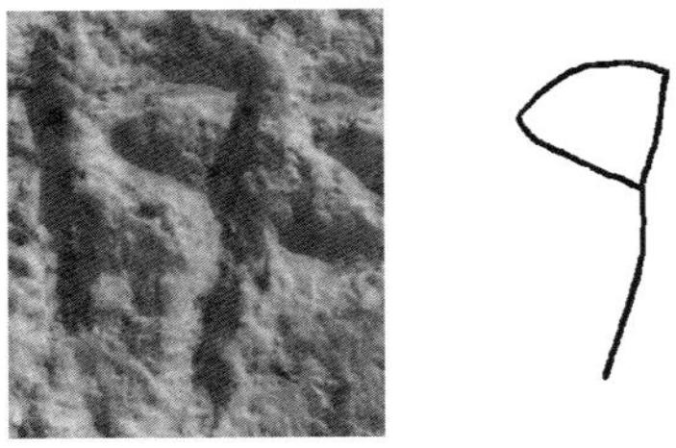

B 22

S**PR**H

H: 19 (10)
N: (17°) 47°
B: −55°

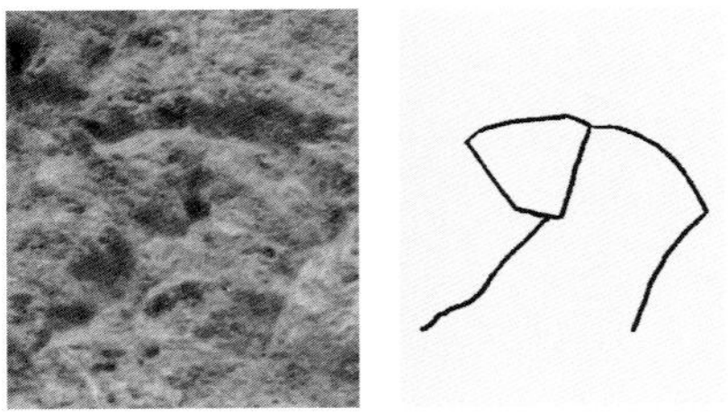

B 23

LPP•Š**R**L

H: 22 (12)
N: (10°) 29°
B: −24°

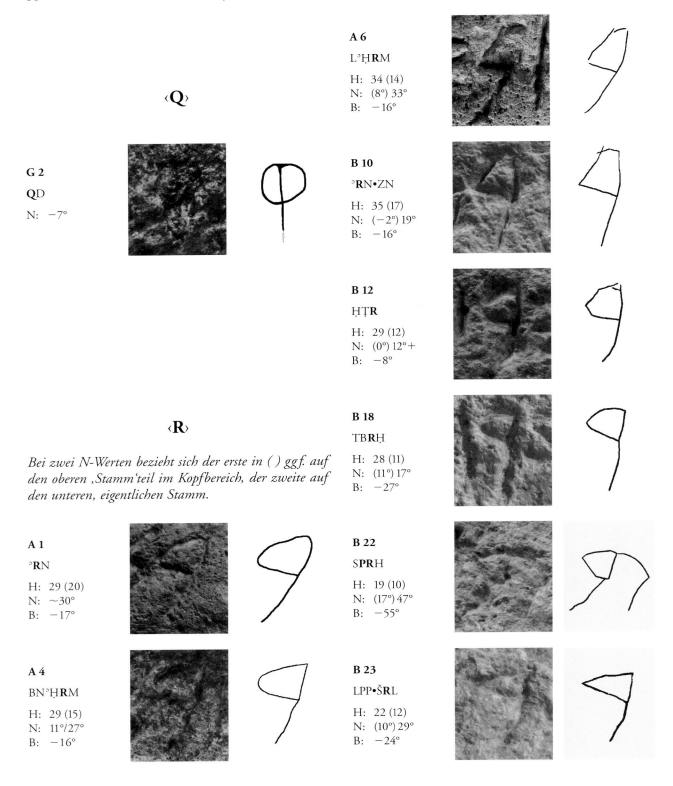

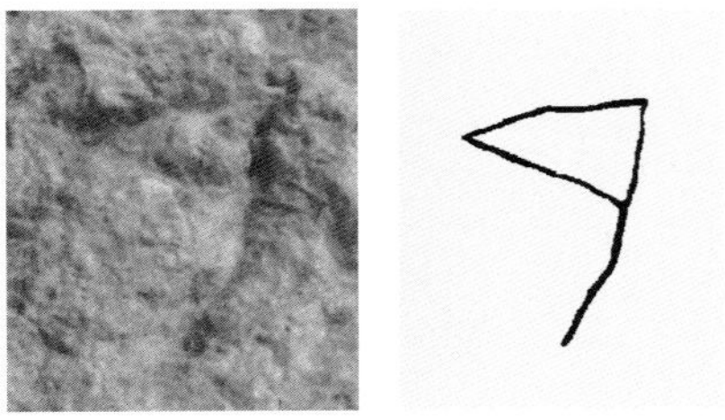

‹Š›

S = Schenkelneigung von rechts nach links
B über die unteren Ecken (bezogen auf x-Achse)

A 8
K**Š**TH
H: 21 (30)
S: 43°/–14°/
55°/–2°
B: –17°

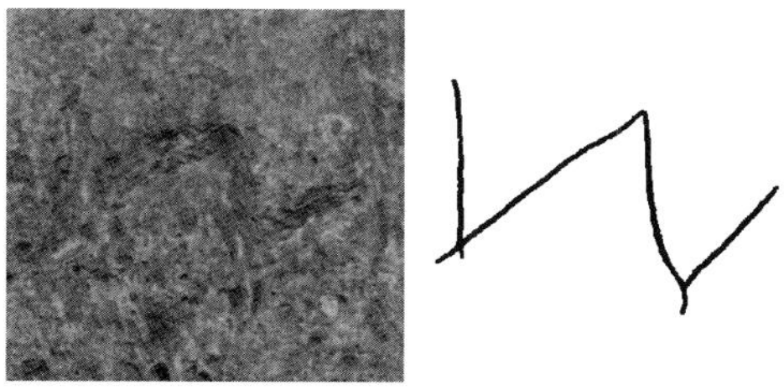

B 13
M**Š**PṬH
H: 16 (25)
S: 29°/–28°/
37°/–27°
B: –4°

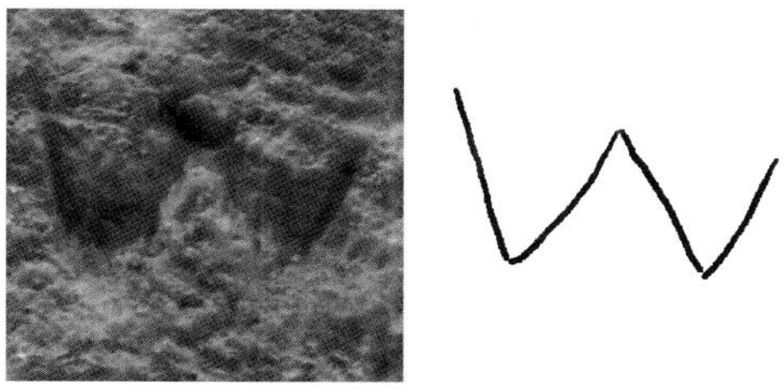

B 23
LPP•**Š**RL
H: 9 (16)
S: 32°/–24°/
39°/–32°
B: –5°

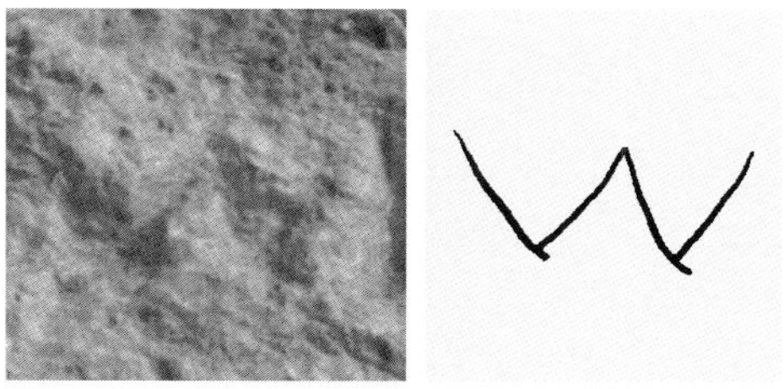

‹T›

A 3 [?]
…]**T**Bᶜ L
H: [19] (13)
N: 5°
B: –15°

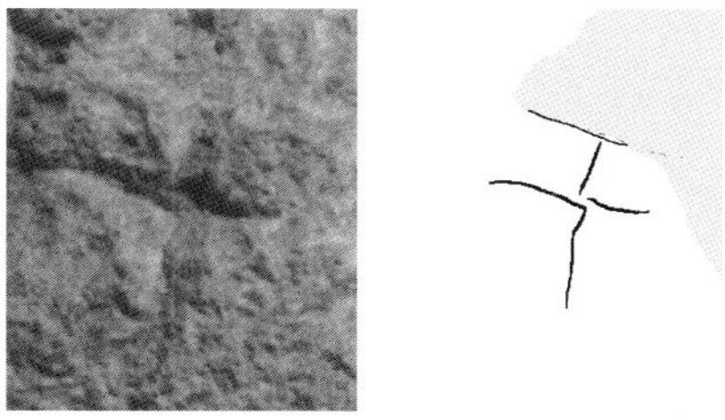

A 8
KŠ**T**H
H: 27 (20)
N: 7°
B: +21°

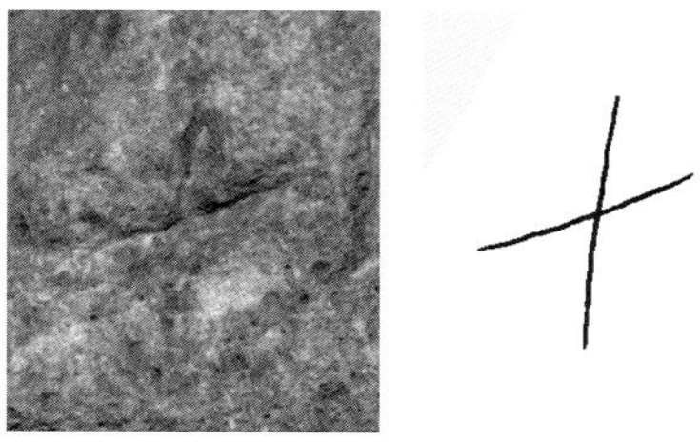

B 6
W**T**Mʾ
H: 19 (15)
N: 0°
B: –10°

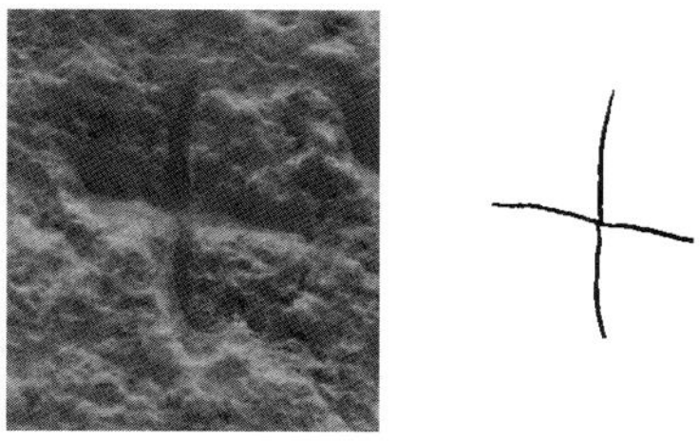

B 7
MḤN**T**
H: 22 (19)
N: 4°
B: 0°

B 11-1
TḤTSP
H: 19 (16)
N: 8°/25°
B: –11°/10

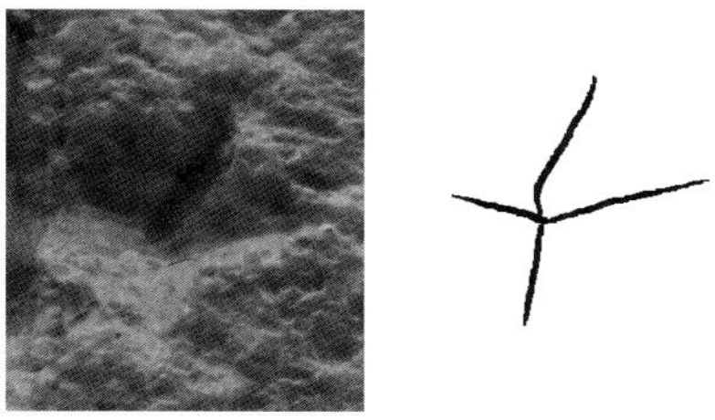

B 11-2
TḤ**T**SP
H: 22 (18)
N: 7°
B: –10°/5°

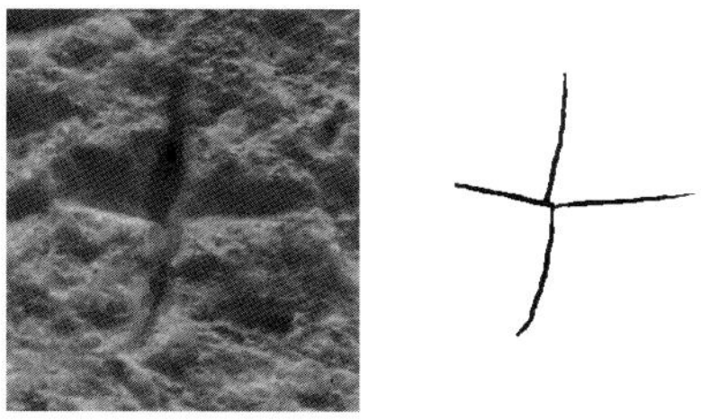

B 14-1
THTPK
H: 17 (17)
N: –10°
B: 11°

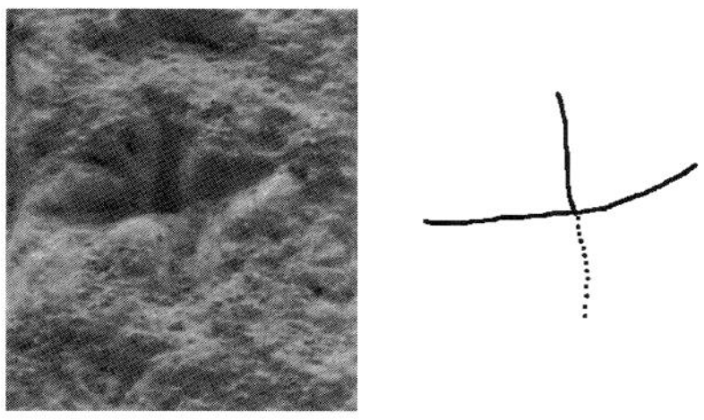

B 14-2

TH**T**PK

H: 19 (17)
N: 3°
B: −3°

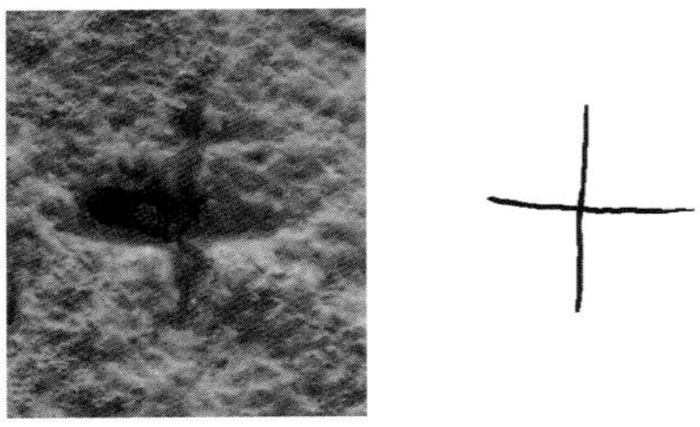

G 1

LDʿ**T**

N: 5°
B: −15°

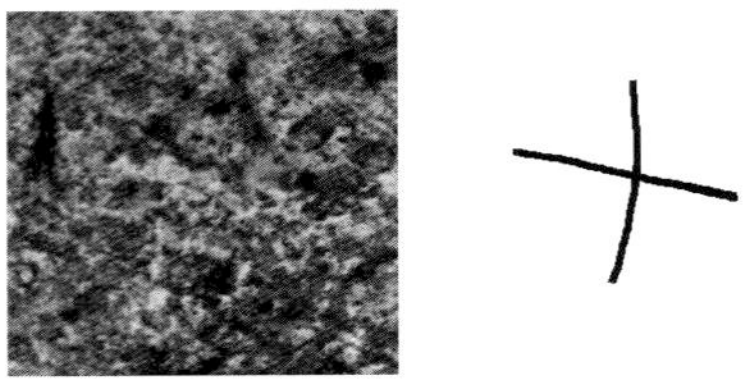

B 17

WNḤ**T**

H: 22 (18)
N: 2°
B: −10°/8°

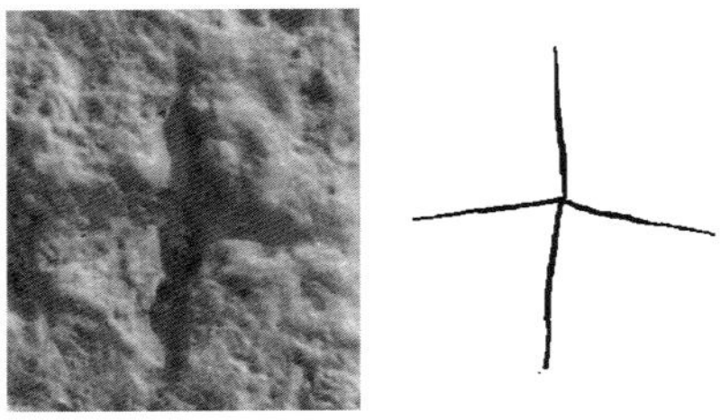

G 3-1

TḤT

N: −7°
B: 12°

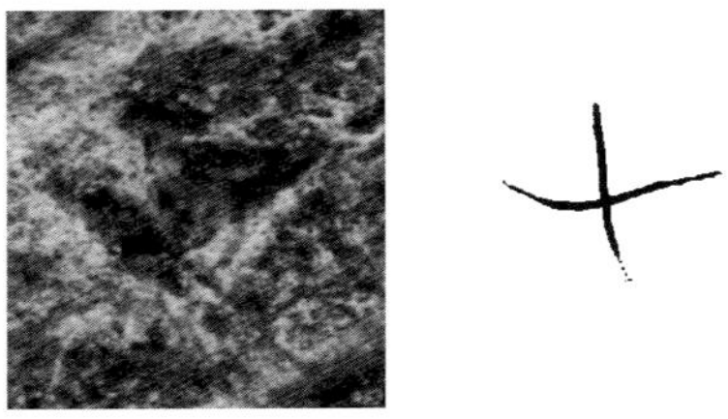

B 18

TBRḤ

H: 22 (19)
N: 25°
B: −28°

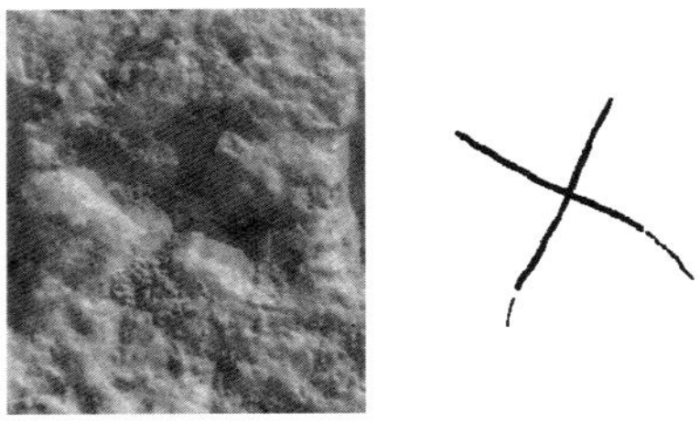

G 3-2

TḤ**T**

N: −7°
B: −2

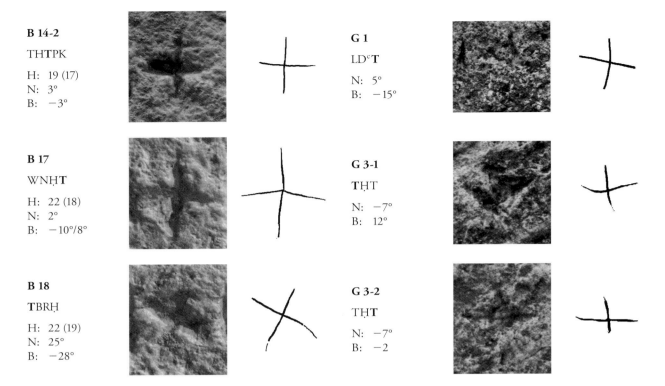

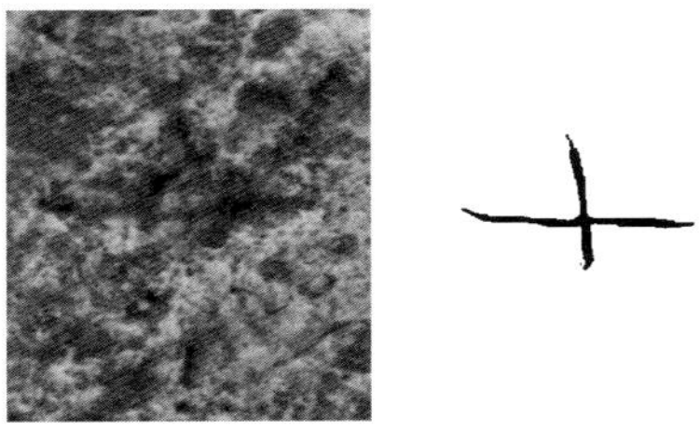

‹•›
(‚Worttrenner')

		H	N			H	N
A 1	ʾRN•	19	5°	**B 10-1**	ʾRN•	13	6°
A 3	...]TBʿL•	22	~9°	**B 10-2**	ZN•	17	−4°
A 4	BNʾḤRM•	18	4°	**B 11**	TḤTSP•	19	5°
A 5	MLKGBL•	19	7°	**B 12**	ḤṬR•	19	2°
A 6	LʾḤRM•	19	7°	**B 13**	MŠPṬH•	20	−2°
A 7	ʾBH•	20	11°	**B 14**	THTPK•	20	−2°
A 8	KŠTH•	[?]	[?]	**B 15**	KSʾ•	16	8°
A 9	BʾLM•	28	9°	**B 16**	MLKH•	16	2°
B 1	WʾL•	21	5°	**B 17**	WNḤT•	15	5°
B 2	MLK•	15	0°	**B 18**	TBRḤ•	12	4°
B 3	BMLKM•	11	3°	**B 19-1**	ʿL•	15	0°
B 4	WSKN•	15	−2°	**B 19-2**	GBL•	11	0°
B 5	BSNM•	11	3°	**B 20**	WHʾ•	10	−6°
B 6	WTMʾ•	16	5°	**B 22**	SPRH•	12	0°
B 7	MḤNT•	20	2°	**B 23**	LPP•	8	0°
B 8-1	ʿLY•	20	−4°	**S 1**	LDʿT•		5°
B 8-2	GBL•	15	0°	**S 2**	LK•		3°
B 9	WYGL•	18	−1°				

Zeichenhöhen in den Sarkophaginschriften A und B

	‹ʾ›	‹B›	‹G›	‹H›	‹W›	‹Z›	‹Ḥ›	‹Ṭ›	‹Y›	‹K›	‹L›	‹M›	‹N›	‹S›	‹ʿ›	‹P›	‹R›	‹Š›	‹T›	‹•›
A1	26												27				29			19
A2						23					25				15					
A3		23									27			[>19]	15				[>19]	22
A4	28	21					25					35	25			27	29			18
A5		25	30							23	29/29	32								19
A6	26						35				30	38					34			19
A7	29	25		[24]																20
A8				?						23								21	27	[?]
A9		[23]									[>23]	34			16					28
B1	29				27						26									21
B2										23	30	42								15
B3		22								22	29	44/35								11
B4					37					20			32	38						15
B5		23										34	27	33						11
B6	21				26							38							19	16
B7							26					33	29						22	20
B8		26	29						23		22/24				15					20/15
B9			27		33				22		30				12					18
B10	26					21							[29]/28				35			13/17
B11							25							33		26			19/22	19
B12							23	20									29			19
B13				29				19				31				27		16		20
B14				27						11						25			17/19	20
B15	21									15				30						16
B16				29						15	20	39								16
B17					24		22						28						22	15
B18		16					24										28		22	12
B19		19	23								25/24									15/11
B20	22			22	17															10
B21							21		18			26								
B22				24										26		19	19			12
B23											16/13					26/27	22	9		8

Sarkophaginschrift Wanne (süd)

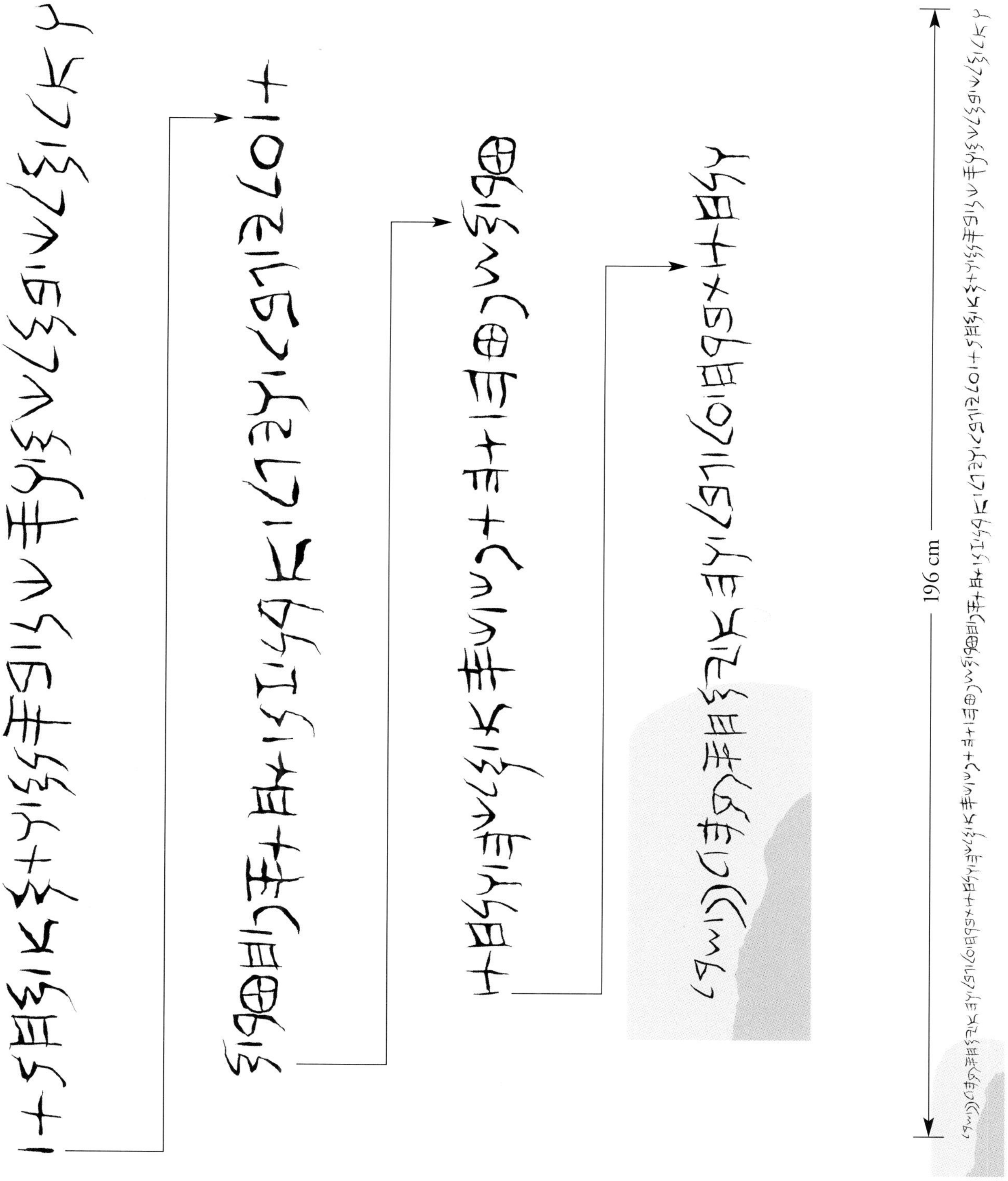

Sarkophaginschrift Deckel (west)

LITERATURVERZEICHNIS

AARTUN 1974 — Kjell AARTUN, *Die Partikeln des Ugaritischen. 1. Teil. Adverbien, Verneinungspartikeln, Bekräftigungspartikeln, Hervorhebungspartikeln*, Kevelaer 1974 (AOAT 1974).

ABOU SAMRA 2002 — Gaby ABOU SAMRA, *Bénédictions et malédictions dans les inscriptions phénico-puniques*. Thèse de doctorat présentée par Gaby Abou Samra sous la direction de Monsieur André Lemaire. École pratique des Hautes Études, Sciences historiques et philologiques, Paris 2002.

AHW — Wolfram von SODEN, *Akkadisches Handwörterbuch*, Wiesbaden 1965ff.

AIMÉ-GIRON 1926 — Noël AIMÉ-GIRON, Note sur les inscriptions de Aḥiram: *BIFAO* 26 (1926) 1–13.

AIMÉ-GIRON 1943 — — Essai sur l'âge et la succession des rois de Byblos d'après leurs inscriptions: *ASAE* 42 (1943) 283–338.

ALBRIGHT 1926 — William Foxwell ALBRIGHT, Notes on Early Hebrew and Aramaic Epigraphy: *JPOS* 6 (1926) 75–102.

ALBRIGHT 1927 — — The End of the Inscription on the Aḥîrâm Sarcophagus: *JPOS* 7 (1927) 122–127.

ALBRIGHT 1947 — — The Phoenician Inscriptions of the Tenth Century B.C. from Byblus: *JAOS* 67 (1947) 153–160.

ALBRIGHT 1957 — — The high place in Ancient Palestine, in *Volume du Congres Strasbourg 1956*, Leiden 1957 (VTS 4), 242–258.

AL-MAQDISSI et al. 2003 — Michel AL-MAQDISSI / Heike DOHMANN-PFÄLZNER / Peter PFÄLZNER / Antoine SULEIMAN, Das königliche Hypogäum von Qaṭna. Bericht über die syrisch-deutsche Ausgrabung im November-Dezember 2002: *MDOG* 135 (2003) 189–218.

Alonso SCHÖKEL 1984 — L. ALONSO SCHÖKEL, מָחָה *māḥāh*, in: *ThWAT* IV, 1984, 804–808.

ANDERSEN / FORBES 1986 — Francis I. ANDERSEN / A. Dean FORBES, *Spelling in the Hebrew Bible*, Rom 1986.

ANDERSEN 1992 — — The Spelling of Suffixes, in: *Studies in Hebrew and Aramaic Orthography*, Winona Lake 1992, 61–90.

AMADASI GUZZO 1994 — Maria Giulia AMADASI GUZZO, Lingua e scrittura a Biblio, in: *Biblio. Una città e la sua cultura*, Rom 1994, 179–194.

AMADASI GUZZO 1995 — — Les inscriptions, in: Véronique Krings (éd.), *La civilisation phénicienne et punique. Manuel de recherche*, Leiden 1995 (HdO I/20), 19–30.

Apuleius *Metam.* — s. GRIFFITHS

Apuleius *Metam.* — *Apuleius, The Golden Ass, being the Metamorphoses of Lucius Apuleius.* With an English translation by W. Adlington revised by S. Gasele, Cambridge Massachusetts 1971.

Apuleius *Metam.* — *Apulei Metamorphoseon Libri XI recensuit Cesar Giarratano.* Editionem alteram paravit Paulus Frassinetti, Turin 1960.

ASSMANN 1983 — Jan ASSMANN, Tod und Initiation im altägyptischen Totenglauben, in: *Sehnsucht nach dem Ursprung. Zu Mircea Eliade*, hg. von Hans Peter Duerr, Frankfurt 1983, 336–359.

ASSMANN 2001 — — *Tod und Jenseits im Alten Ägypten*, München 2001.

ASSMANN 2002 — — Pythagoras und Lucius: zwei Formen „ägyptischer Mysterien", in: J. Assmann / M. Bommas (Hg.), *Ägyptische Mysterien?*, München 2002, 59–75.

ATHAS 2003 — George ATHAS, *The Tel Dan Inscription. A Reappraisal and a New Interpretation*, Sheffield 2003 (JSOT.S 360).

AVISHUR 2000 — Yitzhak AVISHUR, *Phoenician Inscriptions and the Bible. Select Inscriptions and Studies in Stylistic and Literary Devices Common to the Phoenician Inscriptions and the Bible*, Tel Aviv-Jaffa 2000.

BAUER 1925 — Hans BAUER, Eine phönikische Inschrift aus dem 13. Jahrh.: *OLZ* 28 (1925) 129–140.

BAUER / LEANDER 1922 — Hans BAUER / Pontus LEANDER, *Historische Grammatik der hebräischen Sprache des Alten Testamentes*, Halle 1922 (Repr. Hildesheim 1965).

BAUMGARTEN 1981 — Albert I. BAUMGARTEN, *The Phoenician History of Philo of Byblos. A commentary*, Leiden 1981 (EPRO 89).

BERG 1972 — Paul-Louis VAN BERG, *Corpus Cultus Deae Syriae (CCDS)*, I, 1–2, Leiden 1972 (EPRO 28).

BERGER 1892 — Philippe BERGER, *Histoire de l'écriture dans l'antiquité*, Paris ^{2}1892.

BENZ 1972 — Frank L. BENZ, *Personal Names in the Phoenician and Punic Inscriptions. A Catalog, Grammatical Study and Glossary of Elements*, Rom 1972 (Studia Pohl 8).

BERNAL 1990 — Martin BERNAL, *Cadmean Letters. The Transmission of the Alphabet to the Aegean and Further West before 1400 B.C.*, Winona Lake 1990.

BLH s. BAUER/LEANDER 1922.

BONNET 1993 Corinne BONNET, Existe-t-il un *B'L GBL* à Byblos? A propos de l'inscription de Yeḥimilk (KAI 4): *UF* 25 (1993) 25–34.

BORDREUIL 1977 Pierre BORDREUIL, Une inscription phénicienne champlevée des environs de Byblos: *Semitica* 27 (1977) 23–27.

BORDREUIL/BRIQUEL-CHATONNET 1998 Pierre BORDREUIL / Françoise BRIQUEL-CHATONNET, Le sarcophage d'Ahirom, aux origines de l'alphabet: *Archéologia*. Hors-série no. 10h, 1998, 24–31.

VAN DEN BRANDEN 1960 Albert VAN DEN BRANDEN, L'inscription du sarcophage d'Aḫiram: *Al-Mashriq* 54 (1960) 732–736.

VAN DEN BRANDEN 1969 — *Grammaire Phénicienne*, Beyrouth 1969.

BRIQUEL-CHATONNET 1992 Françoise BRIQUEL-CHATONNET, *Les relations entre les cités de la côte phénicienne et les royaumes d'Israël et de Juda*, Leuven 1992 (Studia Phoenicia XII / OLA 46).

BROCKELMANN *GVG* Carl BROCKELMANN, *Grundriß der vergleichenden Grammatik der semitischen Sprachen*, Berlin 1908/1913 (Repr. 1982).

BROCKELMANN 1947 Carl BROCKELMANN, Kanaanäische Miszellen. 3. Zur Sarkophaginschrift des Königs Aḫīrām von Byblos, in: *FS Otto Eissfeldt zum 60. Geburtstage*, Hg. J. Fück, Halle 1947, 65–67.

BURKERT 1987 Walter BURKERT, *Ancient Mystery Cults*, Cambridge Mass. 1987.

CAD *The Assyrian Dictionary of the Oriental Institute of the University of Chicago*, Chicago 1956ff.

ÇAMBEL 1999 Halet ÇAMBEL, *Karatepe-Aslantaş. The Inscriptions: Facsimile Edition.* With a contribution by Wolfgang Röllig and tables by John David Hawkins (Corpus of Hieroglyphic Luwian Inscriptions II), Berlin 1999.

CECCHINI 1981 S. M. Cecchini, *TḤT* in KAI 2,3 e in KTU 1.161:22ss: *UF* 13 (1981) 27–31.

CHÉHAB 1968 Maurice CHÉHAB, Relations entre l'Egypte et la Phénicie des origines à Oun-Amon, in: *The Role of the Phoenicians in the Interaction of Mediterranean Civilizations. Papers Presented to the Archaeological Symposium at the American University of Beirut; March, 1967*, Beirut 1968, 1–8.

CHÉHAB 1970 — Observations au sujet du sarcophage d'Ahiram: *MUSJ* 46 (1970/71) 107–117.

CHLI s. HAWKINS 2000.

CIS *Corpus Inscriptionum Semiticarum*, Paris 1881ff.

CIASCA 1988 Antonia CIASCA, Phoenicia, in: Sabatino Moscati (ed.), *The Phoenicians*, Mailand 1988, 140–151.

CONTENAU 1949 G. CONTENAU, *La civilisation phénicienne*, Paris 1949.

COOK 1994 Edward M. COOK, On the Linguistic Dating of the Phoenician Ahiram Inscription (KAI 1): *JNES* 53 (1994) 33–36.

CORRAL 2002 Martin Alonso CORRAL, *Ezekiel's Oracles Against Tyre. Historical Reality and Motivations*, Rom 2003 (biblica et orientalia 46).

CROSS / MCCARTER 1973 Frank MOORE CROSS / P. Kyle MCCARTER, Two archaic inscriptions on clay objects from Byblos: *RSF* 1 (1973) 3–8.

CROSS 1975 Frank Moore CROSS, Early Alphabetic Scripts, in: CROSS 2003, 330–341.341–343.

CROSS 1992 — An Inscribed Arrowhead of the Eleventh Century BCE in the Bible Lands Museum in Jerusalem, in: CROSS 2003, 203–206.

CROSS 1993 — Newly Discovered Inscribed Arrowheads of the Eleventh Century BCE, in: CROSS 2003, 207–212.

CROSS 1996 — The Arrow of Suwar, Retainer of ʿAbday, in: CROSS 2003, 195–202.

CROSS 2003 — *Leaves from an Epigrapher's Notebook. Collected Papers in Hebrew and West Semitic Palaeography and Epigraphy*, Winona Lake 2003.

CUNCHILLOS / ZAMORA 1997 Jesús-Luis CUNCHILLOS / José-Ángel ZAMORA, *Gramática Fenicia Elemental*, Madrid 1997 (Banco de Datos Filológicos Semíticos Noroccidentales. Segunda Parte, I) [*GFE*].

DAKARIS 1973 Sotirios I. DAKARIS, *The Antiquity of Epirus. The Acheron Necromanteion. Ephyra – Pandosia – Cassope*, Athen 1973.

DÉLIVRÉ 1978 Jean DÉLIVRÉ, Le sarcophage d'Ahirom: un cas de réemploi?, in: *Liban. L'autre rive. Exposition présentée à l'Institut du monde arabe*, Paris 1998, 75.

DEMSKY 1978 Aaron DEMSKY, מטבע לשון עובר לסופר מסורות מיסופוטמיות־כנעניות בקללת אחירם [Mesopotamian and Canaanite literary traditions in the Ahiram curse formula]: *EI* 14 [H. L. Ginsberg Volume] (1978) 7–11.122*.

DEUTSCH/HELTZER 1994 Robert DEUTSCH / Michael HELTZER, *Forty New Ancient West Semitic Inscriptions*, Tel Aviv 1994.

DEUTSCH/HELTZER 1995 — *New Epigraphic Evidence from the Biblical Period*, Tel Aviv 1995.

DEUTSCH/HELTZER 1997 — *Windows to the Past*, Tel Aviv 1997.

DEUTSCH/HELTZER 1999 — *West Semitic Epigraphic News of the 1st Millenium BCE*, Tel Aviv 1999.

D./H. s. DEUTSCH / HELTZER

DIEHL 2000 Johannes F. DIEHL, „Steh auf, setz dich und iß!" Imperative zwischen Begriffswort und Interjektion: *KUSATU* 1 (2000) 101–132.

DIEHL 2004 — *Die Fortführung des Imperativs im Biblischen Hebräisch*, Münster 2004 (AOAT 286).

DNWSI Jacob HOFTIJZER / K. JONGELING, *Dictionary of the North-West Semitic Inscriptions*, Leiden 1995 (HdO I/21).

DOHMANN-PFÄLZNER *et al.* 2003 Heike DOHMANN-PFÄLZNER / Mirko NOVÁK / Peter PFÄLZNER, Der Gang in die Unterwelt von Qatna: *Alter Orient aktuell* 4:2003, 14–17.

DONNER / RÖLLIG 1968 Herbert DONNER / Wolfgang RÖLLIG, *Kanaanäische und aramäische Inschriften*, Wiesbaden ^{2}1968 [^{2}*KAI*].

DONNER/RÖLLIG 2002 — /Wolfgang RÖLLIG, *Kanaanäische und aramäische Inschriften. 5., erweiterte und überarbeitete Auflage*, Wiesbaden 2002 [[5]*KAI*].

DONNER 1953 Herbert DONNER, Zur Formgeschichte der Aḥīrām-Inschrift: *Wissenschaftliche Zeitschrift der Karl-Marx-Universität. Gesellschafts- und Sprachwissenschaftliche Reihe*, Heft 2/3 (1953/54) 283–87.

DRIVER 1892 Samuel Rolls DRIVER, *A Treatise on the Use of the Tenses in Hebrew and some other Syntactical Questions*, Oxford [3]1892.

DUL *A Dictionary of the Ugaritic Language in the Alphabetic Tradition*, Leiden 2003. —> OLMO LETE / SANMARTÍN.

DUNAND 1930 Maurice DUNAND, Nouvelle inscription phénicienne archaïque: RB 39 (1930) 321–331.

DUNAND 1938 — Spatule de bronze avec épigraphe phénicienne du XIIIe siècle: *BMB* 2 (1938) 99–107.

DUNAND 1939 — *Fouilles de Byblos I*, Paris 1939.

DUNAND 1945 — *Byblia Grammata. Documents et recherches sur le développement de l'écriture en phénicie*, Beyrouth 1945.

DUNAND 1954 — *Fouilles de Byblos II*, Paris 1954.

DUNAND 1972 — *Byblos. Geschichte, Ruinen, Legenden*, Beirut 1972.

DUSSAUD 1923 René DUSSAUD, Byblos et la mention des Giblites dans l'Ancien Testament: *Syria* 4 (1923) 300–315; 5 (1924) 388.

DUSSAUD 1924-a — Les inscriptions phéniciennes du tombeau d'Aḥiram, roi de Byblos: *CRAIBL* 14. März 1924, 99–101.

DUSSAUD 1924-b — Les inscriptions phéniciennes du tombeau d'Aḥiram, roi de Byblos: *Syria* 5 (1924) 135–157.

DUSSAUD 1925 — Dédicace d'une statue d'Osorkon I par Eliba'al, roi de Byblos: *Syria* 6 (1925) 101–117.

ELIADE 1988 Mircea ELIADE, *Das Mysterium der Wiedergeburt. Versuch über einige Intiationstypen*, Frankfurt a. M. 1988.

EGELHAAF-GAISER 2000 Ulrike EGELHAAF-GAISER, *Kulträume im römischen Alltag. Das Isisbuch des Apuleius und der Ort von Religion im kaiserzeitlichen Rom*, Stuttgart 2000 (PAwB 2).

FB s. Maurice DUNAND, *Fouilles de Byblos*.

FECHT 1990 Gerhard FECHT, *Metrik des Hebräischen und Phönizischen*, Wiesbaden 1990 (ÄAT 19).

FIRMAGE 2002 Edwin FIRMAGE, The Definite Article in Phoenician: *Maarav* 9 (2002) 33–52.

FOX 2003 Joshua FOX, *Semitic Noun Patterns*, Winona Lake 2003 (Harvard Semitic Studies 59).

FREDE 2000/2002 Simone FREDE, *Die phönizischen anthropoiden Sarkophage*.
Teil 1. Fundgruppen und Bestattungskontexte, Mainz 2000,
Teil 2. Tradition – Rezeption – Wandel, Mainz 2002,
(Forschungen zur phönizisch-punischen und zyprischen Plastik I.1/2, hg. von Renate Bol).

FRIEDRICH 1935 Johannes FRIEDRICH, Kleine Bemerkungen zu Texten aus Ras Schamra und zu phönizischen Inschriften: *AfO* 10 (1935/36) 80–83.

FRIEDRICH 1939 — Zur Einleitungsformel der ältesten phönizischen Inschriften aus Byblos, in: *Mélanges syriens offerts à Monsieur René Dussaud* I, Paris 1939, 39–47.

GAG Wolfram VON SODEN, *Grundriss der Akkadischen Grammatik*. 3., ergänzte Auflage, Rom 1995 (Analecta Orientalia 33).

GALLING *TGI* Kurt GALLING, *Textbuch zur Geschichte Israels*, Tübingen 1950. [2]1968. [3]1979.

GALLING 1950 — Die Achiram-Inschrift im Lichte der Karatepe-Texte: *WdO* 1 (1950) 421–425.

GARBINI 1977 Giovanni GARBINI, Sulla datazione dell'iscrizione di Aḥiram: *AION* 37 (1977) 81–89.

GARBINI 1980 — *I Fenici. Storia e religione*. Neapel 1980

GARCÍA LÓPEZ 1989 F. GARCÍA LÓPEZ, פֶּה *pæh*, in: *ThWAT* VI, 1989, 522–538.

GARR 1985 W. Randall GARR, *Dialect Geography of Syria-Palestine, 1000–586 B.C.E.*, Philadelphia 1985.

GERHARDS 2000 Meik GERHARDS, Zum emphatischen Gebrauch der Partikel אַל im Biblischen Hebräisch: *Biblische Notizen* 102 (2000) 54–73.

GERLEMANN 1979 Gillis GERLEMANN, Die sperrende Grenze. Die Wurzel *ʿlm* im Hebräischen: *ZAW* 91 (1979) 338–349.

GEVIRTZ 1961 Stanley GEVIRTZ, West Semitic Curses and the Problem of the Origins of Hebrew Law: *VT* 11 (1961) 137–158.

GES.-B. Wilhelm GESENIUS / Frants BUHL. *Hebräisches und Aramäisches Handwörterbuch über das Alte Testament*, Leipzig [17]1915.

GEUTHNER 1924 [Paul GEUTHNER,] L'inscription du sarcophage d'Ahiram: *Syria* 5 (1924) 386–388.

GIBSON 1982 John C. L. GIBSON, *Textbook of Syrian Semitic Inscriptions. Vol. III. Phoenician inscriptions including inscriptions in the mixed dialect of Arslan Tash*, Oxford 1982.

GIEBEL 1990 Marion GIEBEL, *Das Geheimnis der Mysterien. Antike Kulte in Griechenland, Rom und Ägypten*, Zürich 1990.

GINSBERG 1974 H. L. GINSBERG, Ugaritico-Phoenicia, in: *Th. H. Gaster Festschrift*, New York 1974, 131–147.

GKG Wilhelm GESENIUS / Emil KAUTZSCH, *Wilhelm Gesenius' Hebräische Grammatik völlig umgearbeitet von E. Kautzsch*, Leipzig [28]1909.

GRALLERT 2002 Silke GRALLERT, Die ägyptischen Sarkophage aus der Nekropole von Sidon, in: FREDE, *Die phönizischen anthropoiden Sarkophage Teil 2*, Mainz 2002.

GRESSMANN 1924 Hugo GRESSMANN, Bemerkungen des Herausgebers. 3. Die Königsgräber in Byblos: *ZAW* 42 (1924) 349–351.

GREEN 1983 — Alberto R. GREEN, David's Relations with Hiram: Biblical and Josephan Evidence for Tyrian Chronology, in: *The Word of the Lord Shall Go Forth*, FS D. N. Freedman, Hg. Carol L. Myers / M. O'Connor, Winona Lake 1983, 373–397.

GREENFIELD 1971 — Jonas C. GREENFIELD, Scripture and Inscription: The Literary and Rhetorical Element in some Early Phoenician Inscriptions, in: *Near Eastern Studies in Honor of William Foxwell Albright*, ed. Hans Goedicke, London & Baltimore 1971, 253–268.

GREENFIELD / SHAFFER 1985 — Jonas C. GREENFIELD / Aaron SHAFFER, Notes on the Curse Formulae of the Tell Fekherye Inscription: *RB* 92 (1985) 47–59.

GRIFFITHS 1975 — J. Gwyn GRIFFITHS, *Apuleios of Madauros, The Isis-Book (Metamorphoses, Book XI), edited with an introduction, translation and commentary*, Leiden 1975 (EPRO 39).

GROSS 1987 — Walter GROSS, *Die Pendenskonstruktion im Biblischen Hebräisch. Studien zum althebräischen Satz I*, St. Ottilien 1987 (ATSAT 27).

GUBEL 1999 — Éric GUBEL, Die Phönizier. Volk von Seefahrern und Kaufleuten, in: Oliver Binst (Hg.), *Die Levante. Geschichte und Archäologie im Nahen Osten*, Köln 1999, 47–79.

GUBEL 2002 — — (Hg.) *Art Phénicien. La sculpture de tradition phénicienne*, Paris 2002.

GUZZO AMADASI / KARAGEORGHIS 1977 — Maria Giulia GUZZO AMADASI / Vassos KARAGEORGHIS, *Fouilles de Kition III. Inscriptions phéniciennes*, Nicosia 1977.

GVG — s. BROCKELMANN 1908

HACHMANN 1967 — Rolf HACHMANN, Das Königsgrab V von Jebeil (Byblos). Untersuchungen zur Zeitstellung des sogen. Ahiram-Grabes: *Istanbuler Mitteilungen* 17 (1967) 93–114.

HAE — s. RENZ 1995.

HAL — *Hebräisches und aramäisches Lexikon zum Alten Testament* (Hg. Walter Baumgartner), Leiden 1967–1990.

HAWKINS 2000 — John David HAWKINS, *Inscriptions of the Iron Age* (Corpus of Hieroglyphic Luwian Inscriptions I), Berlin / New York 2000.

HELCK 1982 — W. HELCK, Zweifel an einem Synchronismus: *GM* 56 (1982) 7.

HONEYMAN 1939 — A. M. HONEYMAN, The Phoenician Inscriptions of the Cyprus Museum: *Iraq* 6 (1939) 104–108.

HÖRIG 1979 — Monika HÖRIG, *Dea Syria. Studien zur religiösen Tradition der Fruchtbarkeitsgöttin in Vorderasien*, Neukirchen 1979 (AOAT 208).

HORN 1963 — Siegfried H. HORN, Byblos in Ancient Records: *Andrews University Seminary Studies* 1 (1963) 52–61.

IFO — s. MAGNANINI 1973

JASTROW 1903 — Marcus JASTROW, *A Dictionary of the Targumim, the Talmud Babli and Yerushalmi, and the Midrashic Literature*, London 1903.

JENNI 1992 — Ernst JENNI, *Die hebräischen Präpositionen. Bd. 1: Die Präposition Beth*, Stuttgart 1992.

JENNI 1994 — — *Die hebräischen Präpositionen. Bd. 2: Die Präposition Kaph*, Stuttgart 1994.

JENNI 2000 — — *Die hebräischen Präpositionen. Bd. 3: Die Präposition Lamed*, Stuttgart 2000.

JIDEJIAN 1968 — Nina JIDEJIAN, *Byblos Through the Ages*, Beirut 1968; ^{3}2000.

Josephus *Ant.* — *Flavii Iosephi Antiquitatum Iudaicarum Libri I–V. Flavii Iosephi Opera Vol. 1*, ed. Benedictus Niese, Berlin 1888.

Josephus *c. Apion.* — *Flavii Iosephi de Iudaeorum vetustate sive contra Apionem libri II. Flavii Iosephi Opera Vol. V*, ed. Benedictus Niese, Berlin 1889.

KAI — s. DONNER / RÖLLIG

KATZENSTEIN 1973 — H. KATZENSTEIN, Jacob, *The History of Tyre. From the Beginning of the Second Millenium B.C.E. until the Fall of the Neo-Babylonian Empire in 538 B.C.E.*, Jerusalem 1973.

KIENAST 2001 — Burkhart KIENAST, *Historische Semitische Sprachwissenschaft*, Wiesbaden 2001.

KOCHAVI 1977 — M. KOCHAVI, An Ostracon of the Period of the Judges from ʿIzbet Ṣarṭah: *Tel Aviv* 4 (1977) 1–13 und Pl. I.

VAN DER KOOIJ 1986 — Gerrit VAN DER KOOIJ, *Early North-West Semitic Script Traditions. An Archaeological Study of the Linear Alphabetic Scripts upto c. 500 B.C.; Ink and Argillary.* Diss. Leiden: Rijksuniversiteit Leiden 1986.

VAN DER KOOIJ 1987 — — The Identity of Trans-Jordanian Alphabetic Writing in the Iron Age, in: *Studies in the History and Archaeology of Jordan III.* Hg. v. Adnan Hadidi. Amman: Dept. of Antiquities 1987. 107–121.

KRAHMALKOV *PPD* — Charles R. KRAHMALKOV, *Phoenician-Punic Dictionary*, Leuven 2000 (OLA 90).

KRAHMALKOV *PPG* — — *A Phoenician-Punic Grammar*, Leiden 2001 (HdO I/54).

KRINGS 1995 — Véronique KRINGS, La littérature phénicienne et punique, in: V. Krings (éd.), *La civilisation phénicienne et punique. Manuel de recherche*, Leiden 1995 (HdO I/20), 31–38.

LABOW 2003 — Dagmar LABOW, *Flavius Josephus: Contra Apionem, Buch I. Einleitung, Textkritischer Apparat, Übersetzung und Kommentar*, Diss. Univ. Mainz 2003.

LAXANDER 2003 — Heike LAXANDER, Eine neue Löwenprotome vom *Baʿalšamīn*-Tempel in *Sīʿ*: *ZDPV* 119 (2003) 119–139.

KHAN 1988 — Geoffrey KHAN, *Studies in Semitic Syntax*, Oxford 1988 (London Oriental Series 38).

KIENAST 2001 — Burkhart KIENAST, *Historische Semitische Sprachwissenschaft*, Wiesbaden 2001.

KREUZER 1985 — Siegfried KREUZER, Zur Bedeutung und Etymologie von *HIŠTAḤ^A WĀH / YŠTḤWY*: *VT* 35 (1985) 39–60.

LECLANT 1968 — Jean LECLANT, Les relations entre l'Egypte et la Phénicie du voyage d'Ounamon à l'expédition d'Alexandre, in: *The Role of the Phoenicians in the Interaction of Mediterranean Civilizations. Papers*

Presented to the Archaeological Symposium at the American University of Beirut; March, 1967, Beirut 1968, 9–31.

Lehmann 1997 — Reinhard G. Lehmann, Überlegungen zur Analyse und Leistung sogenannter Zusammengesetzter Nominalsätze, in: *Studien zur hebräischen Grammatik*, hg. von Andreas Wagner, Freiburg Schweiz 1997 (Orbis Biblicus et Orientalis 156), S. 27–43.

Lehmann 1998 — — Typologie und Signatur. Studien zu einem Listenostrakon aus der Sammlung Moussaieff, in: *Ugarit-Forschungen* 30, 1998, 397–459.

Lehmann 2000 — — Studien zur Formgeschichte der ᶜEqron-Inschrift des ᵓKYŠ und den phönizischen Dedikationstexten aus Byblos: *Ugarit-Forschungen* 31 (1999 [2000]) 255–306.

Lehmann 2002 — — Beschriftete Siegelsteine aus der südlichen Levante und ihre Materialien, in: *Edelsteine in der Bibel*, hrsg. von Wolfgang Zwickel, Mainz 2002, 12–22.

Lehmann 2005 — — Space-Syntax and Metre in the Inscription of Yaḥawmilk, King of Byblos, in: Omar Al-Ghul / A. Ziyadeh (ed.), *Proceedings of Yarmouk Second Annual Colloquium on Epigraphy and Ancient Writings. Irbid, October* 7th–9th*, 2003*, Faculty of Archaeology and Anthropology Publications 4, Yarmouk University, Irbid 2005.

Lemaire 1986 — André Lemaire. Les écrits phéniciens, in: *Écrits de l'Orient ancien et sources bibliques*, 1986, 215–239.

Lewis 1989 — Theodore J. Lewis, *Cults of the Dead in Ancient Israel and Ugarit*, Atlanta 1989 (Harvard Semitic Monographs 39).

Liban. L'autre rive 1998 — Institut du monde arabe (Hg.), *Liban. L'autre rive. Exposition présentée à l'Institut du monde arabe du 27 octobre 1998 au 2 mai 1999*, Paris 1998.

Lidzbarski 1924 — Mark Lidzbarski, Epigraphisches aus Syrien II.: *Nachrichten der Gesellschaft der Wissenschaften zu Göttingen. Phil.-hist. Klasse*, 1924, S. 43–48.

Lidzbarski 1927 — — Zu den phönizischen Inschriften aus Byblos: *OLZ* 30 (1927) 453–458.

Lipiński 1983 — Edward Lipiński, Notes d'épigraphie phénicienne et punique: *Orientalia Lovaniensia Periodica* 14 (1983) 129–165.

Lipiński 1995 — — *Dieux et déesses de l'univers phénicien et punique*, Leuven 1995 (OLA 64).

Lipiński 1997 — — *Semitic Languages. Outline of a Comparative Grammar*, Leuven 1997 (OLA 80).

Lipiński 2004 — — *Itineraria Phoenicia*, Leuven 2004 (OLA 127).

Locher 1989 — C. Locher, עָלָם *ᶜālam*, in: *ThWAT* VI, 1989, 160–167.

Loretz 2003 — Oswald Loretz, Ugaritisch *ảp* (III) und syllabisch-keilschriftlich *abi / apu* als Vorläufer von hebräisch *ᵓab / ᵓôb* „(Kult/Nekromantie-)Grube". Ein Beitrag zu Nekromantie und -magie in Ugarit, Emar und Israel: *UF* 34 (2002 [2003]) 481–519.

Lundberg 2004 — Marilyn J. Lundberg, Editor's Notes: The Aḥiram Inscription: *Maarav* 11 (2004).

Lundström 2001 — S. M. Lundström, „Für die Dauer der Tage … für die Tage, die verbleiben". Zur Funktion der akkadischen Grabinschriften des 2. und 1. Jts. v. Chr.: *WZKM* 91 (2001) 211–258.

Magnanini 1973 — Pietro Magnanini, *Le iscrizioni fenicie dell'oriente. Testi, traduzioni, glossari*, Roma 1973.

Mansfeld 1983 — Günter Mansfeld. Ostraka mit »altphönikischer« Buchstabenschrift, in: *Frühe Phönizier im Libanon. 20 Jahre deutsche Ausgrabungen in Kāmid el-Lōz*, Hg. Rolf Hachmann. Mainz 1983, 43–44.

Martin 1961 — Malachi Martin, A Preliminary Report after Re-Examination of the Byblian Inscriptions: *OrNS* 30 (1961) 46–78.

Masson / Snycer 1972 — Olivier Masson / Maurice Snycer. *Recherches sur les Phéniciens à Chypre*, Geneve 1972 (Hautes Études Orientales 3).

Mazar 1986 — Benjamin Mazar, The Phoenician Inscriptions from Byblos and the Evolution of the Phoenician-Hebrew Alphabet, in: Ders., *The Early Biblical Period. Historical Studies*, Jerusalem 1986, 231–247.

Mazza 1975 — F. Mazza, Le formule di maledizione nelle iscrizioni funerarie e votive fenicie e puniche: *RSF* 3 (1975) 19–30.

Mentz 1944 — Arthur Mentz, *Beiträge zur Deutung der phönizischen Inschriften*, Leipzig 1944 (Abhandlungen für die Kunde des Morgenlandes 29,2).

Milik / Cross 1954 — J. T. Milik / Frank M. Cross, Inscribed Javelin-Heads from the Period of the Judges. A Recent Discovery in Palestine: *BASOR* 134 (1954) 5–15.

Montet 1923-a — Pierre Montet, Les fouilles de Byblos: *L'Illustration*, 15. Dezember 1923, 627–629.

Montet 1923-b — — Les fouilles de Byblos en 1923: *Syria* 4 (1923) 334–344.

Montet 1924-a — — Les fouilles de Byblos en 1923: *L'Illustration*, 3. Mai 1924, 402–405.

Montet 1924-b — — Les fouilles de Byblos 1919–1923: *Bulletin de la Faculté des Lettres de Strasbourg* 3:2, Dezember 1924, 49–58.

Montet 1928 — — *Byblos et l'Égypte. Quatre campagnes de fouilles à Gebeil 1921 – 1922 – 1923 – 1924. Texte*, Paris 1928.

Montet 1929 — — *Byblos et l'Égypte. Quatre campagnes de fouilles à Gebeil 1921 – 1922 – 1923 – 1924. Atlas*, Paris 1929.

Müller 1975 — Hans-Peter Müller, Die phönizische Grabinschrift aus dem Zypern-Museum KAI 30 und die Formgeschichte des nordwestsemitischen Epitaphs: *ZA* 65 (1975) 104–132.

Müller 2000 — Hans-Peter Müller, Notizen zur Grammatik des Phönizisch-Punischen im Kontext altsemitischer Sprachen: *Ugarit-Forschungen* 31 (1999) [2000] 377–390.

Müller 2002 — Hans-Peter Müller, Anthropoide Sarkophage und phönizisch-punische Jenseitsvorstellungen, in: Frede 2002, 183–189.

Muraoka 1985 — Takamitsu Muraoka, *Emphatic Words and Structures in Biblical Hebrew*, Jerusalem 1985.

Niehr 1997 — Herbert Niehr, Zur Semantik von nordwestsemitisch *ʿlm* als ‚Unterwelt' und ‚Grab', in: *Ana šadî Labnāni lū allik*, FS Wolfgang Röllig, Neukirchen 1997, 295–305.

Niehr 1998 — — *Religionen in Israels Umwelt. Einführung in die nordwestsemitischen Religionen Syrien-Palästinas*, Würzburg 1998.

Niehr 2003 — — *Baʿalšamem. Studien zur Herkunft, Geschichte und Rezeptionsgeschichte eines phönizischen Gottes*, Leuven 2003 (Studia Phoenicia XVII / OLA 123).

Novák / Pfälzner 2003 — Mirko Novák / Peter Pfälzner, Ausgrabungen im bronzezeitlichen Palast von Tall Mišrife – Qaṭna 2002: *MDOG* 135 (2003) 131–165.

Olmo Lete / Sanmartín — Gregorio del Olmo Lete / Joaquín Sanmartín, *A Dictionary of the Ugaritic Language in the Alphabetic Tradition*, Leiden 2003 (HdO I/67).

Orthography 1992 — David Noel Freedman / A. Dean Forbes / Francis I. Andersen, *Studies in Hebrew and Aramaic Orthography*, Winona Lake 1992.

Pardee 2003/04 — Dennis Pardee, [Rez. zu: Joseph Tropper, Ugaritische Grammatik]: *AfO* 50 (2003/04) online version <www.univie.ac.at/orientalistik/AfO.html#pardee>

Peckham 1968 — John Brian Peckham, *The Development of the Late Phoenician Scripts*, Cambridge / Mass. 1968 (Harvard Semitic Series 20).

Perles 1926 — M. F. Perles, Zu OLZ 1925, Sp. 129 ff.277.: *OLZ* 29 (1926) 456.

Pfälzner 2003 — Peter Pfälzner, Die Politik und der Tod im Königtum von Qatna. Die Entdeckung eines Archivs und königlicher Grüfte in einem bronzezeitlichen Palast Syriens: *Nürnberger Blätter zur Archäologie* 19 (2002/03) 85–102.

Philo Byblios — *Philo of Byblos. The Phoenician History. Introduction, Critical Text, Translation, Notes*, by Harold W. Attridge and Robert A. Oden, Washington 1981 (CBQ.M 9).

Philo Byblios — s. Baumgarten 1981.

PNP — s. Benz 1972.

Porada 1973 — Edith Porada, Notes on the Sarcophagus of Ahiram: *JANES* 5 (1973) 354–372.

²*PPG* — Johannes Friedrich / Wolfgang Röllig, *Phönizisch-Punische Grammatik*. 2. völlig neu bearbeitete Auflage, Rom 1970 (Analecta Orientalia 46).

³*PPG* — Friedrich, Johannes / Wolfgang Röllig / Maria Giulia Amadasi Guzzo, *Phönizisch-Punische Grammatik*. 3. Auflage, neu bearbeitet von Maria Giulia Amadasi Guzzo unter Mitarbeit von Werner R. Mayer, Rom 1999 (Analecta Orientalia 55).

Puech 1981 — Émile Puech, Remarques sur quelques inscriptions phéniciennes de Byblos: *RSF* 9 (1981) 153–168.

Quack 2002 — Joachim Friedrich Quack, Königsweihe, Priesterweihe, Isisweihe, in: Assmann / Bommas (Hg.), *Ägyptische Mysterien?*, München 2002, 95–108.

Rehm 2004 — Ellen Rehm, *Der Ahiram-Sarkophag*, Mainz 2004 (Forschungen zur phönizisch-punischen und zyprischen Plastik, hg. von Renate Bol, II.1. Dynastensarkophage mit szenischen Reliefs aus Byblos und Zypern Teil 1.1).

Renan 1864 — Ernest Renan, *Mission de Phénicie*, Paris 1864–1874 (Repr. 1998).

Renz 1995 — Johannes Renz, *Die Althebräischen Inschriften*, Darmstadt 1995 (Handbuch der althebräischen Epigraphik I; II/1; III).

Ringgren 1973 — H. Ringgren, אָב in: *ThWAT* I, 1973, 1–19.

Röllig 1970 — Wolfgang Röllig, Beiträge zur nordsemitischen Epigraphik. 3. Eine neue phönizische Dynastie in Sidon: *Welt des Orients* 5 (1969/70) 121–124.

Röllig 1982 — — Die Aḥīrōm-Inschrift. Bemerkungen eines Epigraphikers zu einem kontroversen Thema, in: *Praestant interna*. FS für U. Hausmann, hrsg. von B. von Freytag gen. Löringhoff et al., Tübingen 1982, 367–373.

Röllig 1983-a — — Ein phönikischer Krugstempel, in: *Frühe Phönizier im Libanon. 20 Jahre deutsche Ausgrabungen in Kāmid el-Lōz*, Hg. Rolf Hachmann, Mainz 1983, 47–48.

Röllig 1983-b — — The Phoenician Language. Remarks on the Present State of Research, in: *Atti del I congresso internazionale di studi fenici e punici, Roma 5–10 Novembre 1979*, Vol. II, Rom 1983, 375–385.

Röllig 1983-c — — Paläographische Beobachtungen zum ersten Auftreten der Phönizier in Sardinien, in: *Antidoron. Festschrift für Jürgen Thimme*, hg. von Dieter Metzler, Brinna Otto, Christof Müller-Wirth, Karlsruhe 1983, 125–130.

Röllig 1999 — — The Phoenician Inscriptions, in: H. Çambel 1999, 50–81.

Röllig 2004 — — Semitische Inschriften auf Grabdenkmälern Syriens und der Levante. Formale und inhaltliche Aspekte, in: *Sepulkral- und Votivdenkmäler östlicher Mittelmeergebiete (7. Jh. v. Chr.–1. Jh. n. Chr.) Kulturbegegnungen im Spannungsfeld von Akzeptanz und Resistenz*. Akten des Internationalen Symposiums Mainz, 01.–03. 11. 2001, hg. von Renate Bol und Detlev Kreikenbom 2004, 23–32.

Ronzevalle 1927 — Sébastien Ronzevalle, L'alphabet du sarcophage d'Aḥīrām: *MUSJ* 12,1 (1927) 1–40 und pl. i–iv.

Sader 1998 — Hélène Sader, La malédiction d'Ahirom, roi de Byblos, in: *Liban. L'autre rive. Exposition présentée à l'Institut du monde arabe*, Paris 1998, 126.

Salles 1994 — Jean-François Salles, La mort à Byblos: Les nécropoles, in: Acquaro u.a. (ed.), *Biblio. Una città e la sua cultura*, Rom 1994, 49–71.

Sass 1988 — Benjamin Sass, *The genesis of the alphabet and its development in the second millenium B.C.*, Wiesbaden 1988 (ÄAT 13).

Schnocks 2002 — Johannes Schnocks, Vergänglichkeit und Gottesherrschaft. Studien zu Psalm 90 und dem vierten *Psalmenbuch*, Berlin 2002 (BBB 140).

Schoors 1981 — Antoon Schoors, The Particle כי: *OTS* 21 (1981) 240–276.

Segert 1976 — Stanislav Segert, *A Grammar of Phoenician and Punic*, München 1976.

Semkowski 1926 — L. Semkowski, Note sur l'inscription de Aḥiram: *Biblica* 7 (1926) 95.

Sjöberg 1965 — Åke W. Sjöberg, Beiträge zum sumerischen Wörterbuch, in: *Studies in Honor of Benno Landsberger on his Seventy-fifth Birthday,* Chicago 1965 (Assyriological Studies 16), 63–70.

Slouschz 1942 — Nahoum Slouschz, אוצר הכתובות הפניקיות *Thesaurus of Phoenician Inscriptions*, Tel-Aviv 1942.

Sznycer 1979 — Maurice Sznycer, L'inscription phénicienne de Tekke, près de Cnossos: *Kadmos* 18 (1979) 89–93.

Soyez 1977 — Brigitte Soyez, *Byblos et la fête des Adonies*, Leiden 1977 (EPRO 60).

Spiegelberg 1926 — Wilhelm Spiegelberg, Zur Datierung der Aḥiram-Inschrift von Byblos: *OLZ* 29(1926) 735–737.

Starcky / Bordreuil 1975 — Jean Starcky / Pierre Bordreuil, Une des plus grandes découvertes de l'humanité: l'invention de l'alphabet et les plus anciennes inscriptions phéniciennes: *Les Dossiers de Archéologie* No. 12, 1975, 91–106.

Swiggers 1991 — Pierre Swiggers, Linguistic considerations on Phoenician Orthography, in: Cl. Baurain / C. Bonnet / V. Krings (Hg.), *Phoinikeia Grammata. Lire et écrire en Méditerranée*, Namur 1991 (Collection d'Études Classiques 6), 115–132.

Tadmor 1994 — Hayim Tadmor, *The Inscriptions of Tiglath-Pileser III King of Assyria. Critical Edition, with Introductions, Translations and Commentary*, Jerusalem 1994.

Tawil 1970 — Hayim Tawil, A Note on the Aḥiram Inscription: *JANES* 3 (1970/71) 33–36.

Teixidor 1977 — Javier Teixidor, An Archaic Inscription from Byblos: *BASOR* 225 (1977) 70–71.

Teixidor 1987 — — L'inscription d'Aḥiram à nouveau: *Syria* 64 (1987) 137–140.

Thiem 2002 — Andrea Thiem, Die ägyptisch-phönizischen Beziehungen im 1. Jt. v. Chr., in: Frede 2002, 217–242.

Thompson 1977 — John A. Thompson, The root ᶜ-*l-m* in Semitic languages and some proposed new translations in Ugaritic and Hebrew, in: *A Tribute to Arthur Vööbus. Studies in early christian literature and its environment primarily in the Syrian east*, ed. Robert H. Fischer, 1977, 159–166.

Timm 1982 — Stefan Timm, *Die Dynastie Omri. Quellen und Untersuchungen zur Geschichte Israels im 9. Jahrhundert vor Christus*, Göttingen 1982 (FRLANT 124).

Torrey 1925 — Charles C. Torrey, The Aḫīrām Inscription of Byblos: *JAOS* 45 (1925) 269–279.

Tropper 1993 — Josef Tropper, *Die Inschriften von Zincirli. Neue Edition und vergleichende Grammatik des phönizischen, sam'alischen und aramäischen Textkorpus*, Münster 1993 (ALASP 6).

Tropper 2000 — — *Ugaritische Grammatik*, Münster 2000 (AOAT 273).

Tropper 2002 — — Die hebräische Partikel *hinnē*ʰ „siehe!". Morphologische und syntaktische Probleme: *KUSATU* 3 (2002) 81–121.

TSSI — John C. L. Gibson, *Textbook of Syrian Semitic Inscriptions*, Vol. I–III, Oxford 1971–1982.

Tsukimoto 1985 — Akio Tsukimoto, *Untersuchungen zur Totenpflege* (kispum) *im alten Mesopotamien*, Neukirchen 1985 (AOAT 216).

Vance 1994 — Donald R. Vance, Literary Sources for the History of Palestine and Syria: The Phoenician Inscriptions: *BA* 57 (1994) 2–19. 110–120.

Vidal 2004 — Jordi Vidal, A King with no Gods. Divine omissions in the inscription of Aḥīrom: *Altorientalische Forschungen* 31 (2004) 148–155.

Vidman 1981 — Ladislav Vidman, Isis und Sarapis, in: M. J. Vermaseren (Hg.), *Die Orientalischen Religionen im Römerreich*, Leiden 1981, 121–156.

Vincent 1925 — Louis Hugues Vincent, Les fouilles de Byblos: *RB* 34 (1925) 161–193.

Visit to the Museum 2001 — Ministry of Culture / Directorate General of Antiquities (Hg.). *A visit to the Museum … The short guide of the National Museum of Beirut, Lebanon*, Beirut 2001.

Wallenfels 1983 — Ronald Wallenfels, Redating the Byblian Inscriptions: JANES 15 (1983) 79–118.

Watanabe 1987 — Kazuko Watanabe, *Die adê-Vereidigung anlässlich der Thronfolgeregelung Asarhaddons*, Berlin 1987 (Baghdader Mitteilungen. Beiheft 3).

Weippert 1993 — Helga Weippert, *Opfer und Kult im alttestamentlichen Israel*, Stuttgart 1993.

Wein / Opificius 1963 — Erwin J. Wein / Ruth Opificius, *7000 Jahre Byblos*, Nürnberg 1963.

Wendel 1976 — Heinrich Wendel, Eiszeitliche und altägyptische Sanktuare, gesehen als Orte einer Wiedergeburts-Religion: *Almogaren* 5/6 (1974/75) [1976] 294–299.

Wild 1981 — Robert A. Wild, *Water in the Cultic Worship of Isis and Sarapis*, Leiden 1981 (EPRO 87).

Wittmann 1938 — Willi Wittmann, *Das Isisbuch des Apuleius. Untersuchungen zur Geistesgeschichte des zweiten Jahrhunderts*, Stuttgart 1938.

Xella 1995 — Paolo Xella, *PᶜL en Phénicien et Punique. Matériaux pour le Lexique Phénicien-II*, in: *Vom Alten Orient Zum Alten Testament*, FS Wolfram von Soden, hg. von Manfried Dietrich und Oswald Loretz, Kevelaer 1995 (AOAT 240), 529–540.

Young 1993 — Ian Young, *Diversity in Pre-Exilic Hebrew*, Tübingen 1993 (FAT 5).

Young 2001 — — Observations on the Third Person Masculine Singular Pronominal Suffix –*H* in Hebrew Biblical Texts: *Hebrew Studies* 42 (2001) 225–42.

Zangenberg 2002 — Jürgen Zangenberg, *Haus der Ewigkeit. Archäologische und literarische Studien zur jüdischen und christlichen Bestattungskultur in Palästina*. Habilitationsschrift Wuppertal 2002.

Zuckerman / Dodd 2003 — Bruce Zuckerman / Lynn Swartz Dodd, Pots and Alphabets. Refractions of Reflections on Typological Method: *Maarav* 10 (2003) 89–133.

ABBILDUNGSNACHWEIS

Zeichnungen und Pläne:

© Reinhard G. Lehmann 2004, außer:

Abb. 13: Montet 1929 / R. G. Lehmann 2004
Abb. 15: R. G. Lehmann 2004 (nach Montet 1929)

Photographien:

Reinhard G. Lehmann 2003–2004 / © Directorate General of Antiquities – Lebanon, außer:

Abb. 8: Montet: *L'illustration*, 3. Mai 1924, 404
Tafel 1: *Byblos et l'Égypte. Atlas*, Paris 1929, pl. CXXVIII

Bei der photographischen Wiedergabe der Einzelbuchstaben in Teil III konnten mit freundlicher Genehmigung von Marilyn J. Lundberg in einigen Fällen Ausschnitte aus Photographien verwendet werden, die von Bruce Zuckermann und Marilyn J. Lundberg, West Semitic Research, University of Southern California, in Zusammenarbeit mit Christopher A. Rollston erstellt wurden. Dies ist der Fall bei den folgenden Einzelbelegen: ‹ʾ› (#A4, #A7); ‹B› (#A5, #A7, #A9); ‹G› (#A5); ‹Ḥ› (#A4, #A6); ‹K› (#A8); ‹L› (#A3, #A6, #A9); ‹M› (#A6); ‹R› (#A6).

Umschlagphoto: Photographie und Montage © Bruce Zuckerman / Marilyn J. Lundberg, West Semitic Research, University of Southern California, in Zusammenarbeit mit Christopher A. Rollston.

Die hier verwendeten Photographien des West Semitic Research Project der University of Southern California sind in vollem Umfang online zugänglich in der InscriptiFact Datenbank unter http://www.inscriptifact.com (anmeldepflichtig).

Alle anderen Photographien und Tafeln:

© Reinhard G. Lehmann 2003–2004.

Tafeln

Ansicht von Nordwest – Aufstellung im alten Museum, Beirut

Ostseite („Rückseite“)

Westseite mit Inschrift am Deckelrand

Nordseite

Südseite mit Inschrift am Wannenrand

a. Abschnitt #B11–16, mit Farbresten am Wannenrand

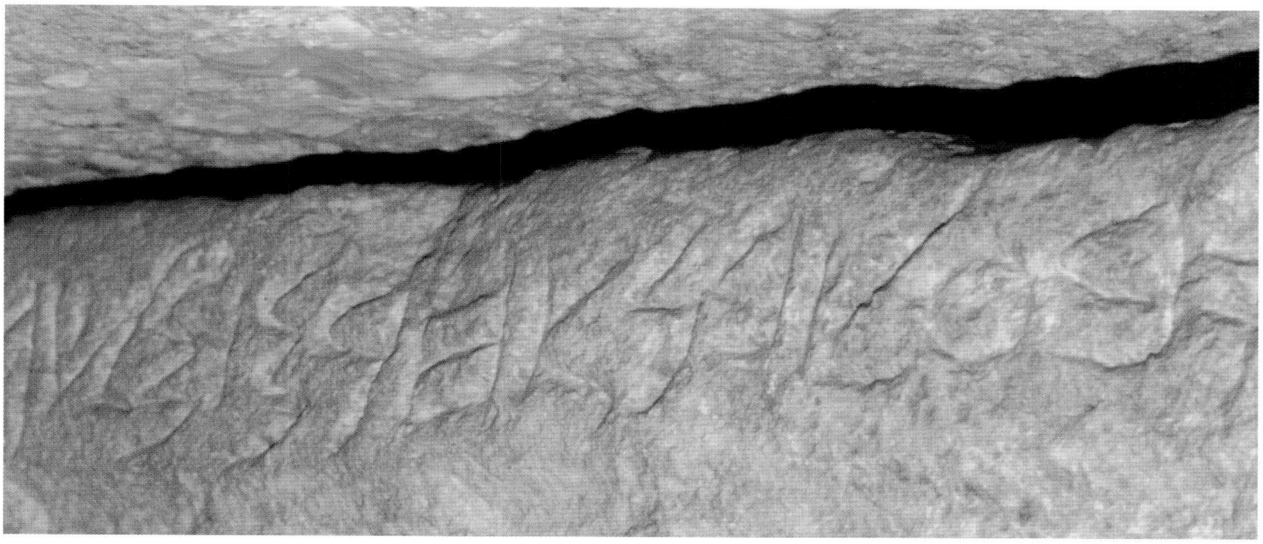

b. Abschnitt #A3–5a mit Farbresten

c. Abschnitt #A6f. mit Farbresten

Deckel mit Bemalungsresten, Ansicht von ‚Norden'

Deckel mit Bemalungsresten, Ansicht von ‚Süden‘

a. Sarkophaginschrift, Abschnitt #A8/9 mit Farbresten

b. Schachtinschrift Zeilen 1 und 2 links, Ansicht schräg von unten, vgl. Tafel 16a.
Lesung (v. r. n. l.) untere Reihe: ‹Q›-‹D›-‹L›-‹K›, obere Reihe: ‹T›-‹•›

a. Sarkophag Südostecke, Inschrift Abschnitt #A0-2

b. Ausgebrochene NW-Ecke des Deckels

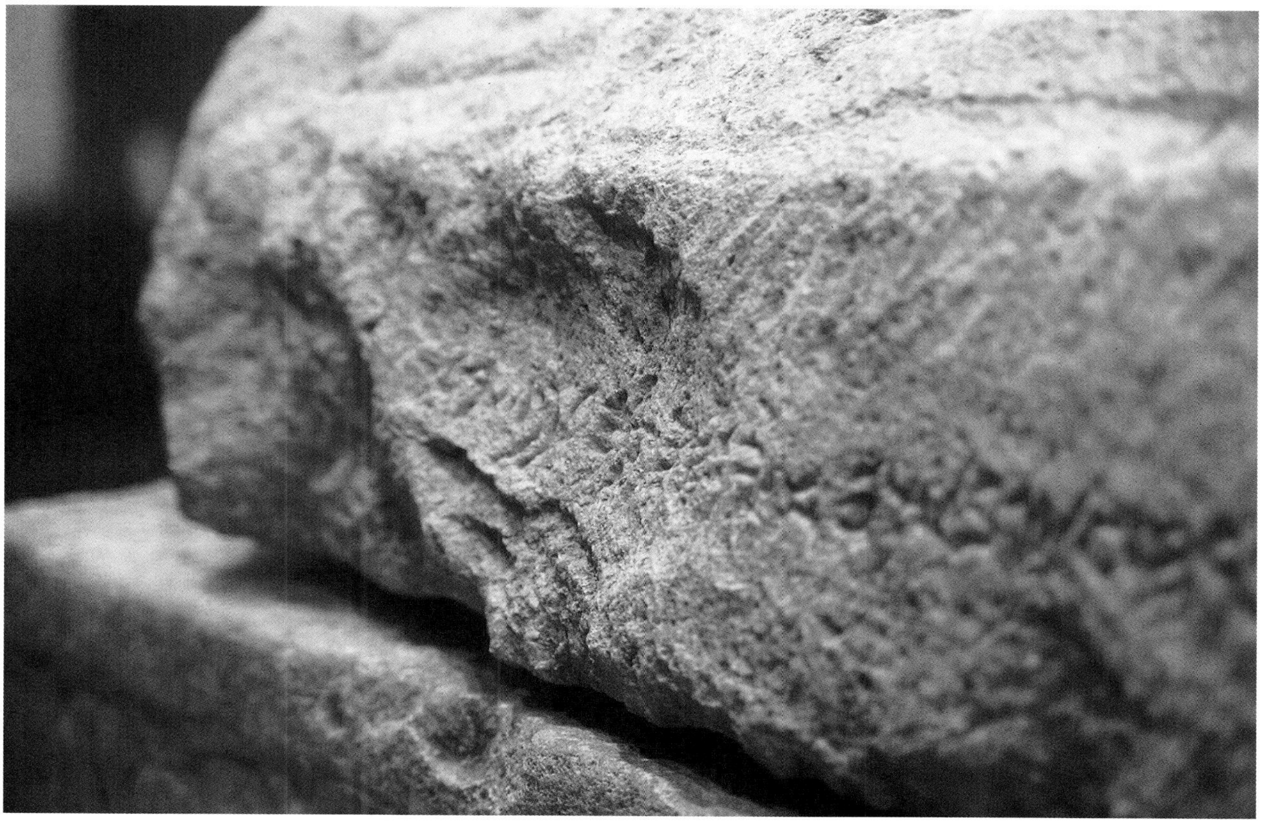

c. Ende der Inschrift B (NW-Ecke, von ‚Süden')

Abschnitt #B21–24 YMḤṢPRH•LPP•ŠRL

a. Abschnitt #A8/9

b. Detail Abschnitt #A2/3

c. Abschnitt #B1

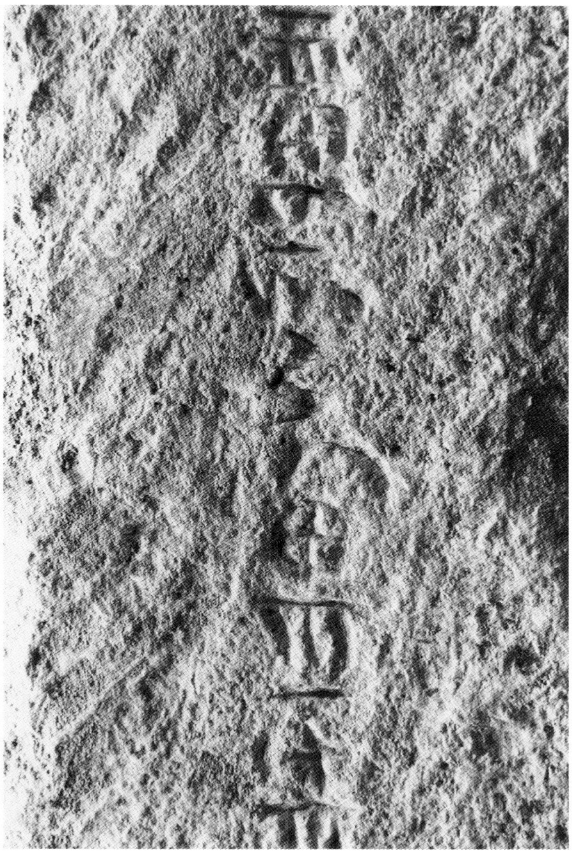

d. Abschnitt #B12–13 mit Meisselspuren im Untergrund

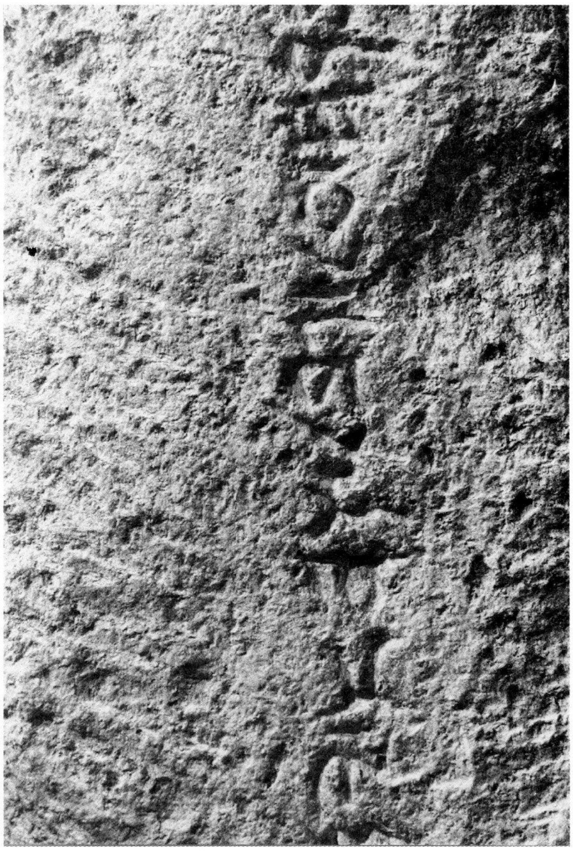

e. Abschnitt #B19–20 mit Meisselspuren im Untergrund

d. Abschnitt #14–15

e. Abschnitt #B18–19

f. Abschnitt #B22

a. Abschnitt #B3f

b. Abschnitt #B5

c. Abschnitt #B7

a. Schacht V Westwand

b. Schacht V von oben – Südwand mit Inschrift

a. Der Grufteingang in der Ostwand des Schachts V mit Resten von zwei Balkenlagern

b. Schacht V Ostwand mit Balkenlagern

Gesamtansicht der Schachtinschrift von der Nordwand aus

a. Schachtinschrift Zeile 1 und 2 rechts, Ansicht schräg von unten. Lesung (v.r.n.l.) untere Reihe: ‹H›-‹N›-‹Y›-‹Q›, obere Reihe ‹L›-‹D›-‹^{C}›-‹T›-‹•›

b. Schachtinschrift Zeile 2: ‹Y›

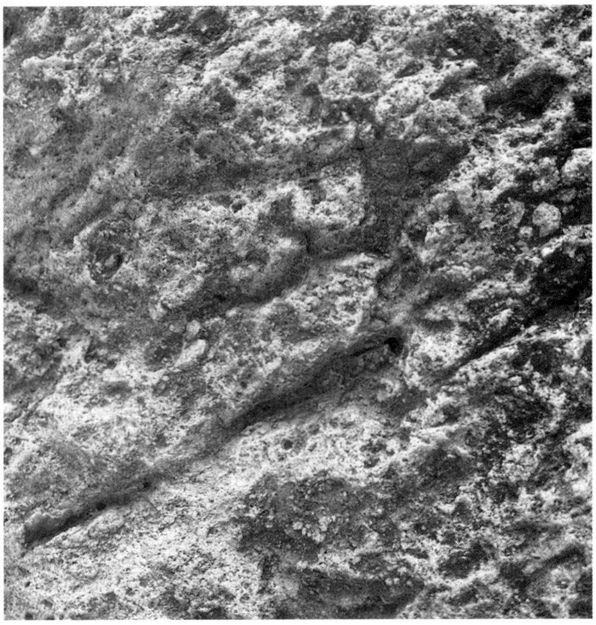

c. Schachtinschrift Zeile 2: ‹H›